D1173619

LE RETOUR DE L'AUBE

Dans la même série :

Entre chiens et loups
La couleur de la haine
Le choix d'aimer

Traduit de l'anglais par Amélie Sarn

Cet ouvrage a été réalisé par les Éditions Milan,
avec la collaboration d'Astrid Dumontet et de Claire Debout.
Mise en pages : Pascale Darrigrand
Création graphique : Bruno Douin

Titre original : *Double Cross*
Copyright © Oneta Malorie Blackman, 2008
*First published in Great Britain by Doubleday, an imprint Random
House Children's Books*

Pour l'édition française :
© 2009, Éditions Milan, pour le texte et l'illustration
300, rue Léon-Joulin, 31101 Toulouse Cedex 9, France
Loi 49-956 du 16 juillet 1949 sur les publications destinées à la jeunesse
ISBN : 978-2-7459-3679-0
www.editionsmilan.com

LE RETOUR

DE L'AUBE

Pour Neil et Lizzy,
Maman et Wendy
– avec tout mon amour.

Un grand merci à Annie et Sue
– que ferais-je sans vous ?

Lizzy, voilà le livre que tu m'avais demandé
– d'une certaine façon...

*The mere imparting of information is
not education. Above all things, the effort must
result in making a man think for himself...*

*When you control a man's thinking you
do not have to worry about his actions.
You do not have to tell him not to stand
here or go yonder. He will find his
« proper place » and will stay in it.*
Carter G. Woodson

Se contenter de délivrer des informations n'est en aucun cas
de l'éducation. Par-dessus tout, le but doit être de permettre
aux hommes de penser par eux-mêmes...

Quand vous contrôlez les pensées d'un homme, vous n'avez
plus à vous inquiéter de ses actions. Vous n'avez plus
à lui demander de ne pas bouger ou d'avancer.
Il trouvera « sa place » et y restera.

*... What would he do,
Had he the motive and the cue for passion
That I have ?*
Hamlet – Acte II scène II

... Que serait-il donc, s'il avait les motifs et les inspirations
de douleur que j'ai ?

Prologue

Le Glock 23 était lourd dans ma main. Bien calé. La crosse nacrée, blottie dans la chaleur de ma paume. Cette fois, c'est moi qui tenais le semi-automatique de McAuley.

Un vrai flingue. Dans ma main.

Une machine à tuer.

Ou était-ce moi la machine à tuer ? Où finissait ma main et où commençait l'arme ? Je n'étais plus capable de le dire.

Et maintenant ?

McAuley était assis par terre. Le flot de sang qui s'était écoulé de son nez n'était plus qu'un mince filet. Son costume blanc haute couture et la chemise assortie s'étalaient froissés et en désordre autour de lui. L'hémoglobine qui avait aspergé son costume çà et là ressemblait à une peinture abstraite. Je fixais une des taches au milieu de la poitrine de McAuley.

On dirait plus un test de Rorschach qu'une peinture, ai-je songé bêtement.

Ça m'a fait penser à mon propre visage, bien amoché.

Et maintenant ?

Les cheveux blonds de McAuley pendaient comme des spaghettis trop cuits. Ils étaient striés de rehauts de rouge – le sang de sa dernière victime – qui gouttaient sur ses épaules. Les éclaboussures sur sa veste auraient pu servir d'illustration dans un catalogue de médecine légale. Avec un peu de chance, le flic chargé des premiers relevés sur la scène de crime serait amateur d'art.

J'ai jeté un œil vers la porte du bureau. Les coups sourds et irréguliers qui résonnaient depuis tout à l'heure commençaient à me porter sur les nerfs. Le bruit vibrait à l'intérieur de ma tête et je n'arrivais plus à me concentrer. J'ai serré le poing, enfonçant mes ongles courts le plus profondément possible dans ma chair. Je devais résister à la tentation de laisser le tambourinement frénétique dicter le rythme de mes pensées.

Réfléchis, Tobey, réfléchis.

Il devait y avoir un moyen de sortir de cette merde.

Mais, alors même que j'essayais de m'en convaincre, je savais que je me racontais des histoires.

Affronte la vérité, Tobey. Ton heure est venue.

– Durbridge ! Tu peux commencer à creuser ta tombe parce que t'es déjà mort ! Tu m'entends ?

J'ai balancé un coup de pied entre les jambes de McAuley et je me suis autorisé un bref sourire de satisfaction en entendant ce salopard pousser un hurlement et en le voyant se recroqueviller. Petits plaisirs. Rien ni personne dans le bureau de McAuley ne m'empêcherait de frapper encore. Surtout maintenant que j'étais sûr de ne pas m'en sortir. Le sourire s'est effacé de mon visage alors que McAuley se tortillait sur le sol. Au son des rugissements de douleur de leur patron, les hommes de McAuley ont cogné plus fort sur la porte. Heureusement pour moi, McAuley dans sa paranoïa avait veillé à ce qu'elle soit blindée. Elle résisterait un bon moment, mais même l'acier de cette porte n'avait pas le pouvoir d'empêcher les hommes de main de McAuley de m'infliger la punition qu'ils me réservaient. J'avais encore une ou deux minutes avant que les boiseries de l'encadrement craquent et après je serais dans les emmerdes jusqu'au cou.

Est-ce que c'était possible ? Est-ce que j'avais une chance de m'en sortir ?

Bon Dieu, oui !

Moins de six semaines plus tôt – une éternité –, je pensais qu'on ne pouvait pas tomber si bas. J'imaginais à cette époque que s'il arrivait que l'on touche le fond, on ne pouvait alors que remonter à la surface. Mais alors que l'amour que je portais à Callie m'avait appris que le paradis n'a pas de limites, la haine que je vouais à McAuley m'avait enseigné que l'enfer n'en avait pas plus.

McAuley s'est mis à rire. Il était toujours recroquevillé, les mains en coupe sur le sexe, mais il trouvait ça drôle. L'ignoble McAuley, McAuley le gros dur. Mes doigts ont caressé la détente du revolver. Un feu incandescent coulait dans mes veines, brûlant ma raison et toutes mes sensations. Dévorant ma peur. J'avais une arme à la main et elle était comme une seringue qui injectait de l'adrénaline pure directement dans mon cœur.

Les coups sourds et exaspérants sur la porte étaient de plus en plus insistants.

– Tu es mort, Durbridge, répéta McAuley, et tu ne peux rien contre ça.

J'ai appuyé le canon du revolver sur sa tête, imprimant un petit cercle sur sa tempe. Il est devenu plus immobile qu'une statue.

– Alors on crèvera ensemble, fumier, ai-je murmuré. On crèvera ensemble.

SIX SEMAINES PLUS TÔT

Lever de rideau

1. Tobey

– Tobey, je me disais que euh... enfin, je pensais que... euh... toi et moi... on pourrait aller... euh... je sais pas moi... au cinéma ou... je pensais... manger un truc ce week-end ?

Bon sang ! Elle n'était pas capable de faire une phrase simple sans la truffer de « euh » et de « je pensais » ?

– Je peux pas, Misty. Je suis déjà pris.

J'ai rebaissé les yeux vers ma BD, une histoire de *fantasy* humoristique bien meilleure que je ne l'avais pensé quand je l'avais empruntée à la bibliothèque.

– Ah oui ? Tu fais quoi ?

– Je suis occupé, c'est tout.

J'ai froncé les sourcils sans prendre la peine de lever la tête.

– Tout le week-end ?

– Oui.

– Tu fais quoi ?

Je me suis tourné pour la regarder en face. Misty a rejeté en arrière ses cheveux châtains éclairés de mèches blondes. Son geste était affreusement artificiel et il n'était pas difficile de deviner qu'elle l'avait répété un nombre incalculable de fois devant son miroir.

– Tu fais quoi ? a-t-elle répété.

Cette fille commençait à me taper sur les nerfs. Elle me courait après depuis le début du trimestre et elle ne s'était jamais découragée devant les prétextes que je trouvais pour lui échapper. Elle était bouchée ou quoi ? Mademoiselle je-suis-super-sexy-et-je-le-sais s'est penchée vers moi. Si près que j'ai dû me reculer, sinon elle m'embrassait le cou.

– J'ai des trucs prévus avec ma famille. On va rendre visite à des oncles et des tantes, ai-je improvisé.

Mon problème, c'est que je suis trop gentil, ai-je pensé amèrement. Pourquoi est-ce que je ne lui disais pas tout simplement que je n'avais aucune envie de sortir avec elle ? Premièrement, si je la prenais dans mes bras, j'aurais l'impression d'étreindre une baguette chinoise. Moi, j'aimais les courbes. Et même si elle m'avait attiré – ce qui n'était pas le cas –, il était hors de question que je sorte avec l'ex de mon pote Dan. Définitivement, elle n'avait aucune chance.

– Peut-être... euh... le samedi suivant ? On pourrait... euh... aller se promener... si tu as envie ? a repris Misty.

Remets les mots dans l'ordre : Dents. Poules. Quand. Auront. Les. Des.

La porte de la classe s'est ouverte et Callie Rose est entrée. Elle s'est arrêtée un instant en voyant qui était assis à sa place. Puis, le visage fermé, elle s'est approchée de Misty.

– Excuse-moi, a-t-elle dit.

– Je suis en train de discuter avec Tobey, a riposté Misty.

– Alors change de chaise. Celle-là, c'est la mienne, a rétorqué Callie.

– Euh... tu peux pas t'asseoir ailleurs en attendant que le cours commence ? a tenté Misty.

Oh oh. J'ai retenu ma respiration. Callie a plissé les yeux en laissant son sac glisser sur le sol. Elle était à une nanoseconde du stade « Dégage de là si tu veux pas que je te casse la tête » niveau 1.

– Misty, a-t-elle prononcé lentement et d'une voix douce. Je voudrais que tu me rendes ma chaise.

– Si j'étais toi, je ferais ce qu'elle dit, ai-je prévenu Misty.

Même si, tout au fond de moi, l'idée d'assister à un crêpage de chignon me plaisait assez, je n'avais pas vraiment envie que Callie s'attire des ennuis et me le reproche jusqu'à la fin du trimestre.

Misty s'est raidie et s'est levée.

– Je ne suis pas près d'oublier ça, Callie, a-t-elle lâché.

– C'est ça. Prends une photo si tu veux, ou va chercher ton caméscope, je m'en fiche comme de ma première chaussette ! Et maintenant, dégage !

Callie a fait un pas de côté pour laisser passer Misty puis s'est assise sur sa chaise enfin libre.

– Quelle conne ! a-t-elle marmonné en fouillant dans son sac à la recherche de son livre d'histoire.

Elle a jeté un coup d'œil vers Misty qui avait rejoint sa place.

– Si elle avait des revolvers à la place des yeux, je serais morte, a-t-elle lâché en se tournant vers moi.

Elle était à moitié agacée, à moitié amusée, et ça se voyait dans ses yeux qui étaient passés du marron au noisette. À chaque fois qu'elle était perturbée ou en colère, ses iris tournaient au vert. C'était une des nombreuses raisons pour lesquelles j'étais fou d'elle. Elle avait le regard le plus expressif du monde. Des yeux caméléons qui changeaient de couleur en fonction de son humeur.

– C'est quoi ce truc ? Dès que je veux m'asseoir à côté de toi ou que je m'approche à moins de 500 mètres de toi, je tombe sur cette fille ! a-t-elle lancé.

Je me suis mordu les joues pour ne pas pouffer. Un ricanement et Callie me décapitait. J'ai tenté un haussement d'épaules nonchalant.

– Elle voulait quoi cette fois, Mystérieuse ? a demandé Callie.

– Pourquoi est-ce que tu l'appelles toujours comme ça ? ai-je ri.

Je connaissais la réponse mais je trouvais que ce surnom ne collait pas vraiment à Misty.

– C'est son nom, c'est tout, Misty-mystérieuse. C'est pas moi qui lui ai choisi son prénom... a rétorqué Callie. Et tu n'as pas répondu à ma question.

– Elle me proposait de sortir avec elle ce week-end.

J'ai observé attentivement la réaction de mon amie.

Elle a secoué la tête.

– Bon sang, elle lâche pas l'affaire !

– Tu es jalouse ? ai-je demandé, plein d'espoir.

Les sourcils de Callie se sont arqués si vite et si haut sur son front qu'on aurait dit qu'elle venait de se faire faire un lifting instantané.

– Tu rigoles ? Je la trouve pathétique, c'est tout. Elle s'est jetée à ta tête pendant tout le trimestre et j'ai pas l'impression de t'avoir vu faire le moindre mouvement pour l'encourager. En fait, quand elle s'adresse à toi, tu te contentes de croiser les bras et de faire la tronche. Je pensais qu'elle finirait par comprendre.

– Et c'est pour ça que tu as les yeux verts... ai-je souri.

– Tobey, je ne sais pas de quoi tu parles, mais t'as intérêt à te reprendre. Et vite !

– Ma Callie est jalouse !

Mon sourire s'est élargi.

– Mais t'inquiète pas, ma belle, il n'y aura jamais personne d'autre que toi dans ma vie !

– Va te faire voir, Tobey, a grogné Callie.

– Je te le jure !

J'ai posé les mains sur ma poitrine en prenant une expression ridiculement romantique.

– Je te donne... mon cœur.

J'ai tendu les mains vers elle au-dessus de sa table. Elle m'a jeté un regard noir et, prenant son stylo plume, elle a fait semblant de me poignarder en plein cœur. J'ai éclaté de rire, mais j'ai dû m'arrêter car M. Lancer, le prof d'histoire, entrait. Callie a marmonné toutes sortes de menaces à mon encontre comme elle le fait à chaque fois que je lui porte sur les nerfs.

J'adorais ça. C'était pour moi la plus douce des musiques.

Callie a réprimé un rire alors que la sonnerie annonçait la fin du cours. J'avais passé les cinquante dernières minutes à lui écrire des mots débiles et à faire des commentaires à voix basse sur la calvitie naissante de M. Lancer et son crâne chaque jour un peu plus déplumé. On ne pouvait s'empêcher de penser à une certaine partie de l'anatomie masculine et il était hors de question que je laisse passer une telle occasion d'amuser Callie. Pendant tout le cours, elle avait dû garder sa main sur sa bouche pour ne pas exploser. J'adorais faire rire Callie. Dieu sait qu'elle ne riait pas si souvent depuis que sa grand-mère était morte dans l'explosion de l'hôtel *Isis*.

Elle était en train de prendre son sac et je n'avais pas eu le temps de me lever que nous avions déjà de la compagnie.

Ce crétin de Lucas Cheshie.

Misty n'était pas la seule à être complètement bouchée. Si je ne savais pas encore comment définir ma relation avec Callie, j'étais au moins sûr de ce qu'elle et Lucas n'étaient pas : un couple. Ils ne sortaient plus ensemble. Alors pourquoi continuait-il à rôder autour d'elle ? Il était plus âgé que nous et il n'était pas dans notre classe, mais il avait dû apercevoir Callie par la fenêtre et il était entré. Il me faisait penser à une odeur nauséabonde qui s'accroche à la peau et dont on n'arrive pas à se débarrasser. Pot de colle !

M'ignorant totalement, Lucas a interpellé Callie d'une voix douce :

– Salut Callie Rose, ça va ?

Le sourire de Callie a disparu et elle a aussitôt pris une attitude distante. Je lui en ai été reconnaissant. C'était toujours ça de pris.

– Ça va. Et toi ?

– Tu me manques, a souri Lucas.

Callie a cherché quelque chose à répondre mais elle n'a pas trouvé et s'est contentée de hausser les épaules. J'ai dévisagé Lucas mais il n'avait pas l'intention de me donner la satisfaction d'admettre mon existence.

– Tu peux m'ignorer tant que tu veux, ai-je lancé, mais si tu crois que je vais te laisser seul avec Callie...

Je lui ai signifié mon hostilité par un regard assassin.

– Je suis content de te voir sourire à nouveau, Callie Rose, a repris Lucas. Je suis content que tu commences à surmonter ton deuil.

La lueur dans les yeux de Callie s'est éteinte, comme si un gros nuage noir était passé devant le soleil. La grand-mère de Callie était morte deux mois plus tôt mais Callie n'avait rien surmonté du tout. Je me demandais même parfois si elle arriverait un jour à passer au-delà de cette épreuve.

– Je crois que tu étais très proche de ta grand-mère Jasmine, a continué Lucas.

J'ai jeté un coup d'œil à Callie avant de me tourner à nouveau vers Lucas. Un cyclope avec un crayon planté dans la pupille aurait vu que Callie commençait à se sentir mal. Si Lucas ne s'en rendait pas compte, c'est qu'il était stupide. Et Lucas était tout sauf stupide.

Callie restait silencieuse.

– Callie, si tu as besoin de parler de ta grand-mère ou de la manière dont elle est morte avec quelqu'un, tu peux venir me voir. Je suis là pour toi, d'accord ?

Lucas a souri.

– Je veux juste que tu saches que je suis ton ami. Je le serai toujours. Si tu as besoin de quoi que ce soit, tu peux compter sur moi.

Sidéré, j'ai de nouveau regardé Callie. Avec quelques mots bien choisis, Lucas avait réussi à la mettre à terre, et maintenant il donnait l'impression de danser sur son cadavre. Le visage de mon amie a pris une expression égarée comme à chaque fois que l'on évoquait sa grand-mère Jasmine. Dans ses yeux verts brillaient les larmes qu'elle essayait désespérément de retenir. Callie détestait qu'on la voie pleurer. Mes poings se sont serrés. Je faisais appel à toute ma détermination pour ne pas cogner cet abruti.

Lucas a passé sa main sous le menton de Callie pour l'obliger à lever la tête. Il continuait de m'ignorer.

– N'oublie pas ce que je viens de te dire. Ce ne sont pas des mots en l'air.

Il a souri une nouvelle fois, puis s'est éloigné pour rejoindre ses copains qui l'attendaient dans le couloir.

Callie et moi étions seuls dans la classe. Je me suis mordu la lèvre. Que dire ? Que faire ? J'étais nul pour ce genre de truc.

– Callie...

Je me suis tourné vers elle juste à temps pour voir une larme – une seule – perler au bout de ses cils avant de s'écraser sur sa joue.

– Fais pas gaffe à lui, Callie. C'est un naze ! ai-je grondé, furieux.

Perplexe, Callie m'a regardé, les paupières toujours tremblantes.

– Pourquoi tu dis ça ? Il essayait juste d'être gentil.

– Gentil, mon cul ! Il a fait exprès de...

– C'est quoi ton problème, Tobey ? a murmuré Callie. Tu veux que je te dise, je n'ai aucune envie de parler de tout ça maintenant !

– Callie ! Tu vois pas ce que Lucas essayait de faire ? Il voulait juste...

Mais je parlais dans le vide. Callie était déjà à la porte, me laissant dans la salle de classe.

Tout seul.

Jasmine Hadley : une des victimes de l'attentat terroriste

Jasmine Hadley a finalement été identifiée hier comme une des victimes de l'explosion de l'hôtel *Isis*. L'ex-femme de Kamal Hadley, ancien Premier ministre, a été tuée il y a maintenant cinq jours, période nécessaire aux médecins légistes pour être sûrs de son identité. D'après une source bien informée, « les dommages subis par le corps étaient si importants qu'il a fallu combiner les empreintes dentaires et l'ADN pour obtenir confirmation ».

Un homme nihil a également été tué et la police fait son possible pour établir son identité et sa connexion éventuelle à l'attentat. Non encore revendiqué, cet acte est attribué à la Milice de libération. L'ex-mari de Jasmine Hadley, Kamal Hadley, dont le parti a enregistré un échec cinglant aux dernières élections, n'a pas souhaité faire de commentaire.

---

2 . Callie

J'avais beau essayer, je ne parvenais pas à me débarrasser de cet article. Quand il n'était pas dans ma main, il était dans ma tête. La photo de grand-mère Jasmine s'étalait sur deux colonnes. Je connaissais cette photo. C'était celle avec Grand-Mère au milieu, Maman et moi à sa droite, tante Minerva, oncle Zuri et Taj à sa gauche. Elle datait d'au moins dix ans et Grand-Mère avait l'air si heureux. Si fier. Je lui avais demandé de me parler de cette photo. Je n'avais que cinq ou six ans quand elle a été prise et, pour être honnête, je ne me rappelais rien de cette journée. De plus, je né trouvais pas ce cliché si extraordinaire mais Grand-Mère en avait un exemplaire encadré sur sa table de nuit, un autre, également encadré, sur son piano et une version plus petite dans son portefeuille. On aurait dit que Taj venait de se mettre le doigt dans le nez ou qu'il s'apprêtait à le faire, Maman semblait s'ennuyer à mourir et tante Minerva regardait oncle Zuri au lieu de faire face à l'appareil. Mais Grand-Mère s'en fichait.

– J'avais toute ma famille autour de moi, m'avait-elle répondu quand je lui avais posé la question. C'est ce qui donne son importance à cette photo.

Elle avait ajouté mélancoliquement :

– Il ne manquait que ton père, Callum.

Pour illustrer l'article, le journal nous avait effacés et il ne restait que Grand-Mère. J'avais plié et déplié ce morceau de papier si souvent qu'il était devenu aussi fragile qu'une toile d'araignée mais ça ne m'empêchait pas de le relire. Tous les jours.

Tous. Les. Jours.

25

J'essayais de comprendre ce qui s'était passé. Grand-mère Jasmine avait-elle voulu retourner la bombe contre oncle Jude ? Était-elle allée à l'hôtel pour la lui jeter au visage ? La bombe avait-elle explosé par accident ? Oncle Jude l'avait-il déclenchée délibérément ? Grand-mère Jasmine avait-elle essayé de se cacher et de fuir ? Y avait-il eu lutte ? Si c'était le cas, grand-mère Jasmine n'avait eu aucune chance. Elle avait pris ma bombe et, telle que je la connaissais, elle s'était fait un plaisir de la rapporter à Jude. Mais elle savait forcément à quel point oncle Jude était dangereux. La bombe l'avait tué. Et elle avait également tué Grand-Mère. Je ne pourrais jamais me le pardonner.

Oncle Jude et grand-mère Jasmine étaient morts par ma faute.

C'est ma bombe qui les avait tués.

J'avais fabriqué cette chose, je l'avais assemblée avec rage et haine. Quand je repensais à tout ce qui s'était passé dans ma vie depuis quelques mois, j'avais l'impression d'entrer dans l'esprit tordu d'une personne inconnue. Je me repassais mes souvenirs et je voyais défiler les pensées et les actes d'une étrangère. Mais cette étrangère, c'était moi.

– Grand-mère Jasmine, je te demande pardon...

Pardon. Quel mot ridicule. Si faible.

Pardon.

Je méprisais ce mot.

J'ai enfoui mon visage dans mes mains. Je ne voulais plus qu'on me voie et je ne voulais plus rien voir. Dans des moments comme celui-ci, je n'avais qu'une envie : devenir minuscule et trouver un endroit pour disparaître à jamais. Pour me cacher des autres et de moi-même. Un tel endroit existait-il ? J'aurais donné tout ce que je possédais pour le trouver.

Quelques courts moments de répit. Je ne pouvais rien espérer de mieux à présent. Fragments, secondes, où j'oubliais comment ma grand-mère était morte. Parfois quand je préparais le repas avec Maman et qu'elle me souriait. Ou quand je me disputais avec grand-mère Meggie et qu'elle me faisait les gros yeux. Quand je travaillais à mes devoirs avec Tobey et qu'il faisait exprès de me taquiner. Durant tous ces merveilleux instants, j'oubliais. Mais ils étaient rares.

Je ne pouvais même pas reprocher à oncle Jude ce qui s'était passé. Pas vraiment. Mon oncle était un soldat. Un terroriste. Un homme triste, amer et plein de colère. Depuis sa mort, j'avais appris beaucoup à son sujet. Internet et la bibliothèque du quartier m'avaient fourni tous les détails que je voulais. Je regrettais de ne pas avoir pris le temps de faire ces recherches quand il était encore en vie. Tobey avait essayé de me prévenir, Lucas aussi, mais j'avais refusé de les écouter. Je pensais qu'oncle Jude était le seul être capable de me comprendre, le seul qui ne me mentait pas. Comment avais-je pu me tromper à ce point ? Manifestement, je n'étais pas très perspicace. Et le plus pathétique dans toute cette histoire, c'est qu'avant la mort d'oncle Jude, j'étais persuadée d'avoir la capacité d'évaluer n'importe qui en trois coups d'œil. Quelle idiote !

Oncle Jude n'a fait que me mentir. Il débordait de haine. Et il s'était empressé de déverser ce trop-plein en moi. Je l'ai laissé faire. Et même si c'est lui qui m'a expliqué comment fabriquer cette bombe, ça ne m'aide pas à me pardonner sa mort. Sa mort et celle de Grand-Mère…

Un des premiers actes de ce gouvernement quand il est arrivé au pouvoir, il y a maintenant quelques mois, a été d'abolir la peine de mort. Pour de bon, cette fois. Enfin, il faut l'espérer. Elle avait déjà été abolie il y a soixante ans, puis remise à l'ordre du jour cinq ans avant ma naissance à la suite d'un référendum où une énorme majorité s'était prononcée en faveur de la pendaison pour les terroristes de la Milice de libération et les meurtriers coupables d'actes aggravés. Le gouvernement actuel a déclaré que des circonstances extrêmes ont conduit à de mauvaises décisions comme le rétablissement de la peine de mort et de la condamnation sans jugement. Pourtant, une partie de moi aimerait se rendre au poste de police le plus proche et demander à être punie, quelle que soit la sentence. Surtout si c'était la peine de mort.

« Grand-Mère, j'aimerais tant que tu puisses m'entendre. Me détestes-tu ? Tu ne peux pas me haïr plus que je ne me hais moi-même. Je ne voulais pas que tu sois blessée. Je te jure que telle n'a jamais été mon intention. Je n'avais plus toute ma tête. Je ne savais plus qui j'étais ni qui était ma famille. Je le sais maintenant. Mais j'aurais souhaité le comprendre autrement qu'au prix de ta vie. Maman ne cesse de me répéter que je ne dois pas m'en vouloir, que tout est la faute de Jude. Mais je ne suis pas stupide. Grand-Mère, je te demande pardon.

– Callie Rose, tu ne m'as pas entendue t'appeler pour le dîner ?

Maman se tenait dans l'encadrement de la porte, les mains sur les hanches.

– Tout le monde t'attend.

– Nathan est là ? ai-je demandé en repliant l'article pour le remettre dans le tiroir de ma table de chevet.

Maman a laissé retomber ses bras le long de son corps et elle est entrée dans ma chambre en poussant un soupir presque imperceptible.

– Oui, il est là. Je l'ai invité à passer la soirée avec nous. Callie... Est-ce que... est-ce que ça t'embête pour Nathan et moi ? Nous n'avons pas vraiment eu l'occasion d'en discuter depuis... depuis la mort de ta grand-mère.

– Ça ne me pose aucun problème, Maman, ai-je répondu honnêtement. En réalité, je suis même contente que tu aies quelqu'un dans ta vie.

Maman m'a observée comme pour tenter d'évaluer la franchise de mes mots. J'ai soutenu son regard sans ciller. J'étais sincère.

– Il y a pourtant quelque chose qui te dérange à propos de Nathan et moi, a repris Maman.

Je n'ai pas pu m'empêcher de sourire. Maman était si fine quand il s'agissait de deviner mes pensées. Bien plus fine que je l'avais cru jusqu'à présent.

– En fait, je me demandais... et Sonny ?

Sonny était l'ancien petit ami de Maman. Et le souci était qu'il était encore amoureux d'elle et qu'il essayait de la convaincre de revenir avec lui. Pourtant Maman lui avait annoncé qu'elle allait épouser Nathan.

– Le couple que nous formions, Sonny et moi, appartient au passé. Nathan fait partie du présent.

– Sonny est au courant ?

– Je le lui ai dit et répété un très grand nombre de fois ces dernières semaines, a soupiré Maman. Nous devons tous avancer. Je ne veux plus vivre dans le passé.

Maman essayait-elle de me convaincre ? Ou de se convaincre elle-même ?

– Alors Nathan et toi, vous allez vous marier et vivre ensemble ?

Maman a secoué la tête.

– Je ne sais pas, nous parlons mariage mais nous allons peut-être devoir différer nos projets. Les affaires de Nathan ne vont pas pour le mieux et il estime que nous devrions patienter.

– Et tu en penses quoi ?

– Je crois qu'il a raison… Je… je ne veux pas agir dans la précipitation.

– Maman, Nathan t'aime, alors pourquoi attendre ? La vie est si courte…

– Oui, tu n'as pas tort, a murmuré Maman.

Était-ce du doute que je décelais dans la voix de ma mère ? En tout cas, ça y ressemblait. Je n'étais pas certaine de bien comprendre sa relation avec Nathan. Ça me semblait plus une histoire de raison que de cœur, du moins de la part de Maman. Parfois, quand elle se croyait seule, une ombre passait sur son visage. Je savais que dans ces moments-là elle pensait à mon père. Avant, j'avais honte de mon père, Callum McGrégor, le terroriste qui avait fini au bout d'une corde. Ce n'était plus le cas. Et maintenant que je savais à quel point mon père et ma mère s'étaient aimés, je comprenais mieux que ma mère ait du mal à donner son cœur à un autre. Ça me faisait toujours bizarre de penser à l'amour que mon père portait à ma mère et à tout ce qu'il avait sacrifié pour elle et moi avant même ma naissance. Ça me procurait un sentiment étrange de chaleur, de réconfort et de tristesse.

Maman et moi sommes restées silencieuses un moment jusqu'à ce qu'elle m'ouvre ses bras. Je me suis tout de suite blottie contre elle. Nous nous sommes serrées l'une contre l'autre. Maman m'a caressé les cheveux. Moment d'amour et de paix.

Le jour de mon seizième anniversaire, je me suis réconciliée avec ma mère et j'ai perdu ma grand-mère. C'est injuste. C'est vraiment injuste. Pendant quelque temps après la mort de Grand-Mère, j'ai eu peur que ma nouvelle relation avec Maman ne dure pas, que tout redevienne comme avant, mais heureusement, ce n'est pas arrivé. Oh, bien sûr, on se dispute parfois et il nous arrive d'avoir des prises de bec mais Maman me laisse toujours le temps de me calmer avant de me rejoindre et de me prendre dans ses bras. Elle me murmure qu'elle m'aime et ma colère disparaît comme une brume un matin d'été. Je ne sais pas comment j'aurais pu affronter la mort de grand-mère Jasmine sans Maman. Tobey et grand-mère Meggie m'ont dit et montré qu'ils étaient à mes côtés mais Maman ne m'a pas quittée un instant. Pendant la messe d'enterrement, elle m'a tenu la main tout du long pour que je sache que je n'étais pas seule. Et pas une fois, elle ne m'a reproché d'avoir fabriqué la bombe qui a tué Grand-Mère. Pas une fois. Chacun de ses sourires, chacune de ses étreintes, chacune de ses caresses sur mes cheveux me signifiait qu'elle me pardonnait. Mais comment accepter le pardon de ma mère alors que je ne me suis pas pardonné à moi-même ?

– Je t'aime fort, Callie Rose. Tu le sais, n'est-ce pas ? Et rien ni personne sur cette Terre ne pourra jamais changer ça, a chuchoté Maman.

– Tu me le promets ? ai-je murmuré.

Maman a souri.

– Croix de bois, croix de fer, si je mens, je vais en enfer.

– Je t'aime, Maman.

Maman m'a serrée plus fort et j'ai regretté… j'ai regretté si fort que grand-mère Jasmine ne soit pas là pour nous voir.

3. Tobey

– Eh, Raoul ! Relève-toi, Néant !

Dan, les mains en porte-voix autour de sa bouche, a crié si fort que j'en ai eu mal aux oreilles.

– Bon Dieu ! Dan ! Mes tympans !

– Scuse, a souri Dan, l'air tout content de lui.

Je me suis penché pour le renifler avant de me reculer, écœuré.

– Dan ! Tu pues la sueur !

Dan a levé un bras pour sentir. Il ressemblait à un oiseau avec le bec caché sous l'aile.

– Wouah ! T'as raison ! s'est-il exclamé, surpris.

Je lui ai baissé le bras avant qu'il asphyxie tout le monde sur le terrain.

– Rassure-moi, Dan, t'es au courant que ça se lave, les dessous de bras ?

– J'ai oublié de mettre du déodorant ce matin ! a lâché Dan avec un air bête.

Oh, bon sang ! J'y crois pas !

Notre match de foot du lundi soir était déjà bien entamé. Le soleil de juillet était encore haut dans le ciel et il faisait trop chaud. Après quelques minutes à courir, mon T-shirt trempé collait à mon dos. Dan et moi n'étions pas dans la même équipe. Tous les deux placés à l'aile, on était censés se marquer l'un l'autre. Mais en fait, on en profitait pour discuter. On attendait patiemment que Raoul arrête son cinoche. Il était encore en train de se rouler par terre, en se tenant le tibia comme s'il jouait un mec en train de mourir dans un film de série B.

Notre partie se déroulait sur le terrain vague. Enfin, au parc de la Prairie comme l'ont répertorié les autorités locales sur leur site Internet. On n'était pas aussi nombreux que d'habitude. Juste assez pour un match sept contre sept et c'était la seule raison pour laquelle je jouais. Quand il y avait suffisamment de participants, j'étais en général relégué au poste de remplaçant sur un des bancs de touche. Le terrain vague était un carré avec, à un bout, quelques toboggans et deux ou trois balançoires pour les mômes et, à l'autre, un jardin entouré d'une clôture. D'après ma mère, il n'y avait plus de fleurs dans le jardin depuis vingt ans. Le terrain était quadrillé d'allées bétonnées empruntées par les utilisateurs de véhicules à roues à leurs risques et périls, comme le précisaient les panneaux plantés un peu partout. Je me suis souvent demandé si les mères avec les poussettes et les mamies et leurs caddies de courses étaient concernées par cet avertissement. Notre terrain de foot se trouvait à côté du fameux jardin sans fleurs et il était entouré de fils barbelés rouillés. C'était pas grand-chose, ce terrain, mais au moins, il était à nous. Et il n'était pas couvert de détritus ou de crottes de chien. Tous les footballeurs du quartier y veillaient.

Raoul a fini par se relever et a secoué sa jambe. Il était temps ! J'ai réceptionné la balle et j'ai déployé mon habileté légendaire pour la renvoyer aussi vite que possible. Et à un mec de mon équipe pour changer !

– Eh, qu'est-ce t'en penses ?

Dan m'a mis sa nouvelle montre sous le nez en agitant le bras. Elle était si près de mes yeux que je ne voyais rien. Il essayait de m'éborgner ou quoi ? Son parfum eau-d'aisselles puantes revenait me chatouiller les narines.

– Ma montre, a-t-il insisté. Comment tu la trouves ?

J'ai reculé d'un pas.

– Est-ce qu'elle peut zigouiller les avions qui volent à basse altitude ?

Dan a pincé les lèvres.

– C'était pas marqué dans le mode d'emploi.

– Est-ce qu'elle possède la nanotechnologie capable de drainer un hématome sous-dural ?

– C'est le modèle au-dessus qui fait ça.

– Alors, elle donne l'heure comme la mienne, qui était la moins chère de la boutique.

– Ouais, mais la mienne est cool et elle a coûté plus cher que tout ce que tu as dans ta chambre.

– Tu peux baisser ton bras avant que je meure étouffé ? l'ai-je supplié.

Dan a eu pitié de moi et a obtempéré. Je lui ai demandé :

– Ta montre, tu l'as achetée ou tu te l'es… procurée ?

Dan a fait une tête de six pieds de long.

– Je l'ai achetée, crétin de Néant ! J'ai le reçu et le certificat pour le prouver ! T'es quoi ? Un flic prima ?

J'ai levé les mains.

– Eh, ça me regarde pas où tu l'as eue, ta montre.

– Je l'ai payée avec de l'argent que j'ai gagné en travaillant, parce que moi, je passe pas mon temps à glander à l'école comme certains…

Le visage de Dan s'était un peu détendu mais à peine.

– Et elle est précise au moins ? ai-je demandé.

– Je te crois ! Elle est garantie pour ne pas perdre plus d'une seconde tous les cent ans.

À la place de Dan, vu le prix qu'il avait dû payer sa fichue tocante, j'aurais exigé qu'elle ne perde pas une seconde, même tous les cent ans, mais bon. En tout cas, je n'arrivais pas à croire qu'elle n'ait rien de plus que deux aiguilles en forme de flèches qui tournaient sur 360°.

– Alors, elle a quoi comme gadgets ?

– Pas de gadget. C'est pas un jouet que j'ai eu dans une tirette !

Dan a bombé le torse et haussé les sourcils.

– C'est la classe, c'est tout !

– Alors, elle dit juste l'heure ? ai-je insisté.

– Bon sang, Tobey ! On est potes ou quoi ? Des fois, je me demande ! s'est écrié Dan, exaspéré.

– OK, elle est super belle, ta montre, ai-je soupiré. Si un jour je me marie, ce sera avec elle et personne d'autre.

– Va mourir, a grondé Dan.

J'ai souri.

– D'accord, mais seulement si tu me promets de m'enterrer avec ta montre posée sur mon cœur.

– Tobey...

– OK, OK, j'arrête, j'arrête !

Dan s'est forcé à sourire. Il était déçu par mon manque de fascination pour sa montre mais ça lui passerait. J'ai jeté un coup d'œil vers la touche en me demandant laquelle des filles présentes était la dernière petite amie de Dan.

– Où est l'amour de ta vie ? ai-je demandé.

– J'en ai pas, Dieu merci ! a rétorqué Dan sans aucune émotion.

– Et comment se passe ta vie sexuelle ?

Dan a soupiré.

– J'en ai pas non plus malheureusement. D'ailleurs, en parlant de ça...

Une étincelle s'est allumée dans ses yeux.

– Comment va Callie Rose ?

Bon Dieu, j'aurais dû le voir venir !

– Dan, commence pas.

– Quoi ? s'est exclamé Dan sur un ton faussement innocent. Je te demande seulement si vous sortez toujours ensemble.

– Oui ! ai-je répondu fermement.

– Parce que si c'est pas le cas, a repris Dan en ignorant totalement ma réponse, j'en prendrais bien un morceau. Elle est canon pour une Prima.

– Elle est pas prima.

– Elle est pas nihil non plus, a rétorqué Dan.

– Alors, elle est quoi ? ai-je lâché, agacé.

– Canon, je viens de te le dire.

On est restés silencieux un moment. Pourquoi est-ce que j'avais été si prompt à affirmer que Callie n'était pas une Prima ? Peut-être parce que je n'arrivais toujours pas à croire qu'elle m'avait préféré à Lucas. Je ne pouvais pas m'empêcher de me dire qu'un jour elle allait se réveiller et... réaliser que j'étais un Néant.

– Eh Tobey, c'est bon. Remets-toi. Je te fais marcher, c'est tout.

– Je sais. Et t'inquiète, je te rendrai la monnaie de ta pièce, ai-je grogné.

Si seulement j'avais assez d'argent pour acheter des bracelets et des boucles d'oreilles et toutes ces choses que Callie méritait. Si seulement... J'ai pris le bras de Dan pour mieux regarder sa montre.

– Elle est vraiment cool, ai-je reconnu.

– Tu pourrais t'offrir la même, tu sais. Et même mieux, a déclaré Dan.

J'ai haussé les épaules.

– Tu sais qu'avec mon job, je suis au salaire minimum.

Mon boulot du samedi après-midi consistait à passer vingt pour cent du temps à vendre des téléphones portables et quatre-vingts pour cent à écouter les clients se plaindre. L'argent gagné me servait à payer mes fournitures scolaires et quelques bouquins.

– À ton avis, il me faudrait combien de temps pour acheter une montre comme la tienne ? Cinq ans ? Six ?

– Vendre des téléphones portables est pas le seul job disponible…

– C'est le seul qui m'intéresse, ai-je répliqué.

– T'en as pas marre de jamais rien avoir de ce que tu veux ?

Si. Justement. C'était exactement ça. J'en avais marre. Je pensais sans arrêt à tout ce que je pourrais faire, à tout ce que je pourrais être si j'avais les moyens !

– Il te suffirait de livrer quelques colis pour moi, a poursuivi Dan. Déposer un paquet ici ou là, en récupérer un autre ailleurs.

Pour la première fois, j'étais sensible à son discours.

– Je ne sais pas… ai-je commencé.

Sentant mon hésitation comme un requin sent l'odeur du sang, Dan a enfoncé le clou.

– Tobey ! C'est de l'argent facile. Pense à tout ce que tu pourrais faire avec quelques billets. Tu pourrais économiser pour te tirer de ce quartier pour commencer.

– C'est ce que tu fais ?

Je n'avais pas pu m'empêcher de lui poser la question.

– Non. Si j'avais ton cerveau et tes capacités, ouais, peut-être. Pour moi, c'est ça ou bosser dans une cafét' toute ma vie. Et tu vois, ça me fait pas vraiment envie. Mais toi, t'es intelligent, Tobey, et dans deux ans, avec tout l'argent que tu aurais ramassé, tu pourrais faire tout ce que tu veux…

Paquets. Livraisons. Dans la bouche de Dan, ça semblait simple et sans danger. Facile.

J'ai demandé :

– À qui tu livres ces paquets ?

– À ceux à qui ils sont destinés.

– Et pour qui tu livres ces paquets ?

Parce que ce n'était certainement pas pour la poste.

Dan a souri.

– Qu'est-ce que ça peut faire ? Je prends le colis et je l'apporte là où on me demande. C'est tout ce que je sais et je me fiche du reste. Tobey, réfléchis à l'argent que tu pourrais te faire. J'en ai ma claque d'avoir un pote toujours fauché à ma traîne.

Pour toute réponse, j'ai dressé mon majeur mais j'ai quand même réfléchi à ce qu'il disait.

Si j'avais de l'argent, Callie et moi...

J'ai coupé court. Je ne devais pas commencer à penser comme ça ou j'allais devenir cinglé.

Mais après tout, c'étaient juste des livraisons.

Je ne risquais pas grand-chose.

Sauf de me faire prendre.

J'ai secoué la tête, essayant d'effacer ces visions de montagnes de billets.

– Non, je ne crois pas, Dan. Tout ce que je veux, moi, c'est aller au lycée et ne pas me faire remarquer.

– Au lycée ! a ricané Dan dédaigneusement. J'espère que ton lycée ne va pas te faire oublier qui tu es !

J'ai bloqué ma respiration.

– Et je suis quoi exactement ?

– T'es un Nihil, Tobey. Et c'est pas tes études qui vont y changer quoi que ce soit.

– C'est pas ce que je veux.

– Pas mal de tes copains te considèrent déjà comme un vendu, a balancé Dan. À toi de leur prouver qu'ils se trompent.

Un vendu ? Quoi ?

– J'ai rien à prouver à personne, Dan.

– Hey !

Dan a levé la main.

– Moi, je te dis juste ce que tes autres potes disent sur toi.

Mes potes. J'ai plissé les yeux et j'ai jeté un regard vers mes soi-disant potes.

Dan a reculé d'un pas.

– Faut seulement que tu fasses attention que ton cerveau soit pas trop gros pour ta petite tête, a-t-il ajouté.

– Vouloir faire quelque chose de ma vie n'a rien à voir avec le fait de me vendre.

J'avais du mal à refouler mon ressentiment.

– Désirer à tout prix atteindre un but n'a rien à voir avec le fait de se vendre ! ai-je repris.

– Dis ça à Raoul et à…

– Non ! C'est à toi que je le dis. Ces crétins ne sont pas capables de comprendre que je vais au lycée pour apprendre à penser par moi-même, pour pouvoir faire quelque chose de ma vie ! C'est ça, se vendre, maintenant ? Je vois qu'on n'a plus besoin des Primas pour penser ce genre de truc ! On se dévalorise très bien tout seuls !

Dan a de nouveau reculé d'un pas.

– Écoute, je voulais juste…

– La prochaine fois que Raoul ou qui que ce soit d'autre sort ce genre de conneries, dis-leur de venir me parler en face ! ai-je poursuivi, furieux. Je vais continuer d'aller au lycée et de faire profil bas jusqu'au jour où je quitterai la Prairie. Point final !

Dan a secoué la tête.

– Arrête de rêver, Tobey, faut que tu choisisses ton camp. T'as pas le choix. McAuley peut te protéger, il est des nôtres.

Des nôtres…

McAuley était un truand notoire, rien d'autre. Mais le fait qu'il soit nihil suffisait à Dan. McAuley se présentait comme le pivot de l'équipe nihil. Il prenait sa part sur toutes les affaires louches de la Prairie – du moins, si les Dowd ne s'étaient pas servis les premiers. Les Dowd étaient la famille prima qui avait la mainmise sur toutes les activités illégales de la Prairie, du moins celles sur lesquelles McAuley n'avait pas encore posé ses sales pattes. À moins que ce ne soit l'inverse. Qui aurait pu le dire ? Ils offraient tous deux protection à ceux qui leur prêtaient allégeance. Les voyous nihils avaient tendance à se rallier à McAuley, la racaille prima rejoignait les forces vives des Dowd. Ségrégation criminelle fraternelle.

Il y a quelque temps, une petite frappe nihil du nom de Jordy Carson avait essayé de s'en prendre aux Dowd ; il avait disparu comme un pet dans le vent. Et pendant ce temps, un certain Alex McAuley, le second de Jordy Carson, attendait son tour, assis sur le banc de touche. Tout le monde disait que McAuley avait beaucoup appris des erreurs de son patron et qu'il avait l'intention de rester en place. Alors, il s'est assuré que tout le monde connaissait son nom et ses règles du jeu. Le problème, c'était que McAuley était pire que Carson. Et je suppose qu'il y avait assez de misère dans le quartier pour que les Dowd *et* McAuley en tirent profit. Et la misère, c'était nous, les Nihils et les Primas les plus pauvres. « Des nôtres », oui, bien sûr.

Dan a repris :

– L'ennui, c'est que le lieu neutre où tu veux vivre n'existe pas. Ni pour toi, ni pour aucun d'entre nous. Si tu te décides pas à choisir ton camp rapidement, tu seras nulle part.

– Ouais, mais nulle part a l'air d'être un chouette endroit comparé à ici !

– Si t'es nulle part, t'es mort, m'a corrigé Dan. Parmi nous, tu seras protégé, soutenu. McAuley veille sur les siens. Qui est de ton côté au jour d'aujourd'hui ?

– Toi, Dan, ai-je reparti en souriant.

– Très drôle, a-t-il grogné.

– Je sais que tu seras toujours là pour me couvrir.

– N'en sois pas si sûr, Tobey, a calmement déclaré Dan.

Mon sourire s'est effacé. Dan et moi nous sommes dévisagés.

– Eh vous deux ! On n'est pas là pour prendre le thé, a crié Liam, le capitaine de mon équipe. On vous demande de shooter dans cette foutue balle !

Dan et moi sommes revenus dans le jeu en essayant de donner le change, mais alors que mon corps s'activait sur le terrain vague à faire semblant de se rendre utile, mon esprit était ailleurs. Quand un autre joueur s'est roulé par terre, mimant la douleur, je suis resté derrière Dan et nous avons tous deux attendu que le match reprenne.

Je n'arrêtais pas de penser à ce qu'il m'avait dit.

J'avais l'impression qu'on venait de me réveiller à coups de pied. Je m'étais imaginé que Dan serait toujours à mes côtés et vice versa. Mais le fait que Dan commence des livraisons pour McAuley avait évidemment changé la donne. J'avais raté la marche. Et soudain, mon monde devenait sacrément plus compliqué.

Des années plus tôt, je m'étais dit qu'entrer au lycée de Heathcroft était le summum, la solution à tous mes problèmes. Je m'étais dit que je n'avais plus qu'à garder le profil bas et obtenir des bonnes notes pour entrer à l'université. Je me voyais déjà comme un mec important sur les marchés financiers. J'avais tout prévu. Je voulais un métier qui me rapporte plein de fric. Mais tout ça, c'était l'avenir. Et j'avais juste oublié qu'avant d'en arriver là, je devais franchir quelques obstacles qui se dressaient devant moi. Le présent, c'était McAuley et les Dowd et le fait que je devais choisir un camp juste pour pouvoir marcher dans la rue sans risque. Le présent, c'était les amis qui vous tournaient le dos et ceux qui restaient. Le présent, c'était travailler dur et affronter un certain nombre de dangers.

J'ai compris que Dan avait raison au moins sur un point.

Cet endroit neutre où je voulais vivre, auquel je m'accrochais, était pareil à des sables mouvants.

4. Tobey

Au lycée, le lendemain, les mots de Dan continuaient de résonner dans ma tête. Je suis rentré seul parce que Callie avait une leçon de chant après les cours et, durant tout le trajet, les propos de mon pote m'ont hanté. Alors que je refermais la porte d'entrée, ma sœur Jessica est sortie du salon. Elle portait un vieux jean élimé et un T-shirt rouge à manches longues tellement délavé qu'il était presque rose. Avec du gel, elle avait dressé sur sa tête ses cheveux châtain clair. Elle affichait déjà un sourire ironique. J'ai retenu un soupir. Je savais ce que cet air signifiait. J'ai enlevé ma veste et je l'ai jetée sur la rampe. J'ai froncé les sourcils.

– Pourquoi t'es pas au boulot ?

– C'est mon jour de congé. Pourquoi tu fais cette tête ?

– J'ai eu une sale journée, Jessica, alors fous-moi la paix.

– Et pourquoi on ne méditerait pas tous les deux ? a suggéré ma sœur.

Le pire, c'est qu'elle était sérieuse. Elle était dans un trip hippie, transcendantalo-psy à la con. Enfin, depuis au moins quinze jours. Il y a un mois, elle affirmait que le kick-boxing était *le* seul moyen de sauver la société. Le mois d'avant, c'était la thérapie par les couleurs ; à l'époque, elle expliquait mon irascibilité permanente par le fait que je portais souvent du bleu et que je mangeais trop d'aliments rouges et bruns.

Je me suis dirigé vers la cuisine.

– Jess, je suis pas d'humeur pour tes délires. Vraiment pas.

– Tobey, tu as besoin de te plonger dans le lac Toi, a repris ma sœur en m'emboîtant le pas. Tu dois apprendre à connaître le véritable toi-même.

Le lac Toi... Bon Dieu !

– Jessica, lâche-moi ! ai-je grondé.

– Qu'est-ce qui t'arrive, Tobey ? Des problèmes avec ta petite amie ?

– Tu me fous la paix quand tu veux, Jess, OK ?

– Oh oh ! On dirait que tu n'as pas eu droit au moindre câlin aujourd'hui. Ni sous le pull, ni par-dessus.

J'ai jeté un regard noir à ma sœur mais, à juger de son sourire stupide, elle n'a pas saisi le message. Il en fallait beaucoup plus pour que Jess laisse tomber.

– Vous êtes allés jusqu'où, tous les deux ? a-t-elle demandé.

Je me suis approché du réfrigérateur. Si je l'ignorais, elle finirait peut-être par abandonner.

– Allez, Tobey, dis-moi. Mon esprit investigateur veut tout savoir, m'a taquiné Jessica.

J'ai ouvert la porte du frigo.

– Jess, je te sors un truc ? Du jus d'orange, de la limonade, un mêle-toi-de-tes-fesses ?

– Ce qui te regarde me regarde, petit frère, m'a informé Jessica.

J'ai pris une canette de soda au gingembre et j'ai bousculé ma sœur pour passer.

– Quel pénible ! a crié Jessica. Un jour, tu vas te retrouver tout seul !

Bon sang ! Je ne demandais pas mieux. D'abord Dan et maintenant ma sœur.

– Jessica, casse-toi ! ai-je grommelé.

– Hors de question !

Je suis retourné dans l'entrée et, juste à ce moment, la sonnette a retenti. J'étais le plus près, j'ai ouvert.

– Hé Tobey ! T'es prêt pour notre exposé d'histoire ?

Je me suis écarté de devant la porte pour laisser Callie passer. J'ai inspiré discrètement. Elle portait le parfum à la cannelle que je lui avais offert au dernier Noël. Elle ne mettait plus que celui-là. Bon Dieu, j'adorais son odeur.

– Je pensais que tu ne voudrais pas commencer avant demain. Et ton cours de chant ?

– M. Seacole est malade aujourd'hui et le cours a été annulé. Je t'ai cherché ce midi pour te prévenir mais tu devais avoir mis ta cape d'invisibilité.

Callie m'a adressé un regard accusateur.

– Je suis rentré à la maison, a-t-elle repris, et Nathan était encore là. Maman et lui passent leur temps à se dévorer des yeux. Si j'étais restée plus longtemps, j'aurais fini par vomir. C'était ça ou venir te voir.

– Je peux considérer que j'ai gagné, alors ?

– Ouais. Enfin, c'était limite, hein, j'ai vraiment hésité, m'a souri Callie.

Elle avait noué ses cheveux en queue-de-cheval et avait échangé son uniforme pour un jean et un T-shirt moulant rose pâle à manches longues. Un T-shirt super moulant qui mettait ses formes en valeur. Ses sandales bleues montraient ses ongles sans vernis. Elle mesurait un mètre soixante-quinze et elle était tout en jambes. En jambes et en... seins. Je me suis forcé à me concentrer sur son visage avant qu'elle me jette. Elle a commencé à monter vers ma chambre.

– Tu as nos notes ? a-t-elle demandé en se tournant vers moi.

J'ai sorti ma clé USB de ma poche. Je n'allais nulle part sans elle.

– Tout est là !

– Salut Callie. Ça va ?

– Salut Jessica. Ça va, merci.

Callie a souri à ma sœur.

– Tobey et moi allons travailler pour notre exposé d'histoire.

– Amusez-vous bien, a lancé Jess d'un ton moqueur. Mais n'oubliez surtout pas de laisser la porte ouverte et de garder toujours au moins un pied par terre.

– Ha ha ! Trop marrant ! ai-je lancé en montant à la suite de Callie.

Jessica a éclaté de rire. Elle se trouvait vraiment drôle. Ma sœur n'avait que dix-huit mois de plus que moi et même si elle travaillait à mi-temps dans un salon de coiffure, elle vivait encore à la maison. Avec son salaire, elle n'aurait pas les moyens de se payer un loyer avant l'âge de la retraite. Je ne la supporterai pas jusque là. Certainement pas.

Un de ces quatre, j'aurais tellement d'argent que je ne saurais plus où le mettre. Je me le suis juré le jour de mon admission à Heathcroft. La réussite n'était qu'une question de mental. Et j'avais un mental en acier. J'allais devenir riche. Par n'importe quel moyen. N'importe quel moyen légal, évidemment. Pas question de gagner de l'argent avec l'ombre de la prison au-dessus de la tête. Au moins, la peine de mort a été abolie. Pas trop tôt.

En haut des marches, Callie s'est tournée vers moi et m'a souri. J'étais parfaitement conscient que les petites disputes entre ma sœur et moi l'amusaient. Mais Jessica trouvait toujours le mot juste pour me porter sur les nerfs. Particulièrement au sujet de Callie. D'ailleurs, maintenant que j'y pensais, elle n'arrivait à m'énerver que quand elle parlait de Callie.

Nous sommes entrés dans ma chambre et je reconnais que j'ai fermé ma porte un peu plus violemment que nécessaire. Les commentaires de ma sœur m'avaient mis les nerfs. Et si à cause de ses allusions lourdingues, Callie décidait de ne plus entrer dans ma chambre ?

– Hé Tobey, tu crois que je devrais me déshabiller et m'allonger sur ton lit ? a lancé Callie. Comme ça, ta sœur aurait de bonnes raisons de t'asticoter.

– Bonne idée ! ai-je souri.

Si seulement elle le faisait pour de vrai !

– Dans tes rêves, m'a rembarré Callie.

Eh oui, dans mes rêves justement.

– On peut toujours tenter, ai-je soupiré pour rire.

J'ai enlevé ma chemise d'uniforme pour passer un T-shirt blanc propre. Merci Maman ! J'ai décidé de laisser mon pantalon d'uniforme où il était : sur mes fesses. Je n'étais pas d'humeur à entendre Callie se moquer de mes « jambes maigrichonnes de poulet pas cuit ». Je me suis assis à mon minuscule bureau et j'ai branché ma clé USB à l'ordinateur familial. On l'avait installé dans ma chambre parce que c'est moi qui l'utilisais le plus souvent.

– Tobey, blague à part, pourquoi est-ce que tu ne dis pas à ta sœur que nous sommes juste amis ? m'a soudain demandé Callie.

J'ai détourné le regard.

– J'ai essayé mais elle ne me croit pas.

Callie a froncé les sourcils.

– Moi je lui ai répété des centaines de fois que tu me considérais juste comme un pot de colle mais elle ne m'a pas crue non plus. Je me demande pourquoi.

Assise sur le bord de mon lit, elle a jeté un coup d'œil à sa montre.

– Tu crois qu'elle va mettre combien de temps aujourd'hui ?

– Je lui donne trois minutes, ai-je soupiré pour de bon cette fois. Et je suis large.

Callie a secoué la tête.

– Nan, moi je dis sept minutes quinze secondes. Elle va attendre d'être sûre qu'on est vraiment en train de faire quelque chose avant de se pointer.

– Tu te trompes. Deux ou trois minutes au maximum. Si elle attend plus longtemps, elle aura peur d'avoir raté un épisode.

– Elle sait des choses que j'ignore, a ri Callie. Tu serais du genre rapide ?

Tobey, fais gaffe…

– Personne n'est jamais venu se plaindre, ai-je répliqué.

Callie m'a dévisagé, une étrange expression sur le visage, puis a baissé les yeux vers les formes géométriques imprimées sur ma housse de couette.

– Peut-être qu'on n'est pas toutes aussi faciles à satisfaire que Misty.

Misty ? Qu'est-ce qu'elle venait faire là-dedans ? Et puis qu'est-ce que Callie voulait dire par là ? Qu'est-ce que je devais faire pour la satisfaire ? Est-ce que Lucas lui en avait déjà donné une idée ? Cette conversation commençait à prendre un tour dangereux. Je ferais sans doute mieux de fermer ma grande bouche.

Callie s'est levée et s'est approchée de mon bureau.

– Voyons voir comment tu as arrangé toutes nos recherches.

J'ai essayé d'avoir accès à mes fichiers mais mon ordinateur ne reconnaissait même pas ma clé. Après deux nouvelles tentatives, je suis passé directement par le système. Des symboles bizarres et des hiéroglyphes sont apparus sur mon écran.

– Tobey ! Mes dossiers ! Ils sont où ?

La voix de Callie était blanche et sa question purement rhétorique. Elle voyait aussi bien que moi ce qui était arrivé à ses dossiers.

Je me suis empressé de me défendre.

– Attends, j'y suis pour rien. J'ai acheté cette clé il y a à peine un mois. C'est le dernier modèle !

– Le dernier modèle, mes fesses ! s'est exclamée Callie, dégoûtée. Tobey, je n'ai vraiment pas envie d'avoir à refaire toutes mes recherches.

– Tu avais fait une sauvegarde de tes notes ?

– Pas de la dernière version, non. J'ai changé deux-trois trucs au lycée avant de tout mettre sur ta clé et après j'ai effacé les fichiers. Et puis, il y a aussi le petit film et tout ce que tu avais mis toi. On a tout perdu ?

J'ai acquiescé.

– T'inquiète, je n'aurai qu'à tout refaire. Ça me prendra pas plus de deux ou trois heures.

J'essayais de rassurer Callie mais je savais pertinemment qu'on venait de perdre au moins deux jours de travail. Il allait me falloir un temps fou pour refaire les graphiques et le petit film que j'avais inclus dans notre présentation. Bon sang !

– Mais qu'est-ce qui est arrivé à ta clé ? Tu l'as mise au micro-ondes ou quoi ?

– Ou quoi, ai-je grogné en retirant la clé de l'ordinateur.

– Rapporte-la et fais-toi rembourser, m'a conseillé Callie.

J'ai hoché la tête. Je n'avais pas beaucoup d'espoir de ce côté-là. Je n'avais aucune idée de ce que j'avais fait du ticket de caisse. J'ai remis ma clé dans ma poche, complètement démoralisé. Peut-être que le magasin accepterait au moins de me l'échanger ?

Callie est retournée s'asseoir sur mon lit.

– On peut toujours continuer. Je remettrai mes notes à jour en rentrant à la maison.

Elle a jeté un coup d'œil à sa montre.

– Ta sœur ne va pas tarder à arriver, tu devrais venir t'asseoir à côté de moi. Ce serait dommage de la décevoir.

J'ai obéi. Je me suis assis si près d'elle que nos bras et nos cuisses étaient collés. Je sentais la chaleur du corps de Callie passer à travers mes vêtements.

– Tu sens quoi ? ai-je demandé en me penchant sur son cou.

– Pourquoi ? C'est désagréable ?

Callie a reniflé son poignet d'un air de doute. Elle avait dû se mettre quelques gouttes de parfum également sur les poignets. Et bien sûr que ce n'était pas désagréable. Au contraire.

– Tu sens le biscuit, ai-je murmuré.

Callie a écarquillé les yeux.

– Merci !

– C'était un compliment.

Callie a levé les yeux au ciel.

– Alors un conseil, Tobey : ne dis jamais à Misty ou une autre de tes petites amies qu'elle sent le biscuit. Dis-leur que leur parfum est fleuri, sexy, exotique, agréable, ce que tu veux mais pas ça !

– Mais j'aime bien les biscuits, ai-je protesté.

Callie m'a jeté un regard soupçonneux.

– Tu te moques de moi ?

Je lui ai souri et j'ai décidé que le silence était la meilleure réponse dans ce cas. J'aimais vraiment le parfum de Callie et c'était vrai qu'elle sentait le biscuit, mais j'avais l'impression que si j'insistais, sitôt rentrée chez elle, elle viderait le contenu du flacon que je lui avais offert pour Noël dans les toilettes.

Callie a soupiré et s'est appuyée sur les coudes. J'aurais préféré qu'elle ne fasse pas ça. Ça faisait encore plus ressortir ses seins. J'étais obligé de me concentrer pour que mes yeux restent fixés au-dessus du niveau de ses épaules.

– Ça te dirait qu'on se regarde un film quand on aura fini nos devoirs ? m'a soudain proposé Callie.

Je me suis tout de suite mis sur mes gardes.

– Quel genre de film ?

– *Le Mystère d'Angie* passe à neuf heures, a suggéré Callie.

– C'est quoi ?

– Un drame social contemporain qui se déroule...

– Laisse tomber.

Je me fichais pas mal de l'endroit où ça se déroulait. Les mots « drame social contemporain » suffisaient largement.

– Il y a aussi *Le Mal-aimé* à la même heure sur la chaîne...

– Ah non ! *Le Mal-aimé* ! C'est quoi ce titre ! me suis-je écrié. Y a pas un film d'action ou d'horreur ?

– Et si je te dis que *Le Mal-aimé* est une comédie musicale ?
Une comédie musicale ? Génial !
– Bien tenté.

Callie a soupiré.

– Qu'est-ce que tu reproches aux films romantiques ?

– Callie, j'ai pas du tout envie de regarder un truc avec des gens qui ont des crises existentielles et qui dégoulinent de sentimentalisme juste pour que tu puisses pleurer à côté de moi, ai-je déclaré. Pas question !

– Je ne vois pas ce qu'il y a de mal à pleurer devant un film ! m'a lancé Callie. Ça peut même faire du bien de pleurer tout court. J'ai appris ça à la mort de grand-mère Jasmine.

– Si tu le dis, ai-je marmonné.

Callie a penché la tête en me dévisageant.

– Ah, parce que tu ne le sais pas peut-être ! Tu n'as pas pleuré quand ton père est parti ?

– Non. Je vois pas pourquoi j'aurais pleuré. C'était pas la première fois qu'il se tirait. Et s'il revenait, ça voudrait pas dire que ce serait pour de bon. Pleurer sur le départ de mon père, ça aurait été comme pleurer à chaque fois que le soleil se lève.

Callie a froncé les sourcils.

– Quand est-ce que tu as pleuré pour la dernière fois ?

– Je sais pas, ai-je répondu honnêtement. Des années.

– Il n'y a rien de mal à verser quelques larmes. C'est même parfois la seule manière d'améliorer les choses.

– Je suis même pas sûr que je saurais encore pleurer. Ça me ressemble pas, c'est tout. Si on changeait de sujet ?

Callie a soupiré mais a cédé.

– Alors, tu penses que ta sœur va donner quel prétexte à son irruption dans ta chambre cette fois ?

J'ai haussé les épaules.

– Qui sait ? Elle dira peut-être qu'elle veut récupérer une de ses revues.

– Ou un de ses accessoires de coiffure ?

Comme si je gardais une de ses perruques ou un de ses produits pour cheveux sous mon lit. Jess n'allait en cours qu'un jour par semaine mais elle rapportait tellement d'objets et d'accessoires à la maison que bientôt, Maman et moi allions être obligés de lui laisser nos chambres.

– À moins qu'elle ne vienne s'enquérir de la santé de Câlin, mon serpent... ai-je suggéré.

– Sauf que Câlin est mort depuis au moins cinq ans, a grimacé Callie.

– Ah, mais Jessica communique avec les esprits ! lui ai-je rappelé. Même les esprits de serpents.

– Ta sœur est douée de nombreux talents.

– Si ça pouvait inclure se mêler de ses...

La porte s'est soudain ouverte dans un grincement.

– J'espère que je ne vous dérange pas tous les deux. Tu m'as appelée, Callie ? a demandé ma sœur. J'ai cru t'entendre m'appeler.

Callie et moi avons échangé un regard. Je n'ai même pas eu besoin de regarder ma montre.

– J'ai gagné, ai-je chuchoté.

– Oui, Jessica, je t'ai appelée, s'est exclamée Callie. Je m'apprêtais à faire l'amour avec ton frère d'une manière passionnée et sauvage et j'ai pensé que tu voudrais venir voir.

– Oh ! Callie ! J'espérais que tu avais meilleur goût que ça !

La répulsion a déformé le visage de ma sœur.

– Non, je t'assure, j'aime la manière dont ton frère et moi nous vautrons dans la luxure. Tu devrais regarder, Jessica, tu pourrais apprendre des choses.

Callie a tiré sur l'arrière de mon T-shirt, manquant de m'étrangler. Je me suis laissé tomber en arrière avant que ma pomme d'Adam ne soit coupée en deux. Callie m'a sauté dessus. C'est la seule expression qui convienne. Elle m'a sauté dessus. Et avant que j'aie eu le temps de cligner un œil, elle a posé ses lèvres sur les miennes et enfoncé sa langue dans ma bouche. Bon sang, c'était bon ! Je l'ai prise dans mes bras et attirée contre moi.

– Beurk ! Vous êtes écœurants ! a crié Jessica. Je préfère m'en aller. Vous étiez pathétiques mais maintenant vous êtes répugnants !

J'ai plus ou moins entendu la porte se refermer, mais j'étais totalement ailleurs. J'ai serré Callie plus fort. Mon sang palpitait dans mes veines et semblait se ruer dans une partie très spécifique de mon anatomie. Callie avait bon goût, son parfum était merveilleux et c'était fantastique de la sentir contre moi. Il m'a fallu quelques secondes pour me rendre compte qu'elle essayait de me repousser. Je l'ai lâchée à contrecœur.

– C'est bon, on peut arrêter maintenant.

Son haleine tiède me caressait le visage.

– Ta sœur est partie.

On s'en fout de ma sœur.

– Espérons que ça va la guérir de ses délires ! a ri Callie. Je ne sais pas pourquoi, mais ça n'a pas eu l'air de tellement lui plaire de te voir les jambes en l'air.

J'ai plissé le nez.

– Bon sang, Callie ! Même moi, je suis écœuré rien qu'à l'imaginer !

Callie s'est assise brusquement. Elle ne souriait plus.

– Tu veux dire que tu trouves écœurante l'idée de faire l'amour avec moi ! Merci !

Je l'ai dévisagée et je me suis assis à mon tour.

– Non... ce n'est pas ce que je voulais dire... seulement si... si ma sœur était présente.

Callie a penché la tête sur le côté.

– C'est bon, Tobey, j'ai compris. Je ne suis pas Misty.

Elle était cinglée ou quoi ?

– J'ai aucune envie que tu sois Misty !

Callie a haussé les épaules. Elle a farfouillé dans son sac et en a sorti deux livres. J'ai soupiré intérieurement. Elle ne me croyait pas. Ou alors, elle me faisait marcher pour me faire payer ce que je lui avais dit tout à l'heure ? Si c'était le cas, elle était vraiment très forte. Habituellement, j'avais une longueur d'avance à ce jeu-là, mais ces derniers mois, elle avait pris du grade. Elle me menait par le bout du nez.

– Callie, il n'y a rien entre Misty et moi, ai-je tenté.

– Si tu le dis.

Callie évitait soigneusement de me regarder dans les yeux.

– Oui, je le dis. Et c'est important pour moi que tu le croies !

– Pourquoi ?

– Parce que, ai-je rétorqué en essayant de masquer l'impatience de mon ton. Tu comprends ?

– J'ai compris, a lâché Callie. Bon, on fait nos devoirs maintenant ?

Très bien, si elle voulait qu'on se concentre sur nos devoirs, pas de problème. On pouvait être deux à jouer ce petit jeu.

– Sur la Seconde Guerre mondiale, tu veux écrire les articles de quel point de vue ? Celui des perdants ou celui des gagnants ? a-t-elle voulu savoir.

– Je m'en fiche. Choisis.

– Tu réponds toujours la même chose quand je te demande de prendre une décision, a lancé Callie.

Elle était manifestement un peu agacée.

– Tu as peur de saigner du nez ou d'avoir une rupture d'anévrisme si tu prends une décision par toi-même ?

– Qu'est-ce que tu as ? ai-je grondé, exaspéré.

Callie m'a toisé, sa tête penchée sur le côté.

– Tobey, on est quoi ? À part compliqués, je veux dire.

– On est amis, ai-je répondu aussitôt. On est super bons amis !

Où voulait-elle en venir ? Elle a acquiescé.

– Oui, tu dois avoir raison.

– Je dois avoir raison ? Tu n'es pas sûre ?

– Si je te pose la question, c'est que je veux ton avis.

– Qu'est-ce que ça veut dire ?

Cette fois, Callie a souri.

– Ben, ça aussi j'attends que tu me le dises. Bon, allez, remettons-nous au travail.

Parfois, je ne comprends pas Callie. Je ne la comprends pas du tout.

Je ne suis pourtant pas stupide mais je ne la comprends pas.

Bon sang ! Ce qu'elle est compliquée !

5. Callie

Parfois, je ne comprends pas Tobey. Je ne le comprends pas du tout.

C'est le garçon le plus intelligent que je connaisse mais parfois, il ne capte rien à rien !

Bon sang ! Ce qu'il peut être bouché !

6. Tobey

– Tobey, tu ne m'as toujours pas raconté ton entretien d'orientation, m'a demandé Maman. Comment ça s'est passé ?

– Bien.

J'ai souri en posant mon verre de jus d'orange.

– Mme Paxton s'est montrée très encourageante. Elle est certaine qu'avec les notes que j'ai, n'importe quelle université du pays voudra de moi. Il faut juste que je continue comme ça. Elle a proposé de me rédiger une lettre de recommandation.

Maman a souri devant l'enthousiasme que je ne parvenais jamais à réfréner. Mme Paxton, notre proviseur, et M. Brooking, le conseiller d'orientation, ne cessaient de me répéter que le monde était à moi, du moment que j'étais prêt à travailler dur. Peu m'importaient les affirmations de Dan et des autres : j'étais certain d'être pris à l'université. À chaque fois que je songeais à mon avenir, je me sentais empli d'assurance. Rien ni personne ne m'arrêterait, ni même ne me freinerait.

Ma famille était attablée devant le petit déjeuner. Nous n'étions pas si souvent tous ensemble. Infirmière à l'hôpital public de la Pitié, Maman avait souvent des horaires décalés. Jessica, à moitié endormie, picorait ses œufs au bacon. J'avais quasiment terminé et je lorgnais sur son assiette. Si elle n'avait pas l'intention de la terminer et que son œuf n'était pas complètement froid, il restait de la place dans mon estomac. Mais je devais me montrer subtil. Si j'affichais trop d'intérêt pour son petit déjeuner, elle était capable de l'avaler rien que pour m'embêter.

– Mais je te jure, Maman, ça va marcher !

Mon sourire s'est élargi.

– Peut-être, a murmuré Maman.

– Pas peut-être, ai-je rectifié. C'est sûr ! J'irai à l'université.

Maman s'est contentée de hausser les épaules.

– Et pour quoi faire tu veux aller à l'université ? a demandé Jessica.

– Pour avoir un métier qui me rapportera plein d'argent ! Je choisirai économie ou mathématiques ou une section commerciale avec option communication.

– Et grâce à ça, tu vas devenir riche ? a douté Jessica.

– Quand on travaille dans les domaines qui brassent de l'argent, on en gagne aussi, ai-je affirmé, tout le monde sait ça.

Jess a haussé un sourcil.

– Tu ne préfères pas choisir une section qui t'intéresse vraiment plutôt que de passer un diplôme juste en pensant à l'argent que ça te permettra de gagner ?

– J'ai un esprit pratique, c'est tout.

– Et si tu ne choisissais qu'en fonction de ton intérêt, tu te dirigerais vers quoi ?

– Je sais pas, j'y ai jamais vraiment réfléchi. Sciences politiques ou droit, quelque chose comme ça.

– Tobey, est intervenue Maman d'une voix douce, ne te monte pas trop la tête avec cette histoire d'université. De toute façon, je n'ai pas les moyens de te payer trois ou quatre ans d'études, pas en plus de ce que je dois débourser pour l'école de ta sœur.

– Je sais, Maman. Ne t'inquiète pas. J'ai tout prévu. Je ferai un emprunt étudiant et j'ai déjà commencé à économiser pour les frais d'inscription.

– Il ne s'agit pas seulement des frais d'inscription, a renchéri Maman. Tu devras aussi payer ton loyer, tes factures et ta nourriture.

– L'université, c'est pour les riches, a ajouté Jess, à moins de s'endetter pour les vingt ou trente prochaines années. Comme ça, les Primas sont sûrs que les Nihils montent pas trop haut.

J'ai froncé les sourcils.

– C'est pas plutôt une question de clivage social ?

– S'il vous plaît, a gémi Maman, pas de politique au petit déjeuner. Il est trop tôt.

L'accès à l'université m'avait toujours semblé être davantage un problème de classe que de couleur de peau. Du moment que je ne voulais pas m'inscrire dans une de ces universités snobinardes où, avant de vous accepter, on s'assurait que vous apparteniez à une famille prima d'un certain standing, où était le problème ? Si j'avais des bonnes notes à mes examens et que je payais mes frais d'inscription, tout le monde se ficherait de savoir si j'étais blanc ou noir. Mme Paxton elle-même était persuadée que mon niveau me permettrait d'être accepté dans n'importe quelle université du pays, alors ! Pas question de laisser le doute s'insinuer en moi, j'étais de trop bonne humeur.

– Quoi qu'il en soit, a repris Maman, Jess n'a pas tort. Est-ce que tu veux vraiment être endetté jusqu'à ce que tes cheveux deviennent gris ?

– C'est pour ça qu'après l'université, j'aurai un métier qui rapporte ! Comme ça je pourrai rembourser mes dettes plus vite !

Ma bonne humeur était en train de fondre comme neige au soleil. Maman et Jessica essayaient juste de s'assurer que je savais dans quelle aventure je m'embarquais mais elles commençaient surtout à me porter sur les nerfs.

– Et puis pourquoi est-ce que tu veux aller à l'université de toute façon ? a lâché Jessica avec dédain.

– Parce que je peux, l'ai-je rembarrée. Parce qu'il y a vingt ans, il n'y avait pas de Nihils dans les universités sauf s'ils étaient super riches. Parce que la porte est ouverte et qu'il ne me reste qu'à la franchir !

– Pour ce que tu vas y gagner... a marmonné Jessica.

Je lui ai jeté un regard noir.

– Et c'est pour ça que toi, tu vas faire le même métier pour le même salaire pendant les trente prochaines années ! Avec ton attitude de perdante, tu perdras toute ta vie !

– Merci beaucoup, s'est raidie Jessica.

– La vérité te blesse ? ai-je craché.

– Tobey, ça suffit, s'est fâchée Maman.

– C'est elle qui a commencé ! ai-je lancé comme un bébé.

J'ai avalé mon café sans quitter ma sœur des yeux. Elle a soutenu mon regard.

– Bon, Jess, parle-moi de tes cours, a demandé Maman, essayant bravement de changer de sujet.

– On passe trop de temps à écrire, a geint Jessica. Pourquoi est-ce qu'on nous demande des rédactions sur la texture des cheveux et la structure des follicules ? Je veux juste faire des coupes stylées, pas en parler.

– Vous coupez quand même des cheveux ? s'est inquiétée Maman.

Jessica n'aimait pas écrire. Elle n'avait jamais aimé ça.

– Oui, mais pas assez, a soupiré ma sœur. Cette année, on doit rendre quatre rédactions et avec les examens écrits, ça comptera pour soixante pour cent de ma note finale.

Son regard s'est assombri. Il y avait un problème.

– Et les quarante pour cent qui restent ? ai-je demandé.

– Travaux pratiques chez mon employeur, plus la réalisation d'une coupe devant mon tuteur.

– Et il faut obtenir combien au minimum pour passer dans la classe supérieure ?

– Soixante-dix pour cent.

– Et si tu rates ?

– Elle quittera l'école et se trouvera un travail à plein temps, a répondu Maman avant que Jessica ait le temps d'ouvrir la bouche.

– Ils te laissent redoubler à condition que tu payes une nouvelle inscription, a murmuré Jessica en fixant le vernis écaillé de la table.

– Non, Jess, si tu n'as pas ton diplôme cette année, fini l'école, a lancé Maman sévèrement.

J'ai regardé Jessica.

– Et tu as fait combien de rédactions pour le moment ?

– Quoi ? C'est l'Inquisition ou quoi ? a explosé Jessica. J'ai fait mes rédactions, OK ? Je veux être coiffeuse et je n'ai pas l'intention de me planter !

– Ah ! OK ! Excuse-moi une seconde, je vais récupérer ma tête de l'autre côté de la cuisine, ai-je ironisé. Je voulais juste me renseigner.

Maman m'a jeté un coup d'œil désapprobateur.

– Quand a lieu ton examen final, Jessica ? a-t-elle demandé.

– Jeudi prochain, a répliqué Jessica en modérant à peine son ton.

Maman a pincé les lèvres. Très bien. Message reçu.

– Je suis désolé, Jess, me suis-je excusé à contrecœur (je détestais demander pardon à ma sœur). Je n'avais pas l'intention de te faire de la peine.

Jessica a secoué la tête.

– C'est facile pour toi, Tobey. Tu n'as jamais rien raté dans ta vie. Que Dieu te vienne en aide le jour où ça t'arrivera parce que tu auras du mal à l'accepter !

J'ai haussé les épaules.

– C'est pour ça que je n'échouerai pas.

– Ça t'arrivera. Forcément. Un jour ou l'autre.

J'ai fini mon jus d'orange et je me suis levé pour déposer mon assiette vide et mon verre dans l'évier. Je n'avais plus faim.

7. Tobey

Le soleil matinal était aveuglant. La chaleur qui régnait promettait une journée torride. Une espèce de brume s'élevait du trottoir, créant un mirage urbain d'immeubles mouvants et de bâtiments luisants. Pour être franc, j'en avais déjà assez de ce temps. Vivement l'automne. J'ai remonté la lanière de mon sac sur mon épaule. Il était lourd et pénible à porter. Son poids me ruinait le dos. Mais ce n'était pas la raison de ma mauvaise humeur.

D'abord, il y avait eu le petit déjeuner avec Maman et Jessica. Et puis Callie m'avait laissé tomber. Elle avait dû décider d'aller toute seule au lycée. Pourtant, la veille au soir, elle m'avait promis de passer me chercher. J'étais habitué à faire le trajet avec elle et quand elle n'était pas là, je me sentais bizarre, comme si j'avais oublié quelque chose de très important.

Mais je n'aurais pas dû être surpris. Ces derniers temps, Callie était une compagne plutôt silencieuse. Elle avait beaucoup changé depuis le décès de sa grand-mère. Selon les journaux, un Nihil était mort en même temps qu'elle dans l'explosion. Les autorités ne semblaient pas très pressées d'établir son identité. Ou alors, ça avait été marqué à la page trentemachin du journal et personne n'y avait prêté la moindre attention.

Que s'était-il passé dans cet hôtel, le jour où Jasmine Hadley était morte ? Était-elle tout simplement au mauvais endroit au mauvais moment ? La vie pouvait-elle être aussi arbitraire ? Il semblait bien que oui.

Une QRB – Quatre Roues pour Blancs – noire s'est arrêtée près de moi. Une des vitres fumées s'est baissée silencieusement.

– Tobey Durbridge ?

J'ai reculé en serrant mon sac contre moi. La QRB était presque aussi longue qu'une limousine, elle avait forcément été trafiquée. Les enjoliveurs brillaient de mille feux et j'y voyais mon reflet déformé. J'ai reculé d'un autre pas. Mon reflet a fait pareil. On avait eu tous les deux la même idée.

Le visage d'un Nihil est apparu. Je l'ai reconnu immédiatement : Alex McAuley, autrement nommé McAuley l'Affreux (enfin, seulement derrière son dos) ou McAuley le Doux (seulement devant lui et par ses amis proches), parce que s'il pouvait vous fracasser la tête sans scrupules, jamais il n'élevait la voix. À ma connaissance, personne ne l'avait entendu crier. Il n'avait pas besoin de hausser le ton. Il avait un physique de boxeur poids moyen et portait un costume gris sombre. Il devait avoir environ trente-cinq ans, mais il était bien conservé. Ses cheveux blonds encadraient son visage et ses sourcils châtains surmontaient des yeux bleu acier. Les rayons du soleil faisaient briller le diamant de son oreille gauche. McAuley me sourit, découvrant ses dents parfaites – qui avaient dû lui coûter un paquet de pognon. Je me suis retenu de reculer à nouveau ou même de me tirer en courant. Ça n'aurait servi à rien. J'ai aperçu la silhouette d'un autre Nihil à l'arrière de la voiture à côté de McAuley. Entre eux était posé un ordinateur portable dernier cri – sans doute celui de McAuley – auquel était branchée une clé USB. Le conducteur et l'homme à la place passager me regardaient eux aussi. La voiture était pleine, la rumeur était vraie : McAuley ne se déplaçait jamais seul.

J'ai répondu à son regard interrogateur.

– Bonjour, monsieur McAuley.

– Tiens, comme ça, tu me connais ? a-t-il articulé d'une voix douce.

Je n'ai pas répondu. S'il avait besoin qu'on flatte son ego, il allait devoir s'adresser ailleurs.

– J'ai beaucoup entendu parler de toi, Tobey Durbridge, a-t-il repris.

Mon cœur s'est retourné comme une crêpe à la Chandeleur. Je n'aimais pas ça. Pas du tout.

Voyant que je restais muet, McAuley a haussé un sourcil.

– Tu ne me demandes pas ce que l'on m'a raconté sur toi ?

J'ai secoué la tête.

– Tu n'es pas curieux.

– Si on vous a dit du mal, ça va me faire de la peine, et si on vous a dit du bien, je risque de prendre la grosse tête. Alors non, je préfère ne pas savoir.

McAuley m'a examiné des pieds à la tête. Son regard me clouait comme un papillon sur le tableau d'un lépidoptériste.

– C'est la curiosité qui nous fait avancer, a-t-il chuchoté.

Dans les parages de McAuley, la curiosité risquait surtout de conduire six pieds sous terre. J'ai préféré garder cette réflexion pour moi.

– On dirait que tu sais quand il vaut mieux que tu la fermes, a souri McAuley.

Je ne voyais pas ce qui dans la situation pouvait prêter à sourire. Cela dit, si j'avais dépensé autant de fric que lui pour des enjoliveurs, je crois que je serais plutôt content de les montrer à tout le monde.

– Tobey, quel genre de travail voudrais-tu faire pour moi ? On a toujours besoin d'un gars avec ton intelligence.

Et merde ! Je préférerais qu'on m'arrache les ongles des orteils un par un sans anesthésie plutôt que de travailler pour lui... mais justement, McAuley était exactement le genre de type à faire ça.

– Alors Tobias ? Je t'ai posé une question.

Les sourcils de McAuley se sont agités et sa voix est devenue encore plus douce.

– C'est que je vais toujours au lycée, monsieur.

– Je peux te proposer des petits boulots qui ne te prendront qu'un week-end par-ci par-là et peut-être une ou deux soirées dans le mois. Rien de bien méchant. Et tu t'apercevras rapidement que je suis très généreux.

Je suis un poisson et le pêcheur vient de me planter son hameçon dans la bouche. Mon silence va lui permettre de me ferrer. Dis quelque chose, Tobey ! Par pitié, dis quelque chose !

– Je ne préférerais pas, monsieur, ai-je réussi à énoncer d'une voix calme.

À l'intérieur de la voiture, les hommes de McAuley ont éclaté de rire.

– Tu es très poli, mon garçon : « Je vais toujours au lycée, monsieur », « Je ne préférerais pas, monsieur », m'a imité McAuley, « non, monsieur, oui, monsieur ».

Une goutte de sueur a coulé de ma tempe droite jusque sur mon oreille, mais je n'ai pas osé l'essuyer. Mon cœur battait trop fort.

– Tobey, je suis sûr que tu n'as aucune envie de m'opposer un refus, a poursuivi McAuley toujours aussi doucement. Je déteste le mot « non ». Tu comprends ? Je n'aime vraiment pas ce mot.

Si j'étais dans un livre pour enfants, on verrait une image de moi, les jambes tremblantes, le visage décomposé par la terreur. Et les enfants crieraient : « Cours, Tobey, cours ! »

Je suis resté immobile, les pieds collés dans mes chaussures, mes chaussures collées au trottoir. Mon putain de corps ne répondait plus. Une poussée d'adrénaline m'a traversé. Fuir ou affronter ? Je ne pouvais faire ni l'un ni l'autre.

– Il peut être très agréable de travailler avec moi, Tobey.

Pourquoi est-ce que je ne me contente pas de me laisser glisser sur le sourire huileux de McAuley ?

– Je suis un ami fidèle et je veille sur les miens. Tu peux te renseigner auprès de tous ceux qui travaillent pour moi. Tu peux poser la question à Dan. Mais tu découvriras que je suis aussi un...

– Tobey ! Pourquoi tu ne m'as pas attendue ?

Callie. Je l'ai entendue et, une seconde après, elle était à côté de moi. Cette fille avait le don d'apparaître de nulle part en moins d'une seconde. Elle s'est approchée en trottinant et s'est arrêtée entre McAuley et moi.

– Tu devais m'attendre, sale bête, a-t-elle râlé. Merci de m'avoir obligée à te courir après. Maintenant, je suis en sueur.

Je l'ai tirée par le bras et je me suis placé devant elle. Elle a froncé les sourcils.

– Qu'est-ce qu'il y a ?

Je n'avais pas quitté McAuley des yeux. Il a balayé Callie du regard puis est revenu sur moi.

– Ta petite amie, Tobey ? a-t-il demandé. Très jolie.

– Non, on… on va juste au lycée ensemble, ai-je répondu.

– Et on ferait bien de se bouger, a grogné Callie. On va être en retard.

Elle m'a pris par la manche et a essayé de m'entraîner. J'ai dû allonger le pas pour rester à sa hauteur. Je l'ai suivie, me forçant à ne pas me retourner vers les yeux bleu acier de McAuley. Une demi-minute plus tard, sa limousine noire nous dépassait, les vitres remontées cette fois. Callie et moi avons continué de nous dépêcher. La voiture a tourné au coin de la rue. Callie a alors lâché mon bras et a laissé tomber son sac sur le trottoir. Elle était essoufflée.

– Ça va, Tobey ?

J'ai haussé les épaules.

– Ouais.

– Tu aurais pu m'attendre, m'a-t-elle reproché.

– Je croyais que tu étais déjà partie.

– Tu peux passer me prendre toi aussi, de temps en temps tu sais. Je ne vois pas pourquoi ce serait toujours moi. Ça ne t'aurait pas tué de venir vérifier.

Callie a tourné la tête vers la rue où avait disparu la voiture.

– Il te voulait quoi, McAuley ?

– Me proposer un boulot.

– Quoi ? Tu déconnes ?

Les yeux de Callie étaient écarquillés.

– T'as quand même pas accepté ?

– Je ne suis pas complètement stupide, ai-je rétorqué. Quoi que dire non à cet homme est peut-être l'acte le plus stupide que j'aie jamais commis.

– Les gens qui travaillent pour lui finissent au cimetière en général. Ou en prison.

Non, pas possible ?

– Je sais, Callie. C'est pour ça que j'ai dit non.

– Tu crois qu'il va en rester là ?

Callie se mordillait nerveusement la lèvre inférieure.

– Qui sait ? De toute façon, se poser la question est une perte de temps. On ferait mieux d'y aller.

J'ai ramassé le sac de Callie et je le lui ai tendu. Nous avons marché jusqu'au lycée sans échanger un mot. Callie me lançait des regards en coin mais je n'étais pas d'humeur à discuter. Elle me connaissait depuis assez longtemps pour le deviner.

McAuley savait mon nom.

Et pire encore, j'étais maintenant un point repérable sur son radar personnel. Je ne savais pas si mon estomac était plus retourné que mon cerveau ou l'inverse.

– Tobey, tu ne peux pas travailler pour ce type. Tu ne peux pas ! a fini par lancer Callie. Les Dowd mènent la danse dans ce quartier, s'ils apprennent que tu rends des services à McAuley, tu ne pourras plus aller de chez toi au lycée sans franchir la frontière.

Franchir la frontière. C'était le terme consacré qui signifiait qu'on entrait en territoire ennemi. Si j'acceptais de travailler pour McAuley, les Dowd ne seraient pas longs à l'apprendre. De chez moi au lycée et quel que soit le chemin que j'empruntais, je franchissais la frontière quotidiennement. C'était comme ça à la Prairie. Les rues n'appartenaient pas au gouvernement ou aux autorités locales mais aux Dowd ou à McAuley. Les Dowd étaient la dynastie prima qui régnait sur la partie est, McAuley s'était approprié la partie ouest. Il avait établi son territoire sans jamais élever la voix et en s'assurant que personne d'autre que lui ou les hommes de la voiture ne savaient où étaient enterrés les cadavres. En général, ceux qui s'opposaient à lui disparaissaient. Y compris deux membres de la famille Dowd avant qu'ils aient conclu une espèce de trêve.

Maintenant, McAuley voulait que je travaille pour lui. Il savait pourtant que je vivais du côté Dowd. Et je n'avais pas beaucoup aimé qu'il cite mon copain Dan comme référence. Dan n'avait quand même pas été assez stupide pour parler de moi à McAuley ? Et si McAuley n'hésitait pas à me dire que Dan travaillait pour lui, alors à qui d'autre faisait-il partager cette info ? Dan vivait à deux rues de chez moi. En plein territoire Dowd.

Bordel !

Comment allais-je me sortir de ce putain de piège ? Dan avait beau être un de mes meilleurs potes, je le trouvais complètement con de s'être impliqué avec McAuley. Maintenant que j'avais vu l'homme en face, je savais que j'allais devoir persuader Dan d'arrêter ça et de rester loin des griffes de McAuley.

Mais le plus important était de m'assurer que McAuley ne s'approche pas de Callie.

Rien de mal n'arriverait à Callie Rose.

Pas tant que je serais là.

8. Callie

Tobey est resté taciturne toute la journée. Ça ne lui ressemble pas du tout. Habituellement, il ne prend jamais rien au sérieux. Mais pas aujourd'hui. Après la récréation, on s'est assis côte à côte pour les deux heures de sciences. Mais j'ai eu beau essayer, je n'ai pas réussi à le décoincer. Après sa je ne sais combientième réponse monosyllabique, j'ai déclaré forfait. Tobey m'a attendue pendant que je déposais mes affaires dans mon casier avant le déjeuner. On est entrés ensemble dans le réfectoire, mais une fois là, on a pris des directions différentes. Je me suis assise avec Sammi et quelques autres de mes amis, et Tobey est allé s'installer un peu plus loin. Il n'est pas resté seul très longtemps, des copains à lui sont venus le rejoindre mais d'après ce que je pouvais observer, il ne leur a pas plus parlé qu'à moi. Tobey est bizarre. Il n'a pas beaucoup d'amis proches, mais ça semble être un choix de sa part. Il met du temps à sélectionner ses amis mais une fois qu'il vous considérait comme tel, c'était pour la vie. Et en retour, ses amis lui étaient très fidèles. Comme moi, par exemple. Chaque fois que je levais les yeux, Tobey m'observait. Je lui ai souri deux ou trois fois, mais il détournait sans cesse le regard.

Zut ! J'avais prévu de l'inviter à manger un morceau quelque part le lendemain, mais ça n'allait pas être facile s'il ne m'adressait pas la parole. Je savais exactement ce qui le tracassait : McAuley, évidemment. Et je le comprenais. Mais pourquoi il reportait ça sur moi ?

McAuley était une crapule, comme les Dowd. Ces types-là gravissaient les échelons en s'appuyant sur la misère. Même la Milice de libération était au courant de leurs activités à la Prairie. Du moins, c'était le cas quand j'en faisais partie. Mais les membres de la Milice s'en fichaient. Ils se considéraient au-dessus de ce genre de crapuleries. Drogue, prostitution, prêts sur gage indécents, extorsions... ces activités criminelles mineures étaient laissées aux types comme McAuley, les Dowd ou les autres voyous de droit commun. Sans oublier l'emphase sur « droit commun ». Les miliciens considéraient leur cause comme beaucoup plus noble. Ils se prenaient pour des combattants de la liberté. Leur objectif : droits égaux pour les Nihils et les Primas. Les moyens utilisés : faire régner leur propre justice et punir ceux qui, selon eux, le méritaient. Si vous étiez innocent mais qu'ils s'en prenaient à vous ? Bonne chance et adieu. Le monde selon la Milice de libération. Les enlèvements, la torture et les meurtres des ennemis de la Milice étaient des actes honorables. Le gouvernement et les médias manifestaient leur désaccord ? On les traitait de terroristes ? Peu importait.

Je ne voulais être d'aucun des deux côtés : ni celui de la Milice, ni celui des droits communs. Plus jamais. Oncle Jude avait été un des pires. Un voyou masquant ses désirs personnels de vengeance sous la cape d'un justicier œuvrant prétendument pour le bien. C'est à ma mère qu'il en voulait. Tant de choses que je savais maintenant et que j'aurais aimé apprendre seulement quelques années plus tôt. Aujourd'hui encore, mon sang se glaçait au souvenir de ce que j'avais failli accomplir pour offrir à oncle Jude sa vengeance sur un plateau.

Mais j'avais été ramenée à la raison avant de tomber sans espoir de retour dans le piège tendu par mon oncle. Je savais que c'était inutile, mais je détestais mon oncle. Et mon dégoût pour lui grandissait à mesure que les jours passaient. Il était mort et moi toujours bien en vie, mais ça ne faisait aucune différence. Ma colère était irrévocablement tournée contre lui. Il était le mal incarné. Il était si plein de haine qu'il ne pouvait plus éprouver d'autre sentiment. Tous les messages envoyés à son cerveau étaient transformés en haine pure. C'est tout ce qu'il parvenait à entendre. Quand grand-mère Jasmine était morte, oncle Jude était mort avec elle. Je me demandais quelles avaient été ses dernières pensées quand la bombe qu'il m'avait lui-même ordonné de fabriquer avait explosé.

La seconde avant de mourir, vers qui son esprit s'était-il tourné ? Maman ? Callum, mon père et son frère ? Sa famille ? Sa vie gâchée ?

Je savais qu'il n'avait pas pensé à moi. Ou alors seulement pour me maudire d'avoir saboté son plan. Je ne voulais pas finir comme lui. Mais c'était difficile. Grand-mère Jasmine n'était plus là. C'était si injuste.

Maman et tante Minerva devaient retourner parler à maître Bharadia, l'avocat de Grand-Mère, la semaine suivante pour savoir quand elles auraient enfin accès à son testament et à un certificat de décès. Mais ça pouvait prendre encore très longtemps. Quand tout cela serait-il fini ?

La façon dont Grand-Mère a trouvé la mort explique tous ces délais. Il a d'abord fallu prouver que c'était bien elle retrouvée dans les ruines de l'hôtel. C'était indispensable pour que les autorités nous rendent le corps et que Maman et tante Minerva puissent enfin s'occuper de l'enterrement. Heureusement, Tobey a été près de moi pendant toute cette période. Comme Maman, on dirait qu'il est toujours là quand j'ai besoin de lui. Je ne sais pas ce que j'aurais fait sans lui.

Je ne peux pas m'empêcher de regretter... mais ça ne sert à rien. Tobey me considérera toujours comme la petite sœur qu'il n'a pas demandée. Je dois me faire à cette idée. J'avais espéré qu'après le baiser dans sa chambre, les choses change-raient. Pour moi, c'était un moment important. Mais seulement pour moi. Je me suis littéralement jetée à sa tête, c'est comme si j'avais brandi une pancarte lui déclarant ma flamme ! Un moment, j'ai pensé... quand il m'a serrée contre lui... mais non. Tout ce qu'il a réussi à me dire, c'est que je sentais le biscuit !

Le biscuit ! N'importe quoi !

Je portais le parfum qu'il m'a offert à Noël dernier et il trouvait que je sentais le biscuit ! J'espère qu'il n'a pas vu à quel point j'étais vexée. Le biscuit ! Je ne risque pas d'oublier ça de si tôt !

Mais c'est bizarre, même quand je suis folle de rage contre lui, je ne le suis pas vraiment. Penser à Tobey chasse de mon esprit toute pensée douloureuse. Penser à lui me donne envie de sourire. Peut-être que c'est pour ça que je pense à lui de plus en plus souvent.

Peut-être...

9. Tobey

– Bon anniversaire, Grand-Mère !

Callie a embrassé Meggie sur la joue et lui a tendu une carte d'anniversaire et une boîte enveloppée de papier cadeau. Du moins, c'est à ça que ça ressemblait d'où j'étais, c'est-à-dire, dans l'encadrement de la porte.

– Qu'est-ce que c'est ? a demandé Meggie en secouant la boîte.

– Tu le sauras quand tu l'ouvriras, l'a taquinée Callie.

Meggie a souri et a soigneusement déballé son cadeau. Si ça avait été moi, j'aurais tout déchiré, mais Meggie affirmait qu'il fallait toujours ôter le papier avec précaution car il pouvait resservir. Et même plusieurs fois ! Bon sang ! C'était juste du papier cadeau. Cela dit, mes finances personnelles étaient dans un tel état que je ne pouvais même pas acheter de papier cadeau. Ce qui n'était finalement pas très grave puisque je n'avais pas non plus les moyens d'acheter un cadeau. Je n'avais rien offert à Callie pour son anniversaire deux mois plus tôt et je n'avais toujours pas assez d'argent pour lui offrir quoi que ce soit. Ça me fichait en l'air ! J'aurais voulu donner à Callie tout ce qu'elle désirait, mais avec quoi ?

J'ai jeté un coup d'œil dans le salon pour penser à autre chose qu'à mes poches vides. J'étais venu ici un nombre de fois incalculable, mais j'étais toujours autant fasciné par ce mélange de vieux et de neuf. Par cet assemblage de passé et de présent. Des photos encadrées étaient alignées sur le rebord de la fenêtre. Des photos, il y en avait sur toutes les surfaces planes disponibles de la pièce. Des vieilles photos de la famille de Meggie qui semblaient appartenir à un autre temps, à un autre monde. Lynette, la tante de Callie, avait un cadre pour elle toute seule. Je n'avais jamais entendu personne d'autre que Callie parler d'elle. Elle était morte bien avant la naissance de Callie dans un accident de la route. Une autre photo sur le guéridon montrait tous les enfants de Meggie réunis : Lynette, Jude et Callum. Ils étaient assis sur un canapé et aucun n'avait les jambes assez longues pour que leurs pieds touchent le sol. Callum ne devait pas avoir plus de trois ou quatre ans. C'était étrange de penser que ce petit garçon était le père de Callie. Il y avait aussi une photo de Meggie et de son mari Ryan ; ils étaient dans les bras l'un de l'autre et souriaient à l'objectif. Ils avaient l'air heureux. Je ne connaissais pas grand-chose de la vie de Meggie mais je savais qu'elle avait traversé beaucoup d'épreuves. Son mari et deux de ses enfants, Callum et Lynette, étaient morts. On le voyait sur chaque ride de son visage.

Le problème, c'est qu'avec les parents, on ne pouvait jamais parler du passé. Quand je posais à ma mère une question sur un événement qui s'était produit dix ans plus tôt, elle répondait invariablement : « Tobey, c'était il y a longtemps, je ne me rappelle pas. » Pourtant, moi j'avais l'impression que tous vivaient davantage dans le passé que dans le présent. Ils refusaient seulement d'en parler. Le plus étrange, c'est que les Nihils les plus âgés refusaient obstinément d'évoquer le passé alors que les Primas de la même génération ne parlaient que de ça. J'avais l'impression que les Primas prenaient leur histoire à bras le corps et que nous ne savions pas le faire.

Sephy, la mère de Callie, avait elle aussi des photos dans sa chambre. Pour la plupart, des photos d'elle et Callie. Il y en avait également une où elle était adolescente en compagnie de sa grande sœur Minerva et une autre des deux grands-mères de Callie assises sur un rebord de fenêtre. Jeunes filles, elles se tenaient par le bras et souriaient à l'objectif. À chaque fois que je regardais cette image, je me demandais ce que chacune d'entre elles pensait au moment où la photo avait été prise. Callie m'avait expliqué que son père et sa mère étaient encore tout petits à cette époque ; ils n'avaient sans doute pas plus de neuf ou dix ans. C'était vraiment étrange de penser que des familles si différentes avaient eu un destin si lié.

Enfin, Meggie avait ôté le papier cadeau et découvert une boîte bleu marine. Je n'avais jamais vu personne ouvrir un cadeau si lentement. Meggie a soulevé le couvercle de la boîte. Sur son visage, la surprise s'est transformée en pur plaisir.

– Je suis désolée, s'est excusée Callie, ce n'est pas grand-chose.

– C'est magnifique, a chuchoté Meggie en souriant.

Elle a sorti de la boîte une chaîne en or ornée d'un pendentif en forme de rose. Callie me l'avait montré pour me demander mon avis le jour où elle l'avait acheté.

– C'est une rose de la part de Callie Rose, a-t-elle dit à sa grand-mère, comme si cette dernière n'avait pas compris. C'est pour que tu aies toujours sur toi un objet qui te fasse penser à moi. Tu ne trouves pas ça trop narcissique ?

Meggie a souri à sa petite-fille.

– Non, ma chérie, je trouve seulement que c'est inutile. Je n'ai pas besoin d'un collier ni de quoi que ce soit pour penser à toi. Mais merci, merci beaucoup, il est magnifique.

– Et il ne vous fera pas de trace verte sur le cou, ai-je lancé depuis la porte.

Meggie a haussé un sourcil, l'air amusé.

– Merci Tobey.

Callie m'a jeté un regard noir avant de se tourner à nouveau vers sa grand-mère.

– C'est vraiment de l'or, Grand-Mère. Il ne fait que neuf carats, mais c'est de l'or quand même.

– Callie, ma chérie, ne te laisse pas impressionner par les remarques de Tobey. C'est magnifique.

– Tobey aussi a quelque chose pour toi.

C'était mon tour de m'avancer dans la pièce. Je me suis approché avec réticence et j'ai sorti une enveloppe froissée de la poche de mon blouson. Je l'ai tendue à Meggie, un peu gêné. Meggie l'a prise et a sorti la carte. L'enveloppe était si pitoyable que je ne lui en aurais pas voulu de la tenir par un coin. Mais elle ne l'a pas fait.

– C'est une carte d'anniversaire, ai-je marmonné.

– C'est très gentil de ta part, Tobey.

– Ce n'est pas grand-chose, l'ai-je prévenue.

Meggie a regardé le dessin expressionniste qui représentait un vase rempli de fleurs et a lu les mots à l'intérieur de la carte. Je n'en avais pas fait autant quand je l'avais achetée.

– Merci, Tobey, c'est très joli.

La carte était du genre bon marché. Elle ne m'avait pas coûté très cher, mais Meggie était vraiment gentille. Elle l'a posée sur la table basse à côté de celle de Callie.

Callie a commencé à parler du restaurant où sa mère et sa grand-mère iraient plus tard dans la soirée et Meggie l'écoutait. Le bonheur se lisait sur le visage de la vieille femme. Je reconnais que je n'étais pas très attentif. Une fois de plus, je pensais à l'argent. À défaut de me remplir les poches, l'argent me remplissait le cerveau. Il fallait que ça change. Je refusais de passer les prochaines années comme ça.

Callie a mis deux plats de lasagnes au micro-ondes pour nous. Nous n'étions pas invités au restaurant avec Meggie et Sephy parce que nous avions cours le lendemain. Bon sang ! Est-ce que ça voulait dire que je serais couché avant Meggie McGrégor ? Mais je ne devais pas me plaindre : après tout, Callie et moi allions passer la soirée ensemble rien que tous les deux, ce qui me convenait parfaitement.

Après le repas, j'ai demandé à Callie si elle n'avait pas envie d'une petite balade. Nous sommes sortis et la chaleur du début de soirée nous a frappés comme une gifle. Nous avons remonté notre rue au son assourdissant de la musique rock qui s'échappait d'une fenêtre à cinq maisons de là. L'air sentait les nuggets de poulet et la mauvaise humeur. Le besoin irrépressible de soulager mon cœur se faisait plus urgent à chaque pas.

– Callie, je t'offrirai quelque chose pour ton anniversaire, je te le promets.

Elle a été surprise.

– Mon anniversaire ? Mais il est passé depuis longtemps !

– Je sais, mais je ne t'ai rien offert.

– Ça n'a pas d'importance. Et puis, je préfère oublier mon dernier anniversaire, a-t-elle ajouté sombrement. Pourquoi tu parles de ça tout à coup ?

– C'est juste que…

J'ai jeté un coup d'œil au bracelet qu'elle portait au poignet gauche. La chaîne en or retenait des petites pierres vertes semi-précieuses qui ressortaient magnifiquement sur sa peau brune. C'était exactement le genre de bijou que j'aurais aimé lui offrir. Mais il lui venait sans doute de Lucas et de son porte-monnaie sans fond.

Callie m'a tiré de mes pensées.

– Tobey !

– Je ne t'ai rien donné et je voulais juste que tu saches que je n'avais pas oublié. Je t'offrirai un cadeau.

Callie a haussé les épaules.

– Ce n'est vraiment pas la peine.

– Mais je veux le faire ! Je…

– Tobey ! Ça n'a aucune importance. Je n'ai besoin de rien de ta part, m'a coupé Callie. Si seulement tu…

– Quoi ? Continue. Qu'est-ce que tu allais dire ?

– Rien, laisse tomber.

– Qu'est-ce que tu veux ?

Callie a souri.

– Laisse-moi te battre aux échecs une fois de temps en temps, ça sera bien.

– Tu es folle ! ai-je répliqué, horrifié. On doit toujours jouer aux échecs sérieusement, sinon ça ne sert à rien !

– C'était juste une idée comme ça.

Le sourire de Callie s'est élargi.

– Peut-être que tu auras une meilleure idée plus tard ? ai-je suggéré.

Callie a secoué la tête. Nous avons continué de marcher.

– Tu as toujours ton match de foot prévu dimanche ? a demandé Callie.

– Ouais. Tu viendras ?

– Tu veux savoir si je vais rester assise à transpirer sur un banc au bord d'un terrain de foot un dimanche après-midi, rien que pour vous regarder, toi et tes copains, taper dans une balle pendant quatre-vingt-dix minutes ?

J'ai acquiescé. Callie a hoché la tête.

– Je ne manquerai ça pour rien au monde, a-t-elle déclaré. Tu vois, il faut vraiment que je t'aime beaucoup.

Nous avons poursuivi notre promenade dans un silence agréable. J'avais envie de dire des tas de choses, de poser des tas de questions, mais je suis nul dans ce genre d'exercice alors j'ai fait comme d'habitude, j'ai gardé la bouche fermée. Je jetais des regards en coin à Callie. Est-ce que ça lui plaisait de marcher comme ça à mes côtés ? Peut-être qu'elle avait envie d'être ailleurs. C'était si difficile de savoir. De temps en temps, elle tournait la tête et surprenait un de mes regards. Chaque fois, elle souriait comme si elle savait quelque chose que j'ignorais. Nous avons continué de marcher.

– Callie… ai-je fini par articuler.

– Oui ?

– Est-ce que… est-ce que tu m'as pardonné pour ce que j'avais dit sur ton père ?

J'avais par accident révélé à Callie que son père avait été pendu comme terroriste et, après ça, elle avait cessé de m'adresser la parole pendant très longtemps. Ça avait été la période la plus triste de toute ma vie. Je m'étais juré de ne plus rien faire qui risque de me faire perdre à nouveau son amitié.

Elle m'a fixé.

– Tobey, c'était il y a si longtemps. Bien sûr que je t'ai pardonné. On est amis, non ?

– C'est juste… je n'arrête pas d'y penser en ce moment. Je ne voulais pas te blesser.

– Je sais, Tobey. Laisse tomber.

– Plus facile à dire qu'à faire, ai-je soupiré.

Callie a acquiescé, une expression sérieuse sur le visage.

– Je sais que tu n'es pas très fort pour laisser tomber.

Un hurlement de sirène a retenti. Il venait par ici. Callie a ralenti.

– On devrait rentrer.

Les sirènes étaient plus fréquentes que les chants d'oiseaux dans notre quartier, particulièrement ces derniers temps. J'allais proposer à Callie de continuer notre balade quand trois voitures de police se sont garées en faisant crisser leurs pneus en haut de la rue. C'était pour Mme Bridge. Tout le monde ici savait qu'elle vendait de la drogue. De temps en temps, des types venaient et déposaient de l'argent dans sa boîte aux lettres et elle jetait la marchandise par une fenêtre du premier étage. La porte et les fenêtres du rez-de-chaussée étaient barricadées, au cas où un drogué aurait voulu tenter sa chance. La plupart n'essayaient pas, sauf s'ils en avaient assez d'avoir deux jambes en état de marche.

On savait que Mme Bridge travaillait pour les Dowd et Callie et moi restions toujours à l'écart de sa maison. J'ai pris Callie par la main et je l'ai presque forcée à faire demi-tour. Pour une fois, elle n'a pas protesté.

– Je déteste cet endroit, a-t-elle marmonné, ça ne s'arrête jamais.

Elle s'est retournée pour voir ce qui se passait. Les voitures de police étaient garées mais leurs gyrophares continuaient de tourner. Les policiers frappaient à la porte de Mme Bridge. Bonne chance ! Toute la drogue qu'elle avait à sa disposition avait depuis longtemps été jetée dans les toilettes et naviguait vers la mer. Nous avons accéléré le pas pour nous éloigner plus vite des coups et des cris.

– Qu'est-ce qui se passe, tu crois ? a soufflé Callie.

– Qui sait ? Sans doute ce que les flics appellent un PHI !

– Un PHI ?

– Ça veut dire Pas d'Humain Impliqué, c'est leur code quand ils gèrent des problèmes avec juste des Nihils.

Callie a eu l'air si choquée que j'ai aussitôt regretté mon cynisme. Mais je m'étais rappelé quelque chose : il y a trois ou quatre mois, un garçon nihil avait été poignardé par un autre Nihil. Je rentrais du lycée et quand j'ai tourné au coin de la rue, j'ai vu un attroupement, des gyrophares de voiture de police et une ambulance. J'ai avancé et j'ai tendu le cou comme tous ceux qui se trouvaient là. Nous avons rapidement été repoussés. Un garçon nihil de mon âge était étendu sur le sol, une mare de sang s'agrandissant à côté de lui. Il avait les bras le long du corps et son regard vide fixait le soleil. C'était la première fois que je voyais un cadavre. Je m'attendais à être submergé par une émotion autre que la tristesse. La rage ? La pitié, la peur ? Mais rien. Rien d'autre que cette tristesse qui m'engloutissait. J'ai regardé le corps une dernière fois et j'ai tourné les talons. Je n'ai pas couru, j'ai juste marché, la tête baissée. J'avais envie de rentrer chez moi. Quand je suis arrivé près de l'angle de la rue, je les ai entendus avant de les voir.

– Alors qui s'est fait tirer dessus cette fois ? demandait une femme.

Pour toute l'émotion qui transparaissait dans sa voix, elle aurait aussi bien pu être en train de parler d'une soupe qu'elle venait de manger.

– Il s'est pas fait tirer dessus, a répondu un homme. Il a été poignardé. C'était encore un de ces gamins.

– Les Nihils font le ménage chez eux, a commenté la femme.

– Ce gamin avait sans doute une mère, peut-être des frères et sœurs ou des amis, a protesté une autre voix.

– Si vous étiez confrontés à ce genre d'affaires depuis aussi longtemps que moi, a déclaré la première femme, vous comprendriez que tant que c'est un PHI, c'est pas bien grave.

– PHI ? Qu'est-ce que ça veut dire ?

– Pas d'Humain Impliqué, a expliqué la femme. C'est que des Néants qui s'entretuent ! Tant qu'ils s'en prennent pas à des Primas, ils peuvent continuer à leur guise.

C'est à ce moment que j'ai atteint l'angle et que j'ai tourné. Une femme flic d'une quarantaine d'années – prima – gardait le cordon de sécurité. Son collègue, plus jeune et prima lui aussi, m'a vu. Il a détourné le regard. Il savait que je les avais entendus. J'ai continué de marcher. PHI ? Qu'est-ce que ça signifiait ? C'est tout ce que nous représentions à leurs yeux ? À l'intérieur de moi, j'ai senti quelque chose se réveiller. Un sentiment jusque-là profondément enfoui. Je me suis arrêté, j'ai fermé les yeux et j'ai pris plusieurs longues inspirations. Ce qui avait remué dans mes entrailles s'est rendormi.

C'était mieux ainsi.

Plus sûr.

– Tobey, tu crois qu'un jour on pourra partir d'ici ? m'a demandé Callie.

– Je te le promets, ai-je répondu d'un air sombre.

Nous sommes arrivés devant chez moi. J'ai ouvert la porte, presque poussé Callie à l'intérieur, et refermé à clé.

– Comment tu peux en être aussi sûr ? a murmuré Callie.

– Parce qu'il est hors de question que je passe le restant de ma vie ici ! Et toi non plus !

Callie a soupiré.

– J'aimerais tellement avoir autant confiance en l'avenir que toi.

– Je vais me tirer d'ici, Callie. Tu verras ! ai-je répété.

Et je t'emmènerai avec moi.

10. Callie

J'adorais aller au lycée avec Tobey. Il me faisait toujours rire – du moins quand il n'était pas de mauvaise humeur. Ce matin était clair et lumineux comme une promesse. Le soleil se reflétait sur les cheveux châtains de Tobey et faisait ressortir ses mèches rousses. La mère de Tobey était rousse et il était tout à fait normal qu'il ait hérité de sa couleur. Avant, il laissait ses cheveux tomber en vagues sur ses épaules, mais au début de ce trimestre, il les avait coupés très court. Jamais il ne les avait eu si courts. Maintenant, ils avaient un petit peu repoussé. Ça lui allait bien. Il semblait plus âgé. Et ses cheveux plus courts paraissaient aussi plus foncés et assortis à ses yeux. Tobey avait les yeux couleur café noir et, quand il se mettait en colère, ils devenaient plus sombres encore ; dans ces moments-là, on ne distinguait plus ses iris de ses pupilles. Mais il ne se mettait pas souvent en colère. Je le surnommais M. Cool. Tobey m'a surprise en train de l'observer. Il m'a souri, je lui ai rendu son sourire. Et soudain j'ai remarqué un détail que je n'avais jamais noté.

Je me suis approchée pour mieux voir.

– Tobey, qu'est-ce que tu as sur le menton ?

– Des poils ! Qu'est-ce que tu crois ?

– Tu essaies de te faire pousser la barbe ?

– Un bouc !

J'ai secoué la tête.

– Tobey, un kiwi a plus de poils que toi ! Rase ça ! C'est moche !

– Merci ! a-t-il lâché, vexé.

– Si ta meilleure amie ne peut pas te dire la vérité, alors qui le fera ! me suis-je exclamée. On dirait juste que tu as oublié de te laver le visage ce matin.

– Merci.

J'ai reniflé son menton. Il s'est reculé comme si j'allais le mordre. Pfff ! Je ne lui accorderais pas ce privilège !

– Hum, ai-je commenté. Tu sens assez bon. Aurais-tu enfin découvert le sens de l'univers, de la vie et du savon ?

– Tu es très drôle, Callie ! a-t-il lancé sur un ton qui signifiait exactement l'inverse.

J'ai souri.

– Je savais que tu m'aimais.

Il a souri à son tour avec réticence.

– Oui, je t'adore ! Peste !

Nous avons tous deux éclaté de rire. Parfois Tobey avait tendance à se prendre un peu trop au sérieux, je devais le surveiller. Nous avons continué de marcher en échangeant des propos idiots.

Nous étions à moins d'une minute du lycée quand l'ambiance a brusquement changé. Tobey les a vus avant moi. J'étais bien trop occupée à m'esclaffer à cause d'une réflexion qu'il venait de faire sur des ex-petits amis de sa sœur. Le rire de Tobey est mort sur ses lèvres et son visage s'est durci. J'ai suivi la direction de son regard.

Lucas et trois de ses copains étaient assis sur les marches de l'entrée du lycée. Ils semblaient se raconter des blagues. Au premier coup d'œil échangé entre Lucas et Tobey, j'ai senti qu'il y aurait un problème. Lucas et ses copains ne nous prêtaient pas la moindre attention. Jusqu'à ce que Lucas nous remarque. Il a adressé quelques mots à ses copains, sans me quitter des yeux. J'étais trop loin pour l'entendre mais il a obtenu l'effet qu'il escomptait. Les copains de Lucas ont tous tourné la tête vers nous. Plus personne n'avait envie de rire. Tobey et moi n'avons pas ralenti, ni accéléré. Tobey ne disait rien mais je sentais qu'il était tendu.

Je ne comprenais pas Lucas. Quand il était seul, il se comportait bien avec moi. En fait, il agissait même comme s'il voulait qu'on se remette ensemble. Mais quand il était avec sa petite bande, ça n'avait plus rien à voir. Leur manière de nous observer, Tobey et moi, me rendait affreusement mal à l'aise.

J'avais rompu avec Lucas peu de temps après la mort de grand-mère Jasmine. Je ne pouvais pas mener de front ma tristesse et ma relation avec lui. Être avec Tobey était facile. Être avec Lucas ne l'était pas. J'avais envie que Lucas soit avec moi malgré ce que je représentais. Tobey s'en fichait comme de sa première chaussette que mon père soit nihil et ma mère prima. Entre Lucas et moi, le silence était épineux, douloureux. Avec Tobey, le silence nous rapprochait au lieu de nous séparer.

Au départ, Lucas avait essayé de se montrer compréhensif. Mais quand j'avais commencé à passer presque tout mon temps avec Tobey, il avait changé. Il n'était jamais franchement agressif, mais son attitude me rendait... méfiante. Si j'avais été un chien, je me serais sûrement mise à grogner en sourdine à son approche. Maman m'a dit qu'aujourd'hui, il y avait beaucoup plus de Nihils à Heathcroft que de son temps et c'était une des raisons pour lesquelles elle était heureuse que j'y aie été admise. Bien sûr, mes amis ne se choisissaient pas en fonction de leur position sociale ou de leur couleur de peau, mais je n'avais jamais vu Lucas traîner avec des Nihils. Ses parents avaient sans doute plus d'influence sur lui qu'il ne le pensait.

Un peu raide, j'ai délibérément pris la main de Tobey. Il a aussitôt essayé de me repousser mais j'ai serré plus fort. Il a compris le message et a laissé sa main dans la mienne ; si Lucas et ses amis voulaient du spectacle, j'étais ravie de leur en fournir.

Tobey et moi sommes arrivés à leur hauteur. Personne n'a prononcé un mot. Et puis...

– Bonjour, Callie, a lancé Lucas d'une voix douce.

– Lucas, ai-je répondu en détachant chaque syllabe de son nom.

Je n'appréciais pas ses méthodes d'intimidation. Pas. Du. Tout.

– C'est la journée « j'emmène mon Néant à l'école » ? a lâché Drew.

Tobey a fait volte-face et a récupéré sa main.

– Va te faire foutre, Drew, a-t-il sifflé, les poings serrés.

M. Cool ? J'allais devoir changer le surnom de Tobey. Je m'apprêtais à ajouter quelques mots bien sentis mais Lucas a été plus rapide que moi.

– Drew, excuse-toi !

Drew a dévisagé Lucas comme si ce dernier avait perdu la raison. Et il n'était pas le seul. J'ai risqué un petit coup d'œil vers mon ancien petit ami avant de tourner mon regard noir sur son idiot de copain.

– Tu veux que je m'excuse auprès de Tobey l'intello ?

Drew a toisé Tobey d'un air dégoûté.

– Alors là, c'est pas près d'arriver !

Tobey a fait un pas en avant. Drew en a fait autant. Aaron, Yemi et Lucas se sont placés derrière leur copain. Je me suis placée près de Tobey mais il a essayé de se mettre devant moi. J'ai fait un pas de côté et j'ai repris ma place. J'avais un pied légèrement en arrière pour avoir un meilleur équilibre et les mains en avant. Grâce à oncle Jude et à son programme d'entraînement pour les nouvelles recrues, je savais cogner et Lucas et ses petits copains n'allaient pas tarder à le découvrir. Selon moi, Aaron était le plus fort du groupe. Je m'occuperais de lui en premier.

– Tu devrais te rappeler dans quel camp tu es, m'a craché Drew.

– Mais je le sais, ai-je répliqué d'une voix calme. Jamais dans le même que toi.

– Telle mère, telle fille ! a jeté Drew.

– Et ça veut dire quoi ? ai-je demandé.

J'étais prête à frapper sans réfléchir et en oubliant tout ce que j'avais appris lors de ma formation. J'ai fait un pas en avant, mais une fois de plus, Tobey s'est placé devant moi et Lucas s'est mis devant Drew. Peu importait. En ce qui me concernait, la cible, c'était Drew.

Ceux qui arrivaient en cours faisaient un grand détour pour ne pas passer près de nous, mais j'avais à peine conscience de leur présence. J'étais toute à la bagarre qui se préparait. Et là, Tobey m'a coupé le sifflet.

– Je n'ai pas l'intention de me battre avec toi, Lucas, a-t-il prononcé lentement. Je n'ai l'intention de me battre avec aucun d'entre vous. Ce n'est pas pour me battre que je vais au lycée.

Je l'ai regardé, sciée, alors qu'il desserrait les poings.

– C'est quoi ton problème, Tobey l'intello ? l'a défié Drew. T'as les foies ?

Tobey a haussé les épaules.

– Crois ce que tu veux. Allez, viens, Callie. Rentrons.

Il m'a prise par le bras mais je me suis dégagée. Aaron et les autres jetaient à Tobey des regards moqueurs et dédaigneux comme s'il ne valait même pas la crotte de chien sur le trottoir. Et le calme que je me forçais à garder depuis quelques minutes a soudain volé en éclats. Comment Tobey pouvait-il reculer ?

– Hé, Callie, a lancé Lucas, tu dois être rassurée maintenant de savoir que Tobey est là pour te protéger.

Je l'ai regardé droit dans les yeux.

– Lucas, tu devrais aller...

– Que se passe-t-il ici ?

La voix de Mme Paxton a eu sur nous l'effet d'une douche glacée. Elle s'est approchée et nous a dévisagés les uns après les autres.

– Aaron, tu peux m'expliquer ?

– Rien, madame Paxton, a marmonné Aaron en s'écartant de Tobey et moi.

Mme Paxton lui a adressé un regard perçant avant de tourner son attention vers Tobey.

– Tobey ?

Tobey l'a fixée bien en face.

– Comme Aaron vient de le dire, il n'y a rien, madame Paxton.

Le proviseur a pincé les lèvres.

– Tous dans vos classes. Immédiatement !

Elle s'est écartée et nous sommes passés près d'elle en silence. Tobey et moi sommes entrés les derniers. Je ne savais toujours pas contre qui j'étais le plus en colère : Lucas et ses copains ou Tobey.

11. Tobey

– Pourquoi tu as repoussé ma main ?

– Quoi ?

– Tu as très bien entendu, Tobey.

J'ai jeté un coup d'œil à ma montre ; ça n'avait pas été long. Nous étions dans le lycée depuis exactement vingt-sept secondes. J'avais espéré que Callie attendrait la fin des cours ou, mieux, que nous soyons rentrés. Mais non.

– Ça n'aurait pas été facile de prendre ta défense avec une seule main, ai-je rétorqué.

– Je n'ai besoin de personne pour me défendre. Je suis assez grande pour me débrouiller toute seule ! Et puis, pourquoi tu as refusé de te battre ? Pourquoi tu as donné à ces crétins la satisfaction de reculer devant eux ?

J'ai haussé les épaules. Si je devais me bagarrer contre tous les débiles qui me regardaient de travers, je passerais ma vie entière les poings serrés. Je n'en avais aucune envie. Je refusais de considérer chaque personne que je croisais comme un ennemi potentiel. Je ne voulais pas à chaque fois cogner de peur d'être cogné. Je n'étais pas comme ça, point final.

– Peut-être que tu devrais être un peu plus pacifique, ai-je suggéré à Callie.

Elle m'a jeté un regard qui m'aurait transpercé le cœur si je n'avais pas porté mon armure en Kevlar.

– Peut-être que tu ne devrais pas laisser les autres te marcher dessus, a répliqué Callie.

– Personne ne me marche dessus, Callie.

Je parlais d'une voix calme.

Sur son visage, j'ai lu ce qu'elle en pensait.

– Personne ne me marche dessus, ai-je insisté.

Sauf toi, peut-être.

Sauf toi, sûrement.

Callie a secoué la tête.

– Je ne comprends pas pourquoi tu les as laissés te parler comme ça !

– Écoute, ce n'est pas parce qu'ils sont cons comme leurs pieds que je suis obligé de les imiter.

Callie a froncé les narines.

– Tobey, quand tu joues ton « Je suis le mec le plus cool de la planète », ça me donne envie de te frapper. Tu veux que je t'apprenne à te défendre ? Parce que je peux si tu veux.

– Je suis pacifiste, Callie, je te l'ai déjà dit.

– Tu ne serais pas plutôt un autre mot de trois syllabes qui commence par P ?

J'ai mis un instant avant de comprendre.

– Tu veux dire que tu me trouves pathétique, c'est ça ?

– Tobey, tu crois pas qu'une fois de temps en temps, tu pourrais redresser un peu la tête ?

Callie était à chaque seconde un peu plus en colère. Le seul moyen de la calmer était de tourner la situation en dérision.

– Comme le dit le livre du Bien, ai-je déclamé, le docile recevra le monde en héritage.

J'ai ajouté en souriant :

– Avec ta permission, bien entendu.

– Tobey, ce n'est pas drôle.

J'ai souri encore plus.

– Grrrr ! a-t-elle râlé. Parfois, tu me rends folle !

Elle avait haussé la voix et quelques élèves se sont tournés vers nous. La curiosité se lisait sur leurs visages.

– Tu ne te rends pas compte, a continué Callie, que tu leur as donné à tous l'impression que tu étais un faible et un trouillard ?

– Qu'est-ce que tu veux que ça me fasse, ce que Lucas et ses potes pensent de moi ?

Et puis, je ne voulais pas prendre le risque d'être viré du lycée pour m'être battu. Mme Paxton ne pardonnait ce genre d'erreur à personne, prima ou nihil. Me faire virer ne faisait pas partie de mes projets.

– Tu te focalises trop sur ce que les autres pensent de toi, Callie, ai-je ajouté.

Elle aurait pu me frire sur place avec sa vision laser.

– Ne répète jamais ça ! Je me fiche complètement de ce que pensent Lucas et ses gorilles. En revanche, je veux pouvoir me regarder dans un miroir.

– Tu veux dire que moi, je ne peux pas ?

Callie a secoué la tête et s'est dirigée vers son casier.

– Tu penses que je suis faible, Callie ?

Il n'y avait plus la moindre trace d'humour dans ma voix. Callie m'a dévisagé. Je me suis demandé ce qu'elle voyait.

– Dis-moi la vérité, Callie, tu penses que je suis faible ?

Sa réponse était importante pour moi. Très importante.

– Tu veux que je sois franche ? a enfin murmuré Callie.

Oh-oh ! Quand elle posait cette question, ce qui suivait n'était jamais agréable. J'ai quand même acquiescé.

– Parfois Tobey, tu es à mes côtés et j'ai le sentiment que tu y resteras quels que soient la pluie, le feu ou la tempête que nous traverserons mais parfois, comme aujourd'hui, je ressens exactement l'inverse. Que ferait le vrai Tobey Durbridge ?

– C'est oui ou c'est non ? ai-je demandé.

Les mots de Callie m'avaient broyé l'estomac. J'ai refermé mon casier et j'ai attendu sa réponse. Elle faisait toujours ça.

Quand elle ne voulait pas dire quelque chose ou qu'elle pensait que je ne voulais pas l'entendre, elle tournait autour du pot jusqu'à ce que je la pousse dans ses retranchements.

– Tobey, que ferais-tu si quelqu'un disait du mal de… nous ? De nous deux ? De nous deux ensemble ?

Le visage de Callie était levé vers le mien. Le point d'interrogation inscrit sur son front assombrissait ses yeux et crispait ses lèvres. Que voulait-elle entendre ?

– Callie, je n'ai pas l'intention de m'en prendre à tous les crétins qui n'apprécient pas de nous voir ensemble. Les gens peuvent dire ce qu'ils veulent.

– Je vois.

Elle a tourné la tête, mais j'avais eu le temps de voir sa déception. Elle a marmonné quelque chose, mais je n'ai entendu que le mot « ensemble ». Je l'ai prise par le bras et je l'ai forcée à se tourner vers moi.

– Callie, que veux-tu que je fasse ? Que je cogne tous les gens que nous croisons ?

– Non. Mais j'aurais aimé te savoir à mes côtés.

– Je suis à tes côtés. N'écoute pas Lucas.

Callie a ouvert la bouche pour discuter mais la sonnerie a retenti. La cacophonie qui a suivi l'a obligée à se taire.

– Callie Rose, je suis à tes côtés. Tu me crois ?

– Callie ! Te voilà ! Tu ne vas jamais me croire…

Samantha Eccles, ou Sammi comme tout le monde la surnommait, est apparue de nulle part et a pris Callie par la main avant de l'entraîner.

Un ou deux mètres plus loin dans le couloir, Callie a dit quelques mots à Sammi avant de se retourner vers moi.

– Tobey, tu veux que je réponde à ta question ? m'a-t-elle crié.

J'ai acquiescé. Pensait-elle réellement que j'étais faible ? Je n'allais pas tarder à le découvrir.

– La réponse la plus franche est : le jury est en train de délibérer.

Sammi et elle se sont de nouveau éloignées.

Je n'ai pas eu besoin de me mettre en mode « génie » pour comprendre que malgré mes efforts, j'avais tout raté.

12. Callie

– Callie, tu m'écoutes ? a râlé Sammi.

En fait, non.

– Bien sûr que je t'écoute, Sammi. Je suis tout ouïe.

– Mais oui, c'est ça ! Qu'est-ce que je viens de dire, alors ?

– Bliss raconte à tout le monde qu'elle passe son samedi avec Lucas et qu'il va l'emmener au cinéma puis au restaurant et ensuite à une fête et que ça va être diviiiiiiin !

Sammi et moi étions les dernières à arriver au terrain de sport. Et pour une fois, j'étais contente d'y être enfin. Depuis dix minutes, Sammi ne faisait que pérorer sur Bliss et Lucas et, pour être franche, ça m'agaçait qu'elle pense que cette histoire puisse m'atteindre. Mme Halifax nous a jeté un coup d'œil avant de tapoter ostensiblement sa montre. Mais elle ne nous est pas tombée dessus. La journée était chaude sans être étouffante. Au moins, on n'aurait pas l'impression de courir dans un four.

– Ça ne te fait rien ? m'a chuchoté Sammi pendant que nous rejoignions les autres pour l'échauffement.

– Pourquoi veux-tu que ça me fasse quelque chose ? ai-je grogné.

Les bras tendus sur le côté, je me suis penchée une fois à droite, une fois à gauche, pour faire travailler ma taille. Quelle perte de temps. Comparé à l'entraînement physique de la Milice de libération, c'était un jeu d'enfant.

– Mais t'étais avec Lucas avant !

– Oui, avant ! ai-je fait remarquer à Sammi. Lucas est libre de sortir avec qui il veut. S'il a mauvais goût, c'est son problème.

– Alors, maintenant, t'es avec Tobey, hein ?

– Nous allons travailler sur l'endurance aujourd'hui, a lancé Mme Halifax, alors vous commencez par cinq tours de piste.

Ignorant les récriminations qui s'élevaient de toutes parts, je suis immédiatement partie à petites foulées. Sammi m'a suivie. J'avais réussi à éluder ses questions sans m'énerver. Vingt pas plus tard, elle ahanait comme une vieille carne.

– Tu… Pfff… n'as… pfff… pas… pfff… répondu… pfff… à… ma question. Oh, bon sang ! Pfffff ! Je vais mourir !

– Tu devrais courir plus souvent, Sammi. Et arrêter de fumer !

– Réponds… à… ma… question…

– C'était quoi déjà ?

Sammi m'a jeté un regard noir. Je lui ai souri.

– Tu n'es qu'une petite curieuse ! Et Tobey et moi sommes juste amis.

– C'est nul ! s'est exclamée Sammi, déçue.

Je ne te le fais pas dire !

– On devrait… pas… être… obligés… de courir… par cette… chaleur, a exhalé Sammi. C'est cruel… et… injuste !

J'ai eu pitié d'elle et j'ai ralenti. Tellement ralenti que je marchais presque.

– Toi... et Tobey, a-t-elle soufflé, tu... voudrais pas... que...
ce soit plus ?

J'ai haussé les épaules. Grand-mère Meggie répétait souvent
que si les souhaits étaient des chevaux de course, les mendiants
gagneraient tous les concours hippiques. J'ai jeté un coup d'œil
à Sammi en essayant de garder une expression neutre. Je courais à peine à un dixième de kilomètre à l'heure et elle avait
encore du mal à suivre.

– Pourquoi... tu... lui... dis pas ? a toussé Sammi.

– Ce n'est pas si simple, ai-je soupiré. Tobey doit comprendre
tout seul.

– Callie ! Tu lui en demandes trop ! Tu oublies que c'est un
garçon ! Tu auras un pied dans la tombe avant qu'il capte quoi
que ce soit ! a lancé Sammi.

Apparemment, elle venait de retrouver son souffle !

– Alors j'attendrai, ai-je rétorqué.

– Tu devrais lui prendre la main et l'emmener dans ton lit !
Enfin pas forcément dans cet ordre !

Sammi m'a adressé un clin d'œil.

– Certainement pas !

– Je croyais qu'il te plaisait !

J'ai froncé les sourcils.

– Il fait plus que me plaire. Mais ce serait une très mauvaise
idée.

– Pourquoi ?

– Si ça ne marche pas, j'aurais gâché notre amitié et je ne
veux pas prendre ce risque... Et puis, il n'y a pas urgence, ai-je
ajouté.

– Sauf que Misty est déterminée à mettre le grappin sur
Tobey, a remarqué Sammi. Tu ferais mieux de la surveiller de
près. Et lui aussi, d'ailleurs.

– Si Tobey a envie de sortir avec une fille qui ne sait pas reconnaître un proton d'un croûton, c'est son problème, ai-je grogné.

– Ça ne te ferait rien ?

Si.

– Non.

– Misty dit que Tobey est un des seuls garçons du lycée qui sait ce qu'il fait.

– Elle est au courant comment ? ai-je lâché dédaigneusement.

Cette conversation commençait à me porter sur les nerfs. J'ai réaccéléré, espérant à nouveau essouffler Sammi.

– Tout ce que je dis... Pffff... c'est que si tu aimes vraiment Tobey... tu devrais le lui faire savoir rapidement...

Sammi était en train de s'étouffer mais ça ne la faisait pas se taire pour autant.

– ... sinon... il va... prendre ce que... lui offre... Misty... Si c'est pas... déjà fait !

– Je ne veux pas coucher avec Tobey ni aucun autre garçon, juste pour le garder, ai-je protesté. Ce serait pathétique ! S'il faut en arriver là, c'est que le garçon n'en vaut pas la peine !

– Si... tu... le... dis !

– Je ne le dis pas, je l'affirme !

Je suis partie en sprint et Sammi a tenté de me rattraper. Du coup, elle ne pouvait plus parler. Elle a vraiment essayé de tenir la distance mais elle n'a pas réussi. J'ai terminé mes cinq tours sans sourciller. Sammi a abandonné après trois et s'est laissée tomber sur la pelouse en contrebas. Même les menaces de Mme Halifax n'ont pas suffi à la faire se relever. À la fin du cours, je me suis sérieusement demandé si elle n'allait pas avoir une crise cardiaque. Dans les vestiaires, Sammi s'est assise et a laissé pendre sa tête entre ses genoux, en essayant de remplir ses pauvres poumons d'air. J'ai noué mon pull autour de ma taille et j'ai sorti mon sac de mon casier. Un coup d'œil au miroir m'a informé que j'étais complètement décoiffée. Du bout des doigts, j'ai défait ma tresse tout en sortant un peigne. Mes cheveux m'arrivaient bien en dessous des épaules. J'avais décidé de les couper aux prochaines vacances. Essentiellement pour des raisons pratiques mais Sammi pensait que ça irait bien à ma forme de visage.

– Tu devrais laisser plus souvent tes cheveux détachés, a lancé Jennifer Dyer, une de mes amies nihils. Ça te va vraiment bien.

– Merci, mais...

– J'suis pas d'accord. C'est beaucoup mieux quand ils sont tressés, est intervenue Maxine, une autre de mes amies. Tu ressembles trop à une Néant... enfin, je veux dire à une Nihil avec les cheveux détachés.

Le vestiaire est soudain devenu silencieux. Jennifer était rouge écarlate. J'ai jeté un regard noir à Maxine. Quelle peste !

– Ce ne sont que des cheveux, Maxine, et heureusement pour moi, je peux les porter comme j'en ai envie, ai-je déclaré en refaisant ma tresse.

J'ai souri à Jennifer. Elle m'a retourné mon sourire et a jeté un coup d'œil venimeux à Maxine. Puis elle a continué de s'habiller. Finalement, je n'allais peut-être pas me faire couper les cheveux tout de suite. Ou peut-être que si.

Sammi s'est enfin redressée. Elle reprenait presque forme humaine.

– C'est bon pour les chevaux de courir, pas pour les gens, s'est-elle plainte. Et toutes les filles avec un tour de poitrine supérieur à 95C devraient être dispensées !

J'ai jeté un coup d'œil à ma propre poitrine. Selon la règle énoncée par Sammi, je n'aurais aucune chance d'obtenir la moindre dispense.

– Dis, Callie, comment ils vont faire maintenant pour poursuivre l'enquête sur l'explosion de l'hôtel *Isis* ? m'a demandé Talia, changeant complètement de sujet.

J'ai froncé les sourcils. Je n'avais aucune idée de quoi elle parlait. Elle a farfouillé dans son sac et en a sorti son portable. Elle a pianoté et les nouvelles du jour sont apparues sur l'écran.

L'homme nihil tué dans l'explosion ayant provoqué la mort de Jasmine Hadley a finalement été identifié. Il s'agit de Robert Powers, un des résidents de l'hôtel. Il n'avait aucun lien avec la Milice de libération et la police a conclu qu'il avait tout simplement été suffisamment malchanceux pour se trouver au mauvais endroit au mauvais moment. Malgré les accidents de la circulation provoqués par les éclats de verre et les débris tombés sur la route, on ne déplore malgré tout pas plus de deux morts.

– Du coup, les autorités vont avoir encore plus de difficultés à trouver ceux qui ont posé cette bombe, a supposé Talia.

– Qu'est-ce que j'en sais ?

– Hé ! a râlé Tania. C'est pas la peine de me parler comme ça ! Je demandais, c'est tout.

– Désolée, je suis désolée, ai-je bafouillé. Il faut que j'y aille.

J'ai attrapé mon sac et je suis sortie du vestiaire sans un regard en arrière. Je ne pouvais pas rester une minute de plus.

J'avais besoin d'être seule. J'ai juste eu le temps d'entendre Sammi s'en prendre à Talia.

– Mais qu'est-ce qui t'a pris, Talia ? T'es complètement stupide ou quoi ? La grand-mère de Callie est morte dans l'explosion. Tu crois vraiment qu'elle a envie qu'on lui en parle toutes les deux secondes ?

Je n'ai pas attendu la réponse de Talia. J'ai couru aussi vite que j'ai pu, mon sac bringuebalant sur mon dos.

Robert Powers ?

Je pensais que le Nihil tué avec grand-mère Jasmine était oncle Jude. Robert Powers était peut-être le nom d'emprunt de mon oncle. La police avait peut-être trouvé sur le cadavre un passeport portant ce nom ? Non, c'était impossible ! Il n'aurait pas fallu autant de temps pour l'identifier. La mâchoire et les dents de la victime avaient vraisemblablement été reconstituées afin d'être confrontées à son dossier dentaire. Et selon ce dossier, l'homme était Robert Powers. Mais Robert Powers et Jude McGrégor devaient être une seule et même personne. Ça ne pouvait être que ça ! Il n'y avait pas d'autre explication.

Et si Jude n'était pas mort ? Si quelqu'un d'autre était mort à sa place ? Oh, mon Dieu ! Si un homme innocent s'était réellement trouvé au mauvais endroit, au mauvais moment ? Si cet homme était mort à cause de la bombe que j'ai fabriquée ?

Et si oncle Jude était toujours en vie ?

13. Tobey

En rentrant de cours, je me suis rapidement préparé des œufs brouillés et des haricots que j'ai avalés avant de me mettre au travail. D'habitude, je trouvais la chimie excitante, mais là, non. J'avais l'esprit trop occupé par autre chose.

L'argent !

Bon sang ! Je n'en avais pas et je n'avais aucun moyen d'en avoir dans les prochains mois.

Pour le lycée, j'avais une bourse mais la vie quotidienne coûtait cher. Je n'avais jamais participé à un voyage scolaire ; les poches de ma mère n'étaient pas assez pleines pour que je puisse aller skier ou participer à la tournée de chant de la chorale du lycée. J'avais même dû refuser les deux ou trois dernières invitations pour des fêtes d'anniversaire parce que je n'avais pas un sou pour acheter un quelconque cadeau. Si seulement j'arrivais à faire disparaître la montre de Dan de ma tête. Je n'étais pas envieux. Non, ce n'était pas ça. Je ne voulais pas cette montre ni un blouson à la mode, ni aucune connerie de ce genre.

Je voulais juste ma part.

Je voulais avoir le choix, disposer des options que pouvait offrir l'argent.

La sonnerie de mon portable m'a sorti de mes sombres pensées. Qui m'appelait ? Je n'étais vraiment pas d'humeur à discuter. Mais c'était Dan. J'ai décroché.

– Salut Dan, ça va ?

– Ça va, a répondu Dan, mais j'ai besoin de ton aide.

– De mon aide ?

– J'ai des paquets à livrer avant huit heures ce soir et je n'y arriverai jamais tout seul.

– Dan, je t'ai déjà expliqué que je ne voulais pas bosser pour McAuley. D'ailleurs, j'ai pas trop apprécié que tu lui parles de moi.

– Je lui ai pas parlé de toi !

– McAuley m'a coincé dans la rue il y a deux jours, et il savait parfaitement qui j'étais.

– J'y suis pour rien ! s'est exclamé Dan.

Hmmm...

– Enfin... s'est-il soudain repris.

– Quoi ?

– Ça se peut que j'ai mentionné ton nom en disant que t'étais mon pote et que t'étais super intelligent mais...

– Dan, t'es le roi des crétins. C'est largement suffisant pour un type comme McAuley. Et il est hors de question que je t'aide. Je ne travaillerai jamais pour ce type !

– C'est pas pour lui, c'est pour moi ! a insisté Dan. T'as juste à déposer deux paquets pendant que je dépose les trois autres et...

– Qu'est-ce que tu ne comprends pas dans le mot « non » ? N, O ou N ?

– Tobey, c'est juste des paquets. Tu les déposes et on n'en parle plus.

– Et pourquoi tu peux pas le faire toi-même ?

– Je te l'ai dit. Je dois être quelque part à huit heures et je n'y arriverai pas sans ton aide.

– Il y a quoi dans les paquets ?

– On ne me l'a pas dit et je ne suis pas assez bête pour demander, a répliqué Dan. Moins on en sait, mieux c'est.

– Non, Dan, pas question ! Cette conversation est terminée !

J'allais raccrocher mais ses paroles suivantes ont ramené le téléphone à mon oreille.

– Je te paierai. Je te donnerai la moitié de ce que je vais gagner ce soir.

Une partie de mon cerveau me conseillait de raccrocher mais une autre a transformé ma main gauche en aimant et je ne pouvais plus lâcher le téléphone.

– Combien ? ai-je fini par demander.

Le chiffre que Dan a annoncé m'a coupé le souffle. Pas étonnant qu'il puisse s'offrir une montre dernier cri et des fringues à la mode. La somme équivalait à six mois de salaire de mon job du samedi après-midi.

– Allez, Tobey, c'est juste deux paquets, m'a cajolé Dan.

Il sentait que j'hésitais.

Je n'hésitais pas, je chancelais.

– Juste deux paquets...

J'étais sur un terrain mouvant. Dans ma tête, les deux paquets se transformaient doucement en « seulement deux paquets ». S'il s'agissait juste de déposer des colis, où était le mal ? En le faisant juste de temps en temps, je gagnerais plein de fric. Suffisamment de fric pour l'université. Suffisamment pour vivre pendant mes études. Suffisamment.

J'aimais le son de ce mot. Suffisamment.

Je devais reconnaître que le spectre des emprunts bancaires que je ne parviendrais peut-être jamais à rembourser était plutôt effrayant. Mais c'était la condition *sine qua non* pour entrer à l'université. Maman n'avait pas les moyens de payer. Et je devais faire des études, j'en avais besoin autant que de respirer. Pour trop de Nihils et pendant trop longtemps, les portes de l'enseignement supérieur avaient été closes. Closes et verrouillées. Des hommes avaient sué sang et larmes pour que ces portes s'ouvrent devant moi. Comment pourrais-je choisir de ne pas les franchir ? Je n'avais pas le droit d'échouer.

Et à plus court terme, avec l'argent dont parlait Dan, je pourrais acheter une carte d'anniversaire et un cadeau pour Callie. Elle méritait tellement plus que ce que je pouvais lui offrir et jamais elle ne me faisait le moindre reproche. J'avais encore une année de lycée avant l'université et je devrais attendre d'avoir terminé mes études pour pouvoir vraiment gagner ma vie. Alors où était le mal ?

Combien de temps avant que Callie en ait assez de mes poches toujours vides ? Qu'elle se lasse que jamais je ne l'invite nulle part ou que jamais je ne lui achète quoi que ce soit ? Combien de temps avant que ce problème d'argent se mette entre nous ? Le manque de ces petits morceaux de métal et de papier n'allait pas tarder à déterminer et peut-être à ruiner ma vie. Mais il y avait ça... les paquets de Dan... le monde de Dan...

– Juste deux paquets ? ai-je énoncé en tenant mon téléphone comme s'il me brûlait les doigts.

– Oui, juste deux. Et je te donne les plus faciles, a promis Dan. Merci mec, merci, je savais que tu me laisserais pas tomber.

– Tu en sais plus long que moi, alors, ai-je répliqué amèrement. Bon, tu es où et à quelle heure tu veux qu'on s'y mette ?

– Je suis devant ta porte et maintenant, ce serait bien.

Comme le début d'un long dérapage sur une piste glissante. J'ai soupiré :

– J'arrive.

Après une seconde réflexion, j'ai pris ma veste à capuche dans mon placard et je suis descendu.

– M'man, je sors. Pas longtemps.

– Tu as fini tes devoirs ? a demandé Maman en émergeant du salon.

– Ouais, j'ai tout fait, sauf ma chimie et je ne dois la rendre que la semaine prochaine.

– Où vas-tu ?

– Retrouver Dan.

– Pour un match ?

– Non, pas aujourd'hui. On va juste se balader. On est vendredi soir.

– Tobey, je ne suis pas sûre que Dan…

– On sera pas longs. Deux heures au max, ai-je essayé de la rassurer. On va sans doute aller manger quelque part.

– Il fait quoi, Dan, en ce moment ?

– Bah, toujours pareil…

Maman n'avait pas l'air de vouloir lâcher le morceau.

– Il travaille toujours au bureau de poste ?

– Oui, c'est ça, ai-je répondu, mal à l'aise.

– Et comment se fait-il que tu sortes plus souvent avec Dan qu'avec tes autres amis du lycée ?

C'était faux. C'était juste la perception de Maman parce qu'elle n'appréciait pas beaucoup Dan. J'ai haussé les épaules.

– On se connaît depuis la maternelle ! C'est pas parce que je vais à Heathcroft que je dois le laisser tomber !

Et puis, je n'avais pas besoin de me forcer à être quelqu'un d'autre quand j'étais avec Dan. Du moins, c'était comme ça avant. Je n'en étais plus si sûr maintenant. À présent, j'avais la sensation qu'en sa compagnie, il me fallait réfléchir à qui j'étais plus qu'à qui je n'étais pas. Je n'étais plus le Tobey de six ans plus tôt. J'avais changé. Dan était resté le même.

Maman m'a dévisagé.

– Bon, d'accord. À tout à l'heure. Sois… sage… et ne te fais pas remarquer. Si tu sens venir les problèmes…

– Fais demi-tour, je sais, ai-je terminé à sa place. T'inquiète, M'man, je ferai de mon mieux.

– Essaie de faire mieux que ton mieux, Tobey, a répliqué Maman. Je n'ai aucune envie que la police vienne frapper chez moi… quelle qu'en soit la raison ! D'accord ?

J'ai acquiescé et je me suis dirigé vers la porte avant que Maman puisse ajouter un mot.

Ne te fais pas remarquer…

J'étais prêt à parier mes dix prochains salaires que personne ne répétait sans cesse à Dan de ne pas se faire remarquer. J'étais prêt à parier qu'on lui disait exactement l'inverse.

Dan n'avait pas menti. Il était devant chez moi, trépignant. Nous sommes partis aussitôt.

– Merci mon pote, a soufflé Dan.

J'ai hoché la tête en essayant de faire taire la douleur dans mon ventre qui me chuchotait que c'était vraiment une mauvaise idée. Qu'il pouvait se passer n'importe quoi.

Si je me faisais prendre…

Mais tout cet argent…

– Dan, je ne te rends service que parce que j'ai besoin de cet argent, OK ? Je ne veux pas que ça devienne une habitude.

Dan a levé les mains en signe d'apaisement.

– T'inquiète, Néant. Je sais que tu ne fais que filer un coup de main à un pote.

Il m'a souri.

– Cela dit, ça me ferait rien que tu m'aides encore une ou deux fois dans les semaines qui viennent. Toi au moins, je suis sûr que je peux te faire confiance. Et je te filerai cinquante pour cent de ce que je gagne. Je le ferais pour personne d'autre. Je peux pas être plus équitable.

– Non, Dan.

– Tu dis non, mais tes poches vides disent oui. Et tu verras, le désir d'argent est la maladie la plus contagieuse de la planète.

– J'ai pas l'intention d'attraper cette maladie, ai-je lancé. J'ai juste besoin d'un peu de fric pour être à l'aise, c'est tout.

– OK, Tobey, si tu le dis... a fait semblant d'acquiescer Dan.

Le sourire sur son visage était très éloquent.

– C'est juste pour offrir un cadeau à Callie, ai-je repris. Je ne pense pas plus loin que ça pour le moment.

Dan a haussé moqueusement les sourcils. Nous savions tous deux que ce n'était pas vrai.

14. Callie

Après les cours, j'étais allée me cacher à la bibliothèque pendant une demi-heure pour être sûre de ne croiser personne sur le trajet de retour à la maison. J'avais besoin d'être seule. J'ai franchi le portail du lycée en ne pensant qu'à une chose : oncle Jude. Et si... et s'il était toujours en vie ?

– Callie Rose, attends !

Je me suis retournée. Lucas. Je lui ai jeté un regard noir sans chercher à lui dissimuler ce que je pensais de lui.

– Salut Callie, a-t-il lancé timidement.

– Salut Lucas, ai-je répondu.

Mon ton aurait pu geler l'océan. Qu'est-ce qu'il me voulait ?

– J'organise une fête pour mon anniversaire la semaine prochaine. Tu veux venir ?

– Pourquoi ?

Lucas a cligné les yeux, comme surpris par ma question.

– Qu'est-ce que tu veux dire ?

– Pourquoi est-ce que tu m'invites ?

– Parce que j'ai envie que tu viennes, a-t-il lâché comme si la réponse était évidente.

Mais elle ne l'était pas. En tout cas, pas pour moi.

– Je ne viendrai pas à ta fête, ai-je débité. Si c'est pour que toi et tes copains se marrent derrière mon dos !

– On ne ferait pas un truc pareil !

J'ai haussé un sourcil.

– D'accord ! *Je* ne ferais pas un truc pareil et je ne laisserai pas mes potes le faire.

– C'est vrai que j'ai été très impressionnée ce matin par le contrôle que tu as sur eux, ai-je lâché avec dédain.

– Je suis désolé pour ce matin, s'est excusé Lucas. J'étais… je suis désolé.

– Tu étais quoi ?

– Je déteste vous voir tous les deux, a reconnu Lucas. Avec Tobey, tout ce que tu trouveras, c'est des problèmes et… je ne veux pas que tu souffres.

– De quoi tu parles ? Tobey est mon ami. Et mon voisin. Il ne ferait pas de mal à une mouche !

– C'est un Nihil.

J'ai espéré une seconde que Lucas n'avait pas dit ce que je venais d'entendre.

– Et… ?

– Tu es une Prima. Tu parles qu'il a envie que tout le monde dans son quartier croie que vous sortez ensemble.

J'étais une Prima, maintenant ? Tiens donc ! Amusant de voir comment mon statut changeait en fonction de mon interlocuteur. Pour Drew, j'étais une Nihil et je ne serais jamais rien d'autre. Lucas me considérait comme une Prima. Alors où était la vérité ? J'étais d'un côté, de l'autre ou pour toujours coincée au beau milieu ?

106

– Lucas, où veux-tu en venir ?

– J'essaie seulement de te prévenir. Tobey n'est pas le type tranquille que tu crois qu'il est.

J'ai secoué la tête. À quoi Lucas jouait-il ? Était-ce de la méchanceté pure ? De la jalousie ? Quoi ?

– Tu sais qu'il sort avec Misty ? a insisté Lucas. Au lycée, tout le monde sait qu'ils sont ensemble.

Misty passait son temps à le clamer sur tous les toits. C'était loin d'être un scoop.

– Qu'est-ce que tu veux que ça me fasse ? Je te l'ai déjà dit, Tobey et moi sommes juste amis, ai-je soupiré.

– « Amis » comme toi et moi avant, tu veux dire ?

Je me suis mordu la lèvre. Où Lucas voulait-il en venir ? Il a plissé les paupières.

– Peut-être que Drew a raison finalement. Peut-être que vous ne nous trouvez pas à votre goût, nous les Primas.

– Pardon ?

Nous les Primas ? Un club privé dont je ne faisais soudain plus partie ? Eh bien, il ne m'avait pas fallu longtemps pour me faire exclure.

– En fait, tu ressembles plus à ta mère que je le croyais, a renchéri Lucas.

Je me suis raidie, essayant de ralentir la déferlante de colère qui venait de naître en moi.

– Tu vois, Lucas, c'est pour ça que toi et moi ça ne pourra jamais marcher, ai-je déclaré calmement. Tu peux raconter ce que tu veux sur Tobey mais, lui, il ne me dirait jamais un truc pareil.

Lucas a semblé sincèrement regretter ses mots mais il était beaucoup trop tard. Il a tendu la main vers ma joue. Je me suis écartée.

– Je suis désolé, Callie. Pardon... Je... je ne voulais pas dire ça...

– Pourtant, tu l'as fait, ai-je répliqué. Tu essaies toujours de me culpabiliser à propos de ma mère, de mon père ou de ce que je suis. Mais je n'ai plus envie. Je ne vois pas pourquoi je m'excuserai. Il n'y a pas de raison.

J'ai fait un pas de côté pour passer et Lucas n'a pas tenté de me retenir. Après quelques pas, je me suis retournée.

– Lucas, je ne me suis jamais sentie supérieure à ce que je suis réellement, mais sache que Tobey ne me fait jamais me sentir inférieure. Alors, merci pour ton invitation, mais je crois que je vais refuser.

Je suis rentrée à la maison sans regarder derrière moi. Pourquoi la vie était-elle si compliquée ? Mes yeux se sont remplis de larmes. D'abord les nouvelles sur oncle Jude, et maintenant Lucas. Que dirait Lucas s'il savait pour mon oncle ? Qu'il s'en est bien tiré ? Que j'étais coupable par association ? Ou coupable, un point c'est tout ?

Oncle Jude... Était-il là quelque part ? Me surveillait-il ? M'attendait-il ? Mon oncle a occupé toutes mes pensées jusque chez moi. Les mots de Lucas m'avaient blessée, mais penser à oncle Jude était beaucoup plus douloureux. Où était-il ? Patientait-il, caché, pour surgir au meilleur moment dans le seul but de faire le plus de mal possible ? Il était doué pour ça.

Où était-il ?

– Bonjour Ann, Tobey est là ?

La mère de Tobey a secoué la tête.

– Tu l'as raté de vingt minutes. Il est sorti avec son copain Dan.

– Vous savez où ils sont allés ?

Ann a de nouveau secoué la tête.

– Tu vas bien, Callie ? Tu n'as pas l'air dans ton assiette.

J'ai fait une piètre tentative de sourire.

– Ça va. Je... je voulais juste parler à Tobey.

– Tu veux entrer pour l'attendre ?

– Non, merci.

– Il m'a dit qu'il revenait dans deux heures si tu veux repasser, m'a proposé Ann. Jessica est à une fête et moi, je dois partir travailler.

La mère de Tobey avait des horaires de travail très irréguliers. Elle était habituée à me laisser aller et venir chez elle à ma guise. Tobey, de son côté, faisait pareil et considérait ma maison comme la sienne. Ça s'était toujours passé comme ça. Le père de Tobey était parti des années plus tôt pour « se trouver » et plus personne n'avait jamais eu de ses nouvelles. Jessica ne l'évoquait que pour le vouer aux enfers. Tobey n'en parlait jamais.

– Si Tobey n'est pas encore rentré quand tu repasseras, tu n'auras qu'à prendre la clé.

Ann avait baissé la voix même si nous étions parfaitement seules.

– Elle est toujours à la même place.

La même place, c'est-à-dire sous le pot de fleurs dans le petit jardin devant la maison.

– Merci Ann.

– Pas de souci, Callie. Je préfère savoir Tobey avec toi plutôt qu'avec Dan. Je n'ai pas confiance en ce garçon.

– Pourquoi ? ai-je demandé.

– Chaque fois qu'il vient, il ne fait que me seriner le prix de chaque chose. Comme si je ne le savais pas déjà. Ce gamin connaît le prix de tout mais n'a aucune idée de la valeur de quoi que ce soit.

J'ai esquissé un sourire. Moi non plus, je n'aimais pas beaucoup Dan. Quand on se rencontrait, il me regardait de bas en haut comme s'il s'apprêtait à me disséquer.

– Si tu vois Tobey avant moi, a repris Ann, dis-lui que je lui ai laissé du chili dans le réfrigérateur. Il n'a plus qu'à le réchauffer. Tu peux te servir aussi, Callie, si tu as faim.

– Merci, ai-je répondu.

Je suis repartie vers la maison. En temps normal, je serais restée discuter avec Ann, mais aujourd'hui, je n'en avais aucune envie. Tobey et moi habitions tout près l'un de l'autre, mais j'ai quand même passé le court trajet à regarder autour de moi pour m'assurer que je n'étais pas surveillée. Qu'oncle Jude n'était pas dans les parages à épier mes moindres mouvements. J'ai pris une grande inspiration, essayant de me raisonner. Je devais me calmer. La paranoïa n'arrangerait rien.

Habituellement, ça m'était égal de rentrer dans une maison vide – ça n'arrivait d'ailleurs pas très souvent. Mais aujourd'hui, j'avais envie de sentir une présence. Le silence rebondissait sur les murs et faisait écho en moi.

Je suis allée directement dans ma chambre. Assise sur mon lit, j'ai plié les jambes et je les ai entourées de mes bras avant de poser mon menton sur mes genoux.

Je pourrais peut-être demander à grand-mère Meggie quand elle rentrerait. Oncle Jude avait dû se mettre en contact avec elle. Elle était probablement la seule personne au monde à savoir s'il était mort ou vivant.

La bombe que j'avais fabriquée avait tué un homme innocent.

Oncle Jude pouvait être n'importe où.

Et s'il était encore en vie, rien ne serait plus jamais pareil.

15. Tobey

Dan m'a emmené jusqu'à la porte d'un réduit dont j'ignorais l'existence. Il était fermé par un cadenas à code. Dan a dû taper trois fois de suite la même série avant que le cadenas consente à s'ouvrir. Alors qu'il jurait et marmonnait les chiffres à voix basse, je n'ai eu aucun mal à retenir le code. Je n'avais pas l'intention de m'en servir évidemment, mais je me suis dit que sa sécurité laissait à désirer. Nous sommes entrés dans une petite pièce sans fenêtre, un genre de garage très étroit. Il y régnait une odeur d'humidité et de renfermé, comme si l'air n'avait pas été renouvelé depuis plusieurs mois. Le seul meuble était une table de bois couverte de paquets et de boîtes de toutes tailles et formes. Le sol était jonché de saletés, d'autres boîtes et des sacs en plastique.

– Depuis quand tu occupes cet endroit ? ai-je demandé à Dan.

Puis j'ai réfléchi et j'ai levé une main pour l'empêcher de répondre.

– Non, en fait, je veux pas savoir.

Dan m'a passé deux colis entourés de papier brun. Ils étaient plutôt petits. Le premier avait la taille d'une boîte de sucre en poudre, l'autre la forme et le poids d'un paquet de cartes. Ils étaient entourés de Scotch de telle façon qu'il était impossible de déchirer l'emballage ou de l'entrouvrir pour jeter un coup d'œil dessous. Dan a mis mes deux paquets dans un sac plastique et m'a donné des instructions.

– Ces paquets sont plus importants que ta vie. Si un connard essaie de te les piquer, tu l'en empêches ! Ce sac ne quitte ta main que si t'as un flic en ligne de mire. Si ça arrive, tu jettes le sac et tu cours comme un dératé.

J'avais pas besoin qu'il le précise.

– Je croyais que tu disais qu'il n'y avait aucun risque.

Tout ça me plaisait de moins en moins.

– J'ai jamais dit qu'il n'y avait aucun risque, m'a corrigé Dan. Tu entends ce que tu veux entendre, c'est tout.

– Alors, y a quoi dans les paquets ?

– J'en sais rien, a rétorqué Dan qui commençait à être exaspéré. Et dans ce job, si tu poses trop de questions, tu risques seulement de t'attirer un tas d'emmerdes.

Donc, quoi que je transporte, ce n'était pas le genre de denrée qu'on trouve dans un supermarché. C'était illégal et dangereux. Ce qui signifiait que ça pouvait me mener tout droit en prison. Ou pire, au cimetière.

Une fois, une seule. Et après, plus jamais. Je le jure. Juste une fois et il ne m'arrivera rien.

Dan m'a dévisagé.

– Quoi ? ai-je aboyé, agacé.

– Tu veux une protection ? m'a-t-il demandé. Ça calmerait tes nerfs ?

– Une protection de quel genre ?

Après m'avoir jeté un nouveau regard dubitatif, il a ramassé une des boîtes par terre et l'a laissée tomber sur la table. Je me suis penché pour regarder et je me suis reculé. La boîte était pleine de couteaux. Des couteaux crantés, des couteaux à double tranchant, des couteaux de combat, des couteaux de boucher, des couteaux de cuisine. Tous les couteaux existant au monde étaient dans cette boîte.

– Nom de Dieu, Dan. C'est quoi cette armurerie ?

– Ça sert à se protéger.

– Se protéger de quoi ? De quelle armée ?

Je n'en croyais pas mes yeux. Il y avait au moins vingt lames dans cette boîte. Peut-être plus. Sans doute plus.

– Dan, t'es cinglé.

– Je suis obligé de m'armer. Les rues ne sont pas sûres, a-t-il lâché.

– Ouais, c'est vrai. Et c'est à cause de types comme toi qui peuvent pas sortir de chez eux sans une arme dans la poche ! ai-je répliqué. Nom de Dieu ! Pourquoi t'as besoin d'autant de couteaux ? T'as que deux mains !

– Prends-en un et personne viendra t'emmerder. Bon, tu veux ou pas ? a grogné Dan, irrité.

– Je veux quoi ?

– Un couteau ! J'en ai un pour chaque occasion !

Dan a pris un couteau au hasard et s'est lancé dans un pseudo-discours de crieur de marché.

– Par exemple, ce magnifique spécimen est traité au phosphate et son fourreau en polymère est disponible en olive, camouflage ou noir !

– Bon sang, non !

– Tobey, je te promets. Avec un truc comme ça dans la poche, tu…

J'ai coupé court avec toute l'énergie dont je me sentais capable.

– Non !

– Comme tu veux.

Dan m'a jeté un coup d'œil et a refermé la boîte.

– J'ai deux-trois articles encore plus efficaces que ces couteaux…

– Dan, laisse tomber, ai-je grondé avec colère. Je ne suis pas intéressé !

– OK ! Comme tu veux !

– Merci.

J'ai passé une main tremblante sur mon front en sueur.

Que le temps s'arrête. Je veux sortir d'ici.

– Je voudrais sortir, ai-je marmonné. Donne-moi les noms et les adresses avant que je change d'avis.

Tire-toi, tire-toi, maintenant !

Mais non. Pas sans mon argent. C'était déjà mon argent.

Le premier arrêt se trouvait à quarante minutes en train de la Prairie.

Les instructions de Dan étaient assez simples. Après être descendu du train, j'ai rabattu ma capuche sur ma tête et j'ai courbé la nuque. J'avais estimé qu'il me fallait à peu près dix minutes de marche pour atteindre ma destination. Près d'une demi-heure plus tard, j'y arrivais tout juste. Dans ce quartier, les maisons étaient séparées les unes des autres par au moins 250 mètres ; elles avaient toutes des grands terrains devant et je n'osais pas imaginer la taille des jardins à l'arrière. Je me suis arrêté avant d'arriver à la bonne adresse et j'ai examiné la rue large et bordée d'arbres. Deux femmes marchaient sur le trottoir en face, plongées dans leur conversation. À part elles, la rue était déserte. Ma capuche en place, j'ai levé les yeux vers les arbres et les lampadaires. Pas de caméras. Un nouveau coup d'œil dans la rue. J'étais seul.

Apparemment...

Arrête ta parano, Tobey.

Je me suis dirigé vers la maison dont Dan m'avait donné l'adresse, en essayant de prendre l'air le moins coupable possible. Je devais faire comme si j'avais toutes les raisons de me trouver là. Mon estomac se tordait et des gouttes de sueur me coulaient dans le dos et collaient mon T-shirt à ma peau. Il faisait toujours aussi chaud. L'atmosphère était même devenue moite et j'avais l'impression de respirer de la vapeur d'eau. Je détestais l'été.

Cette maison était manifestement de grand standing. Du moins, d'où j'étais, elle en avait l'air. Quand j'ai remonté l'allée, j'ai remarqué la mousse et les mauvaises herbes entre les pavés. Au-dessus de moi, un corbeau a croassé. J'ai regardé le paquet. La drogue n'avait pas de frontière, elle n'était pas réservée à un secteur particulier, ni même à un pays. C'était un des grands leviers de ce monde. Avec l'amour. Et la haine. Et la peur. J'ai à nouveau regardé autour de moi. Je ne venais pas souvent dans les quartiers chic. Correction : je n'étais *jamais* venu jusqu'ici. Je me suis demandé pourquoi quelqu'un qui vivait dans un tel endroit éprouvait le besoin de se droguer. J'ai supposé que la misère n'avait pas de frontière non plus.

J'ai appuyé sur la sonnette. Je n'ai rien entendu. J'ai appuyé une nouvelle fois. Silence. J'ai frappé. Au cas où la sonnerie ne fonctionnerait pas. Un bébé était en train de hurler. J'ai essayé d'ignorer les battements affolés de mon cœur et j'ai frappé de nouveau. Plus fort cette fois. La porte s'est ouverte presque aussitôt. L'odeur de couches sales m'a assailli les narines. Une femme prima épuisée, la trentaine passée, se tenait devant moi. Elle portait un pantalon blanc et une chemise jaune sans manches. Ses cheveux noirs étaient tout décoiffés, ses yeux onyx reflétaient la méfiance.

– Oui ? a-t-elle demandé.

Le bébé criait de plus en plus fort. Elle n'y a pas prêté attention. Son regard allait nerveusement de moi à la rue.

– Êtes-vous Louise Resnick ?

– Qui la demande ?

– J'ai un paquet pour Louise Resnick.

– C'est un peu tard pour la poste, non ?

J'ai haussé les épaules.

– Donne.

La femme a tendu la main.

– On m'a recommandé de livrer ce paquet en main propre à Louise Resnick.

– Quoi ?

– Je ne peux le remettre à personne d'autre qu'à Louise Resnick.

Les hurlements du bébé ont monté de quelques décibels. La femme a tourné la tête et a crié :

– Charlène, est-ce que tu pourrais faire ton boulot et empêcher Troy de pleurer ?

Elle m'a regardé de nouveau, le visage fermé, les yeux vides.

– Je suis Louise Resnick, a-t-elle grogné impatiemment, alors donne-moi le colis.

Je n'ai pas bougé.

– Oh, bon sang ! a grondé la femme.

Elle a pris son sac à main qui se trouvait dans l'entrée. Agacée, elle m'a tendu son permis de conduire et me l'a quasiment collé sous le nez. J'ai dû reculer la tête comme une tortue.

– Ça te va ?

Pendant que la femme rangeait son permis et lâchait son sac sur le plancher, j'ai sorti le plus petit paquet de mon sachet en plastique.

– C'est de la part de qui ? a-t-elle demandé, méfiante.

Elle a passé une main tremblante dans ses cheveux bouclés, les décoiffant encore plus.

– Je ne sais pas, ai-je répondu honnêtement. Je livre, c'est tout.

Je lui ai tendu le paquet. Elle a reculé d'un pas, soudain réticente. Je ne savais réellement pas ce qu'il contenait et ça devait se voir sur mon visage parce qu'elle a fini par le prendre.

– Merci, a-t-elle murmuré.

À présent, le bébé poussait des cris perçants. Sans un mot de plus, Louise m'a refermé la porte au nez. J'ai haussé les épaules et tourné les talons, direction la gare. Mais une fois arrivé là-bas, j'étais dans un état d'agitation extrême. Je faisais les cent pas sur le quai comme si j'avais eu les chaussures en feu. Les caméras placées à intervalles réguliers n'enregistreraient que mon jean, ma veste et mes baskets, rien de plus. Traîner du côté de la maison de cette femme avait été une mauvaise idée. Je ne savais pas ce qu'il y avait dans le paquet et je ne voulais surtout pas le savoir. Une voix me criait de tout laisser tomber et de partir en courant. Mais je ne pouvais pas. J'avais accepté d'aider Dan et je devais aller jusqu'au bout.

Concentre-toi sur l'argent, Tobey.

Le train a fini par arriver. Direction cette fois ma nouvelle adresse de livraison. Encore quarante minutes pour retourner à la Prairie et ensuite vingt minutes de bus. Cet endroit était très différent du quartier de Louise Resnick. J'ai jeté un coup d'œil autour de moi. Si un jour je devais dessiner l'enfer, je viendrais chercher l'inspiration ici. Ruelles étroites, bâtiments hauts, pas un brin d'herbe. Aucune couleur sauf du gris. Je marchais depuis cinq minutes quand une voiture a ralenti près de moi, accordant son allure à mon pas. À l'intérieur, deux Nihils d'à peu près mon âge ou à peine plus vieux m'observaient. Après leur avoir accordé un regard rapide, j'ai poursuivi mon chemin la tête droite, une main serrée sur le sac plastique, l'autre vide à mon côté. Pas de main dans les poches, pas de geste brusque, pas de geste grossier. Je me suis forcé à ne pas accélérer ni à ralentir.

À la place du passager, un Nihil aux cheveux bruns et aux yeux bleus m'examinait de haut en bas, d'un air soupçonneux.

– T'appartiens à quel côté de la Prairie ? a-t-il demandé.

– Aucun, ai-je répondu sans cesser de marcher.

Je ne mentais pas vraiment. Je n'appartenais ni à un côté de la Prairie, ni à l'autre. J'étais moi, c'est tout. Et puis, pour qui travaillaient ces gars ? Les Dowd ou McAuley ? Ou étaient-ils à leur propre compte ? Se considéraient-ils les chefs du secteur ? Du quartier ? Ou juste de la rue ?

– Je vais rendre visite à un pote qui habite dans le coin, ai-je dit en me forçant à tourner la tête vers les deux types.

Celui aux cheveux bruns s'est tourné vers le conducteur et n'a prononcé qu'un seul mot :

– Touriste.

Et ils sont partis. Au moment où la voiture a disparu, j'ai cessé de marcher, juste le temps de laisser à mon cœur la possibilité de reprendre un rythme normal. Être soi, c'était pas facile. Être soi, c'était pas grand-chose, mais c'était tout ce que j'avais.

Deux minutes plus tard, je suis arrivé à la bonne adresse. C'était un appartement dans un haut bâtiment qui aurait dû être démoli depuis des années. Logement antisocial. J'ai gravi l'escalier de ciment qui puait la pisse, le désinfectant et la peinture. Je me suis arrêté au troisième étage.

Pour rejoindre l'appartement 18, je devais traverser une passerelle dont la rambarde donnait sur la rue. J'ai regardé en bas. Il y avait quelques personnes, mais rien que des Nihils. Pas de Primas. Donc sans doute pas de flics. À moins qu'ils aient des types infiltrés qui me surveillaient. Je ne pouvais pas être sûr que les Nihils que je voyais n'étaient pas de la police. Les forces de l'ordre recrutaient activement dans toutes les couches de la société et je devais rester super vigilant.

Attention, Tobey. Tu es clairement en train de devenir parano.

Pourquoi quelqu'un me surveillerait-il ? Je n'avais jamais fait ce boulot. Et je ne le referai jamais.

Une profonde inspiration plus tard, j'appuyais sur la sonnette. Au moins, cette fois, je n'étais pas sur le point de vomir. La porte n'a pas mis plus de deux secondes à s'ouvrir. Un homme, à peine plus âgé que moi, me regardait. Je suis grand mais il me dépassait. Il était aussi beaucoup plus large d'épaules et plus costaud. Il avait un jean et un T-shirt bleu marine sous une veste en cuir. Je me suis demandé pourquoi il portait une veste à l'intérieur, en particulier par ce temps. Mais bon, je n'avais pas l'intention de lui poser la question. Ses tennis étaient neuves ; aussi propres que s'il venait de les sortir de la boîte. Ses cheveux lui arrivaient aux épaules et il les faisait tenir en arrière avec du gel. Ses yeux bleu foncé étaient froids et immobiles.

– Je peux t'aider ?

– Je cherche Adam Eisner.

– C'est moi, a répondu l'homme.

– Puis-je voir votre carte d'identité, s'il vous plaît ?

– T'es qui ?

L'immobilité soudaine de l'homme m'a mis sur mes gardes. Il avait l'air capable de me jeter par-dessus la rambarde.

– J'ai un paquet pour Adam Eisner et on m'a recommandé de le lui remettre en main propre.

– Je te l'ai déjà dit, je suis Adam Eisner.

– Puis-je en avoir la preuve ?

L'homme a plissé les paupières.

– Comment tu t'appelles ?

Je n'ai pas répondu.

– Qui t'a demandé de livrer ce soi-disant paquet ?

Je n'ai toujours pas répondu. De toute façon, mon cœur battait si fort que je n'entendais presque plus rien d'autre. Ça ne se passait pas comme prévu. L'homme a glissé la main à l'intérieur de sa veste.

– C'est Dan qui m'envoie, ai-je débité à toute vitesse. J'aide Dan, c'est tout. C'est lui qui m'a demandé de ne pas laisser le paquet à un autre qu'Adam Eisner.

La main de l'homme a ralenti et est ressortie vide de sous la veste.

– Et comment tu t'appelles, gamin ? a-t-il répété.

Pas question que je réponde à cette question.

Contre toute attente, l'homme a souri.

– On dirait que t'es plus futé que ton pote Dan. Alors rends-toi service et crois-moi sur parole quand je te dis que je suis Adam Eisner. File-moi le colis.

J'ai suivi son conseil.

Quelques minutes plus tard, j'étais loin du bâtiment et je me dirigeais vers le terrain vague. C'est là que Dan et moi avions convenu de nous retrouver après les livraisons. Quand j'ai été sûr d'être assez loin de l'immeuble, j'ai sauté dans un bus qui me ramènerait dans mon territoire. À me voir sans arrêt tourner la tête de tous côtés, on aurait facilement pu me prendre pour une chouette. Une soirée, deux paquets et je me comportais déjà comme un criminel. C'était éloquent. Je me répétais que c'étaient les nerfs, que je m'inquiétais pour rien mais ça ne m'aidait pas le moins du monde. Je n'étais vraiment pas fait pour ce genre de job.

Et puis, merde ! Aucune somme d'argent ne valait le fait de ne pas pouvoir marcher dans la rue sans constamment regarder par-dessus mon épaule. C'était mon premier et dernier travail pour Dan.

Quand je suis enfin arrivé au terrain vague, Dan m'attendait. Il était au bord du terrain de foot. Pas très content.

– Putain ! T'étais où ?

– Je me baladais, ai-je répliqué.

– Tu devrais être là depuis au moins une demi-heure.

– J'suis là maintenant.

– Tout s'est bien passé ?

Je me suis dit que ça dépendait de la notion qu'on pouvait avoir de bien se passer.

– J'ai livré les paquets comme tu me l'avais demandé, ai-je répondu.

– M. Eisner était OK ?

Dan ondulait devant moi comme un cobra.

– Ouais. Il a refusé de me montrer sa carte d'identité. Mais comme j'avais envie de rester en vie, j'ai pas insisté.

– Tobey…

Dan était sur le point de m'engueuler mais je l'ai pris de vitesse.

– Commence pas, d'accord ? Ce mec faisait deux mètres de haut et presque autant de large. Il ressemblait à un pitbull et j'avais pas l'intention de discuter avec lui. Ça te pose un problème ?

– Il avait les cheveux noirs et il portait une veste en cuir ?

J'ai acquiescé. Dan a laissé échapper un soupir de soulagement.

– Mon argent, ai-je demandé.

– Dès que je serai payé, tu seras payé, a lâché Dan.

Je lui ai jeté un regard noir.

– Eh, c'est pas ce que t'as dit tout à l'heure !

– Je t'ai dit que je te donnerais la moitié de ce que j'allais gagner, mais j'aurais pas d'argent avant demain... ou dimanche au plus tard.

J'étais parfaitement immobile. Je comptais les battements de mon cœur, attendant que la rage qui s'était emparée de moi se calme un peu. Dan évitait mon regard et s'agitait toujours nerveusement.

– Dan, l'ai-je averti d'une voix douce, t'as pas intérêt à me rouler.

– Mais non ! s'est-il écrié. Je peux quand même pas t'inventer des billets. Dès que j'aurai ma part, tu auras la tienne.

Nous savions tous les deux qu'il ne m'avait pas dit toute la vérité en me proposant son marché un peu plus tôt. On était loin de notre accord de départ.

– Quand est-ce que j'aurai mon fric ?

– À la fin du week-end, promis. Écoute, Tobey, on est potes. Si tu veux, je te paye sur mes économies. Hein ? J'irai à la banque demain et je te donnerai tout ce que je te dois. Au centime près. Viens là à quatre heures demain et je te donnerai tout.

– Je travaille le samedi, lui ai-je rappelé.

– Va pas au boulot. Appelle-les pour dire que t'es malade.

Je l'ai toisé sans un mot. Au moins, si j'allais au travail, j'étais sûr d'être payé. Si je me pointais ici à quatre heures de l'après-midi et que Dan n'y était pas, je me retrouverais comme un con.

– Tobey, tu vas avoir ton fric, a râlé Dan, exaspéré. Fais-moi confiance.

– Pourquoi je te ferais confiance ? Parce que tu seras toujours là pour me couvrir ?

Cette fois, c'est Dan qui est resté silencieux.

– Demain, ici, à quatre heures, ai-je soupiré. Sois pas en retard.

J'ai tourné les talons. Dans ma tête, j'étais déjà à la maison, allongé sur mon lit.

– Tobey... m'a rappelé Dan.

Je me suis retourné vers lui, méfiant. Dan a rougi jusqu'aux oreilles. On aurait pu croire qu'il était gêné.

– On est potes, non ?

J'ai haussé les épaules.

– Ouais, du moins, c'est ce que je croyais.

– Je suis de ton côté. OK ?

Je l'ai examiné. Sa gêne ne pouvait pas être feinte.

– OK, ai-je acquiescé.

– J'ai d'autres livraisons demain, si tu veux doubler tes gains...

J'ai froncé les sourcils. OK, ouais. Il était de mon côté... tant que je pouvais lui servir à quelque chose.

– J'ai toujours pas vu un billet, ai-je rétorqué. Deux fois rien, c'est toujours rien.

– Fais-moi confiance.

– Non merci, Dan. J'ai eu ma dose. Plus que ma dose.

– Mais t'as vu comme c'est facile. Deux livraisons là et là, un ramassage plus loin et hop, t'es tranquille.

– Tranquille, ouais, bien sûr. Je ne suis pas intéressé, Dan. Contente-toi de me filer le fric demain et on sera quittes.

Je ne voulais plus discuter et je suis rentré chez moi. Je n'arrêtais pas de penser que je venais de commettre une des plus grosses erreurs de ma vie.

16. Callie

Je ne pouvais pas me cacher dans ma chambre jusqu'à la fin de mes jours. Je ne pouvais pas laisser mon oncle reprendre possession de ma vie. Je ne pouvais pas. Il était hors de question que le cauchemar recommence. Pourtant, c'était déjà le cas. Chacune de mes pensées, chacune de mes respirations me projetaient vers lui. Assise sur mon lit, j'ai laissé passer les heures. Des larmes ont coulé sur mon visage. Je les ai essuyées d'un geste impatient. Pleurer ne résoudrait pas mes problèmes. J'ai sorti mon téléphone de mon blouson, mais j'hésitais à appuyer sur la première touche.

Avais-je réellement l'intention de faire ça ?

Quel autre choix se présentait à moi ?

J'ai composé le numéro privé d'oncle Jude. C'était un numéro qu'il ne donnait presque à personne, il m'en avait autorisé l'accès lorsque j'étais un de ses soldats. Une de ses marionnettes.

– *Le numéro que vous demandez n'est pas attribué*, a articulé une voix féminine et impersonnelle.

J'ai essayé deux nouvelles fois. Juste au cas où j'aurais tapé sur les mauvaises touches. J'ai chaque fois reçu le même message. J'étais toujours seule dans la maison. Maman était sortie avec Nathan et grand-mère Meggie avec des amis. Je ne voulais plus être seule.

Et si oncle Jude était caché devant chez moi en train de m'espionner ? Que préparait-il ? Chacun de ses gestes était calculé. Qu'avait-il prévu pour moi ? Parce qu'une chose était certaine : s'il était toujours en vie, je serais en haut de sa liste de vengeance. Et oncle Jude était un homme patient.

Peut-être que c'est le sort que je méritais.

Peut-être même était-ce le seul sort que je méritais.

De la fenêtre de ma chambre, j'ai observé notre petit jardin et les maisons des voisins. Tout semblait parfaitement calme. Quelques oiseaux voletaient dans le ciel, et très haut, un avion laissait derrière lui une traînée blanche. Je suis allée dans la chambre de Maman et j'ai regardé par sa fenêtre. Pendant une demi-heure, j'ai vu des gens aller et venir, des Primas et des Nihils. Mais pas oncle Jude.

Peu importait. Je n'avais pas besoin de le voir pour être sûre qu'il était là. Quelque part. Je me suis enveloppée de mes propres bras. Je tremblais. La peur me dévorait les entrailles comme un vautour.

Oh, Tobey, où es-tu ?

J'ai besoin de toi.

Besoin de t'entendre me dire que tout va bien se passer.

Besoin de t'entendre me dire que je me laisse emporter par mon imagination.

Besoin que tu me laisses me cacher dans ta poche et que tu m'emportes partout avec toi.

Tobey, où es-tu ?

17. Tobey

Un peu plus tôt dans la soirée, Louise Resnick de Parc Frappargent a reçu un colis effroyable. Il contenait le petit doigt de la main gauche de son mari. C'est du moins ce qu'elle suppose, les tests ADN sont en cours pour le confirmer. Ross Resnick, le mari de Louise Resnick, est un homme d'affaires

connu et relié aux Dowd. Des sources bien informées affirment
que Ross Resnick a disparu depuis trois jours. On suppose que
c'est un des trois enfants de Mme Resnick qui a appelé la police
après que le paquet a été ouvert. Mme Resnick se refuse à tout
commentaire pour le moment...

Le visage souriant de Ross Resnick a rempli l'écran. Une photo prise quand il n'avait pas de soucis. J'ai éteint la télé. Le journal de dix heures me rendait malade. Au sens propre. Une sueur glacée couvrait mon front. Le chili que je venais d'avaler dansait la carmagnole dans mon estomac. J'ai monté les marches quatre à quatre, je me suis précipité dans la salle de bains et j'ai vomi. Ou plus exactement, je suis entré en éruption comme un volcan. J'ai vomi si fort et si longtemps que j'ai eu peur de rendre mes pots de bébé.

Le colis.

Il y avait un doigt dans le colis que j'avais livré.

Oh, bon sang ! Cette femme, Louise Resnick, sur le seuil de sa porte en train de me prendre le paquet. L'avait-elle ouvert devant les enfants ? Est-ce de cette manière que la scène s'était déroulée ? Avait-elle crié ? L'avait-elle fait tomber ? Avait-elle pleuré ? Avait-elle aussitôt compris à qui appartenait le doigt ? À genoux sur le carrelage de la salle de bains, mes doigts étaient serrés sur la cuvette des toilettes. J'avais froid. Depuis quand faisait-il si froid ? Pourtant, j'étais en sueur.

Un doigt. J'avais livré un doigt. Putain de Dan. J'allais le tuer. Pauvre femme. Heureusement que j'avais évité les caméras de surveillance. Mais... et si la femme donnait ma description à la police ? Et si la police se disait que j'avais quelque chose à voir avec cette histoire de doigt coupé ? Oh, nom de Dieu ! Je ne pouvais pas prouver que je n'y étais pour rien. Un paquet, une livraison et je risquais de me retrouver en prison ! Et il y avait quoi dans l'autre paquet ? Un truc aussi monstrueux ? J'avais cru... j'avais cru qu'il s'agissait de drogue. Ou d'argent. Mais pas ça.

Je me suis lavé les mains et les dents mécaniquement. Je n'arrêtais pas de penser au paquet que j'avais tenu dans mes mains. Au paquet que Louise Resnick avait ouvert. Au contenu que les enfants avaient vu.

Oh, bon sang !

Ne me tirez pas dessus, je ne suis que le messager.

Vous en prenez pas à moi, je ne suis que le livreur.

Ne me faites pas de mal. Je n'ai que dix-sept ans. Je n'ai fait ça que pour l'argent. J'avais seulement besoin d'argent.

Merde !

Je suis retourné dans ma chambre et je me suis assuré que la porte était correctement fermée avant de composer à toute vitesse le numéro de Dan. Il a répondu à la seconde sonnerie.

– Dan, t'as vu les infos ? ai-je immédiatement crié.

– Je te jure que je ne savais pas ce qu'il y avait dans le paquet ! s'est-il aussitôt défendu.

Donc il avait vu les infos.

– Tu devais t'en douter, ai-je rétorqué, furieux. Louise Resnick sait à quoi je ressemble maintenant. Elle va donner mon signalement à la police et ils vont dresser un portrait-robot qui va s'étaler à la une de tous les journaux. Et après, il faudra combien de temps avant que quelqu'un me repère et me dénonce ?

– Calme-toi ! Tu délires... a commencé Dan.

Mais j'allais pas avaler ses conneries.

– Tu voulais pas y aller, Dan. T'en avais aucune envie.

J'étais sur le point de craquer.

– Ça t'a permis de rester en dehors de l'affaire !

– Qu'est-ce que t'insinues ?

– Ça me semble seulement bizarre que tout à coup tu puisses pas faire tes livraisons et que tu aies désespérément besoin de mon aide. Quelle coïncidence que le premier colis que je dépose pour toi me fasse risquer la taule !

– Tu crois quand même pas que je t'ai mouillé exprès ? s'est exclamé Dan.

– Tout ce que je sais, c'est que je suis dans la merde jusqu'au cou, ai-je rétorqué. Et je vais te dire un truc, Dan : si la police frappe à ma porte, je tomberai pas tout seul, tu m'entends ?

Un silence plus tranchant qu'une lame de rasoir a suivi.

– Tu devrais pas faire ce genre de menace, a prononcé Dan lentement.

– C'est pas une menace, c'est une promesse, ai-je lancé. Je vais finir le lycée, aller à l'université et obtenir un boulot digne de ce nom. Mes projets d'avenir n'incluent pas d'avoir un casier judiciaire ou d'être enfermé pour un crime que j'ai pas commis.

– Ça n'arrivera pas, a répété Dan.

– T'as plutôt intérêt à ce que ça arrive pas, ai-je ragé. Parce que je te jure que je porterai pas le chapeau pour toi ou McAuley. Aucune chance !

J'ai raccroché sans dire au revoir. La colère qui m'avait ravagé les entrailles pendant le coup de fil finissait de se consumer. Et elle laissait place à bien pire. Je n'aurais jamais dû dire ça à Dan. C'était du bluff. J'étais furieux et frustré mais ce n'était que du bluff. Parce que si ça tournait mal, je ne balancerais jamais mon pote. Et il le savait parfaitement. Ce qui signifiait que si la bombe explosait, je serais seul. J'aurais dû écouter mon instinct, mais je me suis bouché les oreilles. Plus jamais je ne commettrai cette erreur. Mais il était sans doute déjà trop tard.

J'étais vraiment dans les ennuis jusqu'au cou.

La sonnerie de la porte d'entrée a retenti et j'ai sursauté comme si j'avais reçu une décharge électrique. Peut-être que je devrais me faire discret et ne pas répondre. Mais toutes les lumières de la maison étaient allumées. Merde de merde. Tremblant, j'ai descendu les marches. J'ai pris une longue inspiration pour tenter de retrouver mon calme. J'ai ouvert la porte.

C'était Callie. Elle m'a regardé et a éclaté en sanglots.

18. Callie

Impossible de dire lequel était le plus choqué de Tobey ou de moi. Je n'avais jamais, mais vraiment jamais, pleuré devant quelqu'un. Mais quand je l'ai vu, les larmes ont jailli toutes seules. Après m'avoir dévisagée, Tobey m'a pris la main et m'a pratiquement tirée dans la maison avant de refermer la porte d'un coup de pied.

– Qu'est-ce qui se passe ? Qu'est-ce qui t'arrive ? a-t-il demandé, super inquiet.

J'ai secoué la tête en essayant de faire cesser mes larmes. J'ai baissé les yeux. Je ne voulais pas que Tobey me regarde dans les yeux. Il en avait déjà trop vu. Ce n'était pas juste de ma part d'attendre qu'il remplisse tous les vides en moi et, s'il savait ce qui m'arrivait, il essaierait. Il échouerait mais il essaierait quand même. Oncle Jude disait que les larmes étaient le luxe des faibles. Je ne pouvais pas me permettre d'être faible. Pas maintenant. Mais j'avais l'impression d'être un zombie.

Tobey m'a serrée contre lui. Il n'a rien dit et je lui en ai été reconnaissante. Il m'a juste laissée me vider de toutes les larmes de mon corps. Quand je me suis enfin décollée de lui, j'étais super gênée et le T-shirt de Tobey était si trempé qu'on voyait presque à travers. J'ai jeté un regard hésitant autour de moi.

– Jessica est sortie. Ma mère aussi, m'a informée Tobey.

J'ai poussé un soupir de soulagement et j'ai essayé de reprendre contenance. Sans grand succès.

– Callie, parle-moi. Qu'est-ce qui ne va pas ? m'a demandé Tobey.

J'ai secoué la tête, mais je savais que je n'arriverais pas à parler. Tobey m'a pris la main et m'a conduite dans la cuisine. Il m'a versé une tasse de café et y a ajouté trois sucres. Il savait pourtant que je ne prenais jamais de sucre dans mon café. Il a poussé la tasse brûlante devant moi en ne tenant aucun compte du fait que je continuais de secouer la tête.

– Bois ! m'a-t-il ordonné. Tu as l'air d'en avoir besoin.

J'ai pris une gorgée mais je me suis brûlé la lèvre. De nouvelles larmes ont commencé à couler sur mes joues. Pas à cause du café, c'est juste que je n'arrivais plus à m'arrêter de pleurer.

– Tu veux parler ? m'a demandé Tobey.

J'ai acquiescé.

– Alors viens.

Et Tobey m'a emmenée dans sa chambre.

19. Tobey

Callie s'est assise sur mon lit. Du doigt, elle suivait les formes géométriques sur ma housse de couette bleu marine. Ses lèvres formaient une ligne droite sous son nez, son front était plissé. Elle a pris sa tasse de café sur ma table de chevet et s'est forcée à boire. Ses yeux noisette perçaient mon parquet, atteignaient les fondations de la maison et plongeaient au cœur même de la Terre. J'ai ouvert la bouche pour lui offrir un sou en échange de ses pensées, puis je me suis ravisé. Je n'avais pas besoin d'être médium ou particulièrement malin pour deviner ce qu'elle avait en tête. Sa grand-mère Jasmine.

Combien de temps faudrait-il pour que ses souvenirs cessent de lui faire mal ? Combien de temps encore avant que l'image de sa grand-mère amène un sourire sur son visage au lieu de larmes dans ses yeux ? Personne ne méritait de mourir comme était morte Jasmine Hadley mais Callie portait ce deuil comme une chape de plomb. C'était un accident. Pourquoi ne s'en rendait-elle pas compte ? J'ai soupiré intérieurement, regrettant de ne pas connaître le moyen d'alléger la peine de Callie. Après tout, nous n'étions pas tout à fait des amoureux mais beaucoup plus que des amis. Et je détestais la voir ainsi.

Mais j'avais aussi mes propres problèmes. La police allait peut-être frapper à ma porte d'une seconde à l'autre. Je m'étais comporté comme un imbécile. Une tonne d'ennuis allait bientôt s'abattre sur ma tête et je ne pouvais m'en prendre qu'à moi-même. Et à Dan. Mais surtout à moi-même. J'ai commencé à me poser des questions sur Ross Resnick. Si c'était bien son petit doigt dans ce paquet, où était-il ? Était-il mort ou en vie ? Ce petit cadeau avait sans aucun doute été envoyé à Louise Resnick par McAuley. Les Dowd et McAuley se livraient une guerre sans merci depuis des années et la police ne semblait pas près de mettre un point final à cette bataille. Il arrivait que McAuley ou un des Dowd se retrouve au tribunal, mais ça n'allait jamais bien loin. Les témoins à charge développaient systématiquement une espèce d'amnésie sélective, à moins qu'ils ne disparaissent comme par enchantement. Malgré tous mes efforts, je m'étais enfoncé jusqu'au cou dans un fatras que je m'étais donné bien du mal à essayer d'éviter. Et si Maman l'apprenait...

– Tobey, ça va ?

Je me suis assis à côté de Callie.

– Moi oui. C'est toi qui n'as pas l'air en forme.

Callie a levé vers moi un regard flou. Elle a mis un moment avant de me voir réellement. Un sourire faux comme une poitrine siliconée s'est inscrit sur son visage.

– Ça va mieux maintenant.

– Menteuse !

Une amorce de sourire authentique est apparue.

– Et qu'est-ce qui te fait dire ça à part les larmes dont j'ai trempé ton T-shirt tout à l'heure ?

Je me suis mordu la lèvre.

– Même si tu es la reine du bluff, je n'ai aucune difficulté à lire dans tes pensées. Je sais que quelque chose te fait du mal.

Callie était toujours persuadée qu'elle pouvait dissimuler ses pensées et ses sentiments, elle croyait que son visage était un masque impénétrable. Nous sommes restés assis côte à côte en silence. Une fois ou deux, Callie a ouvert la bouche pour parler, mais aucun son n'est sorti.

– Callie, ce qui est arrivé à ta grand-mère était un accident tragique, ai-je fini par lancer.

– Tu crois ? a murmuré Callie.

Elle a levé vers moi le regard le plus triste que je lui avais jamais vu.

– J'en suis certain, ai-je répliqué. Elle a juste eu la malchance d'être au mauvais moment au mauvais endroit.

Callie a baissé les paupières.

– Tu as sûrement raison.

– Callie...

Il y avait quelque chose d'autre.

– Callie. Qu'est-ce que tu me caches ?

Cette fois, Callie m'a regardé droit dans les yeux sans sourciller.

– Tobey, tu te rappelles cette matinée que nous avons passée ensemble sur la plage de grand-mère Jasmine, le jour de l'explosion de l'hôtel *Isis* ?

Le jour de l'anniversaire de Callie. Le jour de la mort de sa grand-mère. Bien sûr que je me rappelais.

– J'aurais aimé rester avec toi sur cette plage toute ma vie. Surtout quand tu m'as embrassée. J'avais peur de te quitter.

– Pourquoi l'as-tu fait, alors ?

Callie ne pouvait plus soutenir mon regard. Elle a laissé ses yeux errer sur le tapis, les murs, les rideaux bleu marine, partout, sauf sur moi.

– Tu te souviens que je portais un sac plastique ce jour-là ?

Elle parlait si bas que j'ai dû m'approcher pour entendre.

J'ai froncé les sourcils.

– Oui, vaguement.

Silence.

– Callie...

– Il y avait une bombe dans le sac. La bombe qui a tué grand-mère Jasmine.

Je l'ai fixée. Je ne sais pas ce à quoi je m'attendais mais en tout cas pas à ça.

– Tu es sûre ?

J'ai aussitôt regretté cette question stupide.

– Je veux dire... où l'avais-tu eue ?

– Je l'avais fabriquée. Oncle Jude m'avait appris et fourni tout le matériel nécessaire.

Callie se triturait les doigts. Une larme s'est écrasée sur le dos de sa main, suivie d'une autre et d'une autre encore.

Jude McGrégor… tous les Jude McGrégor de ce monde distillaient leur venin et tuaient ceux qui avaient le malheur de croiser leur chemin. J'ai pris le menton de Callie dans ma main et je l'ai forcée à me regarder.

– Qui était la cible ?

– Grand-père Kamal, a fini par souffler Callie.

J'ai pris une courte inspiration.

– Comment ta grand-mère… ?

Il était impossible d'énoncer la fin de cette phrase, je l'ai donc laissée en suspens.

– Je ne sais pas comment, mais grand-mère Jasmine a deviné ce que j'allais faire. Elle a pris la bombe et s'est rendue à l'hôtel de Jude. Ils sont morts tous les deux et c'est ma faute. Mais maintenant…

Silence.

– Oui ?

– Le Nihil tué dans l'explosion a été identifié. Il s'appellerait Robert Powers. Oncle Jude n'est pas mort. Tobey, j'ai… tué un innocent.

J'ai secoué la tête, essayant de digérer toutes ces informations.

– Callie, c'était un accident.

– Robert Powers est mort par ma faute. Je suis responsable. Et oncle Jude est toujours là. Il va me retrouver. J'en suis certaine.

– Tu n'as pas eu de nouvelles de lui depuis la bombe ?

Callie a étouffé un sanglot.

– Supposons, supposons seulement une minute que tu aies raison et que ton oncle n'ait pas été tué, ai-je énoncé prudemment. Si tu n'as pas entendu parler de lui jusqu'à présent, pourquoi viendrait-il maintenant ?

Callie a soupiré.

– Tobey, tu ne le connais pas. Il ne s'arrêtera pas tant qu'il n'aura pas accompli sa vengeance. Il a bien attendu des années avant de s'en prendre à ma mère.

– Et il ne s'en prendra pas à toi, Callie, je ne le laisserai pas faire !

Callie a souri faiblement mais n'a rien dit. Je savais ce qu'elle pensait. Elle appréciait l'intention mais elle ne croyait pas beaucoup en mes chances contre Jude McGrégor.

– Tobey... je crois... j'ai l'impression de mourir à l'intérieur. C'est... c'est trop dur...

– Je suis là et ça n'arrivera pas.

J'ai passé mon bras autour de son épaule.

– Callie, tu n'es pas seule, je te le promets.

– C'est pourtant comme ça que je me sens, là, a murmuré Callie en tapotant sa poitrine à l'emplacement de son cœur.

– Callie, ne...

– Quoi, Tobey ? Ne fais pas quoi ? Ne dis pas ça ? Ne te sens pas comme ça ? Quel genre de conseil inutile veux-tu me donner ?

Callie m'a regardé mais je n'avais pas l'intention de débiter des platitudes. C'était la spécialité de ma sœur, pas la mienne.

– Je suis avec toi, ai-je soufflé. Tu sais que je suis avec toi.

Le visage de Callie s'est détendu.

– Pardon.

Elle a glissé ses deux mains dans ses longs cheveux bouclés, elle a passé sa langue sur ses lèvres, puis elle s'est tournée vers moi. Un long moment s'est écoulé avant que je trouve les mots pour exprimer ce que je ressentais.

– Tu... tu n'es pas la seule à souffrir, Callie, ai-je fini par lâcher.

Callie, surprise, m'a dévisagé. Je n'ai pas baissé les yeux, je n'avais rien à cacher.

– Qu'est-ce qui ne va pas, Tobey ? a-t-elle demandé.

– J'ai... j'ai été arrêté par deux Nihils en voiture aujourd'hui, à Chancellor.

Immédiatement, Callie a eu l'air inquiet. Je n'avais pas besoin d'en dire plus. Elle avait compris.

– Tu vas bien ?

– Toujours debout, ai-je répondu dans une pathétique tentative d'humour.

– Qu'est-ce qu'ils voulaient ?

– Comme toujours. Savoir de quel côté de la Prairie j'habitais.

– Qu'est-ce que tu as répondu ?

– Je ne vis pas ici, je viens juste rendre visite à un ami. Texto.

– Et ils ont fait quoi ?

Son malaise, loin de diminuer, ne faisait qu'augmenter.

– Ils sont partis.

– Et qu'est-ce que tu fabriquais à Chancellor ?

J'ai répondu avec réticence.

– Je... je devais voir quelqu'un.

– Tobey, tu es sûr que tout va bien ?

– Ils ne m'ont pas touché, ai-je répliqué en essayant de prendre un ton léger. Si tu veux, je me déshabille entièrement et tu pourras prendre tout ton temps pour vérifier.

Callie a haussé un sourcil.

– Merci, mais je vais te croire sur parole.

Nous nous sommes tus. Les secondes se sont écoulées.

Ça fait quoi si on ne peut plus dire où on habite au risque de se faire taper dessus ?

– Y a un truc qui va pas quand ton code postal peut te valoir un arrêt de mort, ai-je remarqué à voix haute.

– Tu as fait ce qu'il fallait...

– Ce qu'il fallait pour un peureux, l'ai-je interrompue.

– Tu as fait ce qu'il fallait ! a répété Callie. Ce qu'il fallait pour survivre. Il vaut mieux mentir que se retrouver avec un couteau dans le ventre. Tu ne peux pas te permettre d'agir bêtement. Aucun de nous ne peut se le permettre.

– J'aurais seulement voulu... ai-je commencé.

Mais je n'ai pas terminé ma phrase. C'était inutile. Les souhaits ne se réalisaient jamais. Du moins pas à la Prairie.

– Moi aussi.

Callie savait ce que je m'apprêtais à dire. Elle a secoué la tête.

– Ça finit toujours par un coup de feu ou de poignard avec Nihils impliqués. Et on en parle dans le journal et les politiciens disent que c'est tragique et qu'«on n'y peut rien » et puis, tout le pays pousse un soupir de soulagement et les gens sont contents que ce ne soit pas arrivé dans leur rue.

Les temps avaient changé depuis la jeunesse de ma mère. L'école ne pouvait plus nous discriminer ouvertement, nous les Nihils, et l'éducation était obligatoire pour tout le monde jusqu'à seize ans, qu'on soit nihils ou primas. Le décret de l'égalité des droits voté par le Parlement n'avait pas le pouvoir de modifier les mentalités en un claquement de doigts. Surtout celles des gens de plus de trente ans. C'était un premier pas, mais... c'était parfois si difficile de se montrer patient quand la patience était considérée comme un signe de faiblesse ou, pire, un consentement. Dan, Alex McAuley, la Milice de libération et même moi en avions assez de nous montrer patients. Nous voulions notre part et nous la voulions maintenant. Et si on nous la refusait, eh bien quoi ? On allait se servir. Le problème, c'est que tout le monde se servait. Nihils et Primas, sans distinction. Quand on y pensait, ce n'était qu'une question de territoire, partout sur la planète. Si les gouvernements se battaient pour ces raisons-là, alors pourquoi pas les individus ? Ce qui est à moi est à moi, ce qui est à toi est à moi. Et tous ensemble, on pousse le même cri.

J'ai repensé à Dan et à sa boîte de couteaux, à ses justifications : « Les rues ne sont pas sûres. » Des comme lui, il y en avait des tas. Ce genre de pensée était comme une prophétie qui s'accomplit elle-même.

– Ce n'est pas juste ! s'est exclamée Callie.

Ses yeux lançaient des étincelles.

– Ces types dans la voiture et tous les autres comme eux, ce ne sont que des petits voyous. Oncle Jude avait au moins raison sur ce point.

Nous nous sommes plongés dans un silence pensif.

– Callie, ai-je fini par marmonner. Il ne s'est pas passé que ça aujourd'hui.

– Quoi d'autre ?

– J'ai commis un acte incroyablement stupide et j'ai l'impression que je vais le payer très cher.

– Qu'est-ce que tu as fait ?

J'étais prêt à tout lui raconter mais je me suis ravisé. Je m'étais jeté dans une mare pleine d'alligators. Est-ce que je voulais vraiment entraîner Callie avec moi ?

– Il vaut mieux que tu en saches le moins possible, ai-je répondu en tournant la tête.

Cette fois, c'est Callie qui a pris mon menton dans sa main et m'a forcé à la regarder en face.

– C'est grave ?

J'ai acquiescé. Nous nous sommes dévisagés.

– Alors on est sur le même bateau ? a dit Callie.

J'ai acquiescé de nouveau.

– Et on fait quoi maintenant ?

J'ai essayé de trouver une réponse à cette question mais aucune ne m'a semblé réellement adaptée. Callie m'a regardé. Je l'ai regardée. Nous n'avons pas prononcé un mot. Et je l'ai embrassée. D'abord, juste mes lèvres contre les siennes. Elle a été surprise mais elle ne m'a pas repoussé. Ses mains se sont posées sur mes épaules. Je n'attendais que ça pour l'enlacer. J'ai ouvert la bouche et ma langue a touché sa lèvre supérieure. Callie a aussitôt ouvert la bouche. Ma langue est entrée. J'aurais peut-être dû lécher ses lèvres ou les mordiller avant mais ma langue semblait avoir une vie propre. Et à ma surprise, Callie a répondu avec intensité à mon baiser. Ce n'était au départ qu'un baiser amical, un baiser de réconfort parce que nous avions tous les deux désespérément besoin de contact physique. Nous avions juste besoin de nous convaincre pendant quelques instants que la vie n'était pas un voyage solitaire. Mais, à chaque seconde, ce baiser se transformait en quelque chose d'autre.

Callie a passé ses bras autour de mon cou, ses lèvres toujours sur les miennes. Je la désirais si fort que j'en avais mal. Une de mes mains s'est posée sur ses seins. Elle ne s'est pas éloignée et n'a pas repoussé ma main. Elle m'a même embrassé plus fort en enfonçant sa langue plus profondément dans ma bouche.

J'essayais de toutes mes forces de m'accrocher à ma raison mais elle était en train de s'envoler par la fenêtre. Callie était dans ma chambre, sur mon lit, elle me touchait, m'embrassait, passait ses mains sous mon T-shirt. J'ai soudain eu la bouche sèche. Je la désirais terriblement, mais j'avais peur. J'avais peur qu'elle m'arrête. Peur qu'elle me refuse. Peur aussi que tous mes rêves deviennent réalité et peur d'entrer en elle pour la première fois. Peur d'entrer dans une fille pour la première fois et de ne pas savoir comment bouger ni quoi faire pour lui donner du plaisir. Donner du plaisir à Callie.

Est-ce que nous allions vraiment le faire ? Nous étions toujours assis. Callie m'a regardé mais n'a pas souri. Elle me manquait déjà. Je me suis approché pour l'embrasser de nouveau, mes mains caressaient chaque partie de son corps. Cette fois, elle s'est reculée et a posé son doigt sur mes lèvres. J'étais complètement immobile sauf mon cœur qui battait à tout rompre et mon sang qui courait dans mes veines.

– Tobey, tu as envie de moi ?

Elle plaisantait ou quoi ? J'ai pris sa main et je l'ai posée sur mon sexe en érection. La réponse était évidente. Callie a esquissé un sourire. Bon Dieu, j'étais fou de son sourire.

– Tu as des préservatifs ? m'a-t-elle demandé.

J'ai acquiescé. Cinq boîtes planquées sous mon matelas. J'étais du genre prévoyant. Callie a doucement posé sa main sur mon sexe, envoyant de telles décharges dans mon corps que j'ai vibré comme une corde de guitare. Elle s'est penchée pour que l'on s'embrasse de nouveau. J'ai trouvé ses lèvres avant qu'elle ait eu le temps de faire la moitié du chemin. Nos lèvres scellées, nos langues emmêlées. Quand Callie s'est écartée à contrecœur, je bandais plus que jamais.

– Je ne l'ai jamais fait… a-t-elle murmuré.

J'ai haussé les sourcils. Bon sang ! Chaque partie de mon corps se dirigeait vers le haut.

– Pourquoi ? ai-je lâché, surpris.

– Tu ne m'avais jamais désirée avant.

J'ai plongé mon regard dans celui de Callie. Elle ne mentait pas. Bon sang ! Si je trouvais le moyen de mettre en bouteille son visage impénétrable pour le vendre au marché, je deviendrais riche. Combien de nuits avais-je passées à me demander si Callie et Lucas avaient couché ensemble. Toutes ces insomnies à les imaginer tous les deux en train de faire ce que nous faisions maintenant.

– Je pensais que toi et Lucas… ai-je commencé.

Je n'arrivais toujours pas à y croire.

– Jamais.

Je n'ai pas pu m'en empêcher. Un sourire s'est étalé sur mon visage. Tant pis pour toi, mon pauvre Lucas !

– Qu'est-ce qu'il y a de si drôle ? s'est inquiétée Callie. Maintenant que tu sais que je ne l'ai pas fait avec Lucas, je ne t'intéresse plus ? C'est ça ?

Pourquoi les filles passaient-elles leur temps à tout interpréter ?

– Bien sûr que tu m'intéresses ! ai-je lancé, exaspéré. Est-ce que ton cerveau a cessé de fonctionner ?

– Alors pourquoi… ?

Je l'ai embrassée. Au départ pour l'empêcher de dire des conneries mais très vite parce que c'était vraiment trop bon. Nous avons continué de nous embrasser tout en essayant de nous déshabiller l'un l'autre. C'était difficile et brouillon mais ça n'avait pas d'importance. Nous avons ri de notre maladresse et c'était encore meilleur. Comme si nous découvrions une ville ou une plage tous les deux ensemble. Une fois nus, nous nous sommes allongés sur mon lit tout en continuant de nous embrasser, de nous serrer l'un contre l'autre, de nous goûter et de nous toucher. Ses seins étaient chauds dans ma main et je ne pouvais m'arrêter de les caresser. Mais il y avait d'autres parties de son corps que je mourais d'envie de toucher. À la manière dont mon propre corps tremblait, je savais que je ne pourrais pas me retenir très longtemps. J'ai caressé les cuisses de Callie avant de passer ma main entre ses jambes pour être sûr qu'elle était prête. Il fallait d'abord que j'attrape les préservatifs et j'ai glissé la main sous mon matelas, ce qui a bien sûr fait rire Callie. J'ai enfilé un préservatif et ça s'est révélé plus difficile que je ne l'aurais cru – il m'a fallu pas moins de trois essais –, puis je me suis allongé sur Callie, mes jambes entre les siennes. Nous nous sommes de nouveau embrassés et caressés pendant de longues minutes tendres.

– Tu veux vraiment… ?

Je n'ai pas pu m'empêcher de lui demander. Je voulais être sûr qu'elle en avait autant envie que moi. Je ne voulais plus prendre le risque de la perdre.

Callie a acquiescé.

– Seulement si toi tu en as envie, m'a-t-elle taquiné.

J'étais appuyé sur mes bras tendus. J'ai regardé ses yeux magnifiques et, tout doucement, je suis entré en elle. Bon sang, c'était bon !... jusqu'à ce que Callie grimace. Je me suis immédiatement immobilisé.

– Tu veux arrêter ? ai-je murmuré.

Dis non, je t'en supplie, dis non.

Callie a secoué la tête.

– Attends, attends juste un peu, laisse-moi m'habituer à toi.

Je suis resté sans bouger aussi longtemps que je le pouvais en me récitant dans ma tête mes tables de multiplication pour me calmer. Callie a commencé à bouger graduellement sous moi.

Je l'ai pris comme un signe pour entrer plus loin en elle. Je me suis enfoncé lentement, allant et venant, faisant de mon mieux pour ne pas forcer. Quand elle a grimacé pour la troisième fois, j'étais prêt à m'enlever complètement. Si elle ne prenait pas de plaisir, moi non plus. Comme si elle avait senti ce que je m'apprêtais à faire, Callie a posé ses mains sur mes fesses et m'a poussé dans elle en arquant les reins. Nous en avons eu le souffle coupé. J'étais dans elle. Je suis resté immobile à l'embrasser, essayant de lui faire comprendre à quel point elle était importante pour moi. À quel point il était important pour moi d'être avec elle. Je me suis un peu soulevé pour la regarder. Elle avait les yeux fermés.

– Je te fais mal ? ai-je chuchoté à son oreille.

– Non, ça va maintenant. En fait...

Elle a agité les hanches. Des éclairs ont de nouveau traversé mon corps. Je n'ai pas pu retenir un grognement.

– Tobey, on couche ensemble ou on fait l'amour ? a soudain demandé Callie.

J'ai souri. C'était bien une question de fille.

– À ton avis ? ai-je rétorqué en lui mordillant l'oreille.

– Je dirais qu'on fait l'amour.

Elle m'a caressé le dos et nous nous sommes embrassés.

– C'est pareil pour toi ? a-t-elle voulu savoir.

– Callie, tu parles trop, ai-je grogné.

– On n'est pas censés parler ?

Je me suis redressé sur mes bras.

– Tu devrais être concentrée sur autre chose que la conversation.

– C'est le cas.

Les yeux de Callie se sont refermés et j'ai recommencé à bouger doucement en elle. Elle a émis un petit gémissement de plaisir qui a parcouru mon corps. Je ne m'étais pas attendu à ce que lui procurer du plaisir augmente le mien.

– Alors sur quoi es-tu concentrée ? ai-je murmuré.

Callie a ouvert les yeux et m'a regardé.

– Je pense à combien tu es important pour moi.

Tous les mots que j'avais envie de lui dire ont tourné dans ma tête. Je voulais qu'elle sache qu'avec elle, j'étais en même temps moi et un autre. Que mon esprit était plein de crevasses, de recoins, de fissures et qu'elle occupait chacun de ces espaces. Je voulais lui dire à quoi elle ressemblait quand elle était en colère contre moi. Lui décrire la manière qu'elle avait de baisser la tête avant de me jeter un regard noir. La manière qu'elle avait de redresser le menton avant d'éclater de rire. Une vie entière de souvenirs et une éternité d'avenir à remplir. J'ai ouvert la bouche, mais Callie a posé son doigt sur mes lèvres.

– Callie, je…

– Ne dis rien. Ne te sens surtout pas obligé de dire quoi que ce soit, a-t-elle souri.

Je ne me sentais obligé de rien, mais je me suis tu. Nos doigts se sont enlacés, nos jambes étaient emmêlées comme des pieds de vigne. Nous étions si fort reliés l'un à l'autre que je ne savais plus où elle finissait et où je commençais. Tous mes sens étaient en éveil. J'ai enfoui mon visage dans son cou, articulant en silence les mots qu'elle venait de m'interdire de prononcer. Ne voyait-elle pas ce que je ressentais pour elle ? Ne comprenait-elle pas l'effet qu'elle me faisait ?

Bon sang ! Je devais dire quelque chose. Qu'elle sache la vérité.

– Callie…

Ses paupières se sont ouvertes. Elle avait un regard que je ne lui avais jamais vu. La lumière dans ses yeux m'a coupé le souffle. Et nous n'avons pas cessé de nous regarder en bougeant ensemble.

– Toi et moi, bébé, contre le monde entier, ai-je murmuré.

Callie a souri et m'a serré plus fort. Nous n'avions plus besoin d'échanger une parole.

20. Callie

Waouh ! Je l'ai fait ! Je l'ai vraiment fait ! Avec Tobey ! Ah, si quelqu'un m'avait dit six mois plus tôt que mon premier amant serait Tobey, je me serais roulée par terre, incapable de m'arrêter de rire. Mais nous l'avons fait. Ça n'a pas été facile et même inconfortable, voire douloureux, au début mais super chaud et démentiellement génial à la fin.

– Ça va ? m'a demandé Tobey en revenant après avoir jeté son préservatif.

– Très bien, ai-je murmuré.

J'étais allongée près de lui, ma tête sur son épaule. Il m'enlaçait de ses deux bras.

– Il commence à être tard, ai-je ajouté.

Je ne voulais surtout pas que Jessica arrive et fasse irruption dans la chambre. Je suis devenue toute rouge rien que de l'imaginer.

– Tobey... je devrais rentrer.

Tobey m'a serrée contre lui.

– Qu'est-ce que tu as prévu pour demain ? a-t-il demandé.

– Rien de spécial.

– Dan me doit de l'argent. Je le retrouve à quatre heures sur le terrain vague. On pourrait peut-être aller quelque part après, pour fêter ça.

– Qu'est-ce que tu veux fêter au juste?

– Mon dépucelage pour commencer ! a souri Tobey.

Je me suis assise et je l'ai dévisagé, les yeux écarquillés.

– Mais Misty et toi...

Tobey avait placé ses bras derrière sa tête.

– Combien de fois vais-je devoir te répéter que Misty ne m'intéresse pas !

– Mais elle passe son temps à raconter à tout le monde que tu es génial, en particulier au lit !

Tobey a froncé les sourcils.

– Comment le saurait-elle ?

Quelle sale menteuse ! J'ai éclaté de rire et je me suis réinstallée contre Tobey. Il m'a immédiatement reprise dans ses bras. J'étais bien. Comme si j'étais chez moi.

– Misty est jolie pourtant, ai-je murmuré.

Je pouvais bien le reconnaître maintenant que je savais que Tobey n'éprouvait rien pour elle.

– Ouais, si tu aimes les filles qui ont un petit pois à la place du cerveau, a rétorqué Tobey avec dédain.

Je l'ai regardé.

– Hoho ! Miaou ! Garçon, double dose de lait pour M. Durbridge, s'il vous plaît.

Tobey a souri d'un air faussement contrit.

– Mais c'est vrai. Si elle a eu une fois une idée originale, la pauvre a dû mourir de solitude.

J'ai éclaté de rire une nouvelle fois.

– Tobey, tu es dur. Rappelle-moi de toujours être de ton côté.

– Tu peux être de tous mes côtés, a-t-il répliqué en souriant.

– Là où je suis, ça me va très bien.

Nous sommes restés silencieux un moment. Et puis j'ai passé un doigt sur ses lèvres, sur l'arête de son nez, sur la courbe de son oreille avant de poser ma main sur sa joue.

– Tobey, tu sais ce que tu es ?

– Quoi ?

Tobey a tourné la tête vers moi. On aurait dit qu'il était soudainement... nerveux.

J'ai murmuré :

– Tu es mon réparateur de choses cassées.

Nous nous sommes regardés, mes yeux ancrés dans les siens, les siens ancrés dans les miens. Pendant quelques secondes, à peine plus. Mais c'était suffisant. Suffisant pour que les battements de mon cœur s'accélèrent. Suffisant pour que je reprenne mon souffle. Suffisant pour que tous mes doutes s'effacent. Un sourire a lentement éclos sur les lèvres de Tobey. Il a rattrapé ma main et l'a portée à ses lèvres.

– C'était pour quoi ? ai-je souri.

– Je ne sais pas. Peut-être que j'ai confondu ta main avec un biscuit, m'a-t-il taquiné. Et puis les filles aiment ce genre de truc, non ?

J'ai récupéré ma main.

– Moi, je n'aime que si c'est sincère !

– C'était sincère, a répondu Tobey.

Cette fois, il ne me taquinait plus. Il avait un regard étrange. Il a posé ses yeux sur mes lèvres et ne les a plus bougés. J'ai passé ma langue sur mes lèvres, puis sur mes dents.

– Quoi ? ai-je fini par craquer.

– Quoi quoi ? m'a-t-il retourné.

– Pourquoi est-ce que tu fixes ma bouche ? J'ai un morceau de nourriture entre les dents ?

Tobey m'a embrassée. Vraiment embrassée. Doucement et tendrement mais avec passion. C'était terriblement bon. Les secondes sont devenues des minutes avant que je m'écarte.

– Je suppose que c'est non, ai-je lancé.

Tobey a souri. J'ai jeté un coup d'œil à son réveil.

– Il faut vraiment que j'y aille, ai-je dit à contrecœur.

– Reste encore un peu, a murmuré Tobey en m'embrassant le front, puis le nez avant d'arriver à ma bouche. J'ai cinq boîtes de préservatifs sous mon matelas.

– Tobey ! Tu as bu ou quoi ?

J'ai sauté hors du lit et j'ai commencé à me rhabiller. N'importe quoi ! Pas cinq préservatifs mais cinq boîtes ! Je me suis retournée vers lui dans l'idée de lui jeter un regard noir mais sa mine de petit garçon frustré m'a fait éclater de rire.

Je riais.

Je souriais.

Tu sais quoi, oncle Jude ? Va te faire voir ! Je suis heureuse et, quoi qu'il m'arrive maintenant, tu ne pourras pas me reprendre ça ! Et je vais te dire autre chose : je ne veux plus me cacher, je ne veux plus me plaindre. Cette époque est révolue.

– Merci Tobey, ai-je dit en enfilant mon T-shirt.

– Merci pour quoi ?

– De m'avoir écoutée. D'être avec moi.

– Je t'en prie, a rétorqué Tobey avant d'ajouter : je plaisantais quand je parlais d'utiliser cinq boîtes de préservatifs ce soir. On a tout le week-end pour ça.

– Oh, mon Dieu ! me suis-je écriée. Je sors avec un obsédé. Tobey, s'il te plaît, laisse M. Toujours-Prêt se reposer pour le moment. De toute façon, j'ai un peu mal.

Tobey s'est aussitôt rapproché de moi.

– Tu es sûre que ça va ?

– Oui, ça va, l'ai-je rassuré. J'ai un peu mal mais ce n'est pas désagréable.

Tobey a hoché la tête, sceptique.

– Comment c'est possible ?

– Je ne regrette pas que nous l'ayons fait, ai-je expliqué. Et même au contraire.

Tobey a souri et nous nous sommes de nouveau embrassés.

– Mais je ne veux pas que tu ailles te vanter auprès de tes copains, ai-je ajouté férocement. Même pas auprès de Dan ! Sinon M.Toujours-Prêt n'aura plus que ses souvenirs pour lui tenir chaud ! Compris ?

Le sourire de Tobey s'est élargi.

– Compris !

– Je ne plaisante pas, Tobey. Si tu dis un mot à qui que ce soit, je te tue !

– D'accord, d'accord, j'ai compris, a lancé Tobey, agacé. Bon sang ! Tu me ferais peur !

– J'espère bien ! ai-je lâché. Tu ne t'habilles pas ?

Tobey est enfin sorti du lit et nous nous sommes habillés en silence. À chaque fois que je le regardais, il avait ce ridicule sourire plaqué sur le visage. Je devais me mordre les joues pour ne pas éclater de rire. S'il avait été un paon, il aurait été en train de faire la roue.

– Toujours d'accord pour demain ? m'a-t-il demandé.

– Si tu dois retrouver Dan demain, ça veut dire que tu ne vas pas travailler ?

– Ouais.

– Tobey, cette chose stupide que tu as faite, ça a quelque chose à voir avec Dan ?

Tobey s'est aussitôt mis sur ses gardes.

– Ça se pourrait.

– Tu vas me dire de quoi il s'agit ?

Il a secoué la tête d'un air sombre.

– Non, pas maintenant. Plus tard.

J'avais envie qu'il se confie à moi mais si j'insistais, il se fermerait comme une huître. Quoi qu'il en soit, je n'allais certainement pas le laisser voir Dan sans moi. Si j'étais là, je pourrais au moins l'empêcher de commettre une autre bêtise. J'aurais seulement voulu savoir de quoi il parlait. Il me le dirait sans doute, mais quand il l'aurait décidé et je ne devais pas l'obliger.

– J'irai avec toi au terrain vague demain, ai-je déclaré. Et maintenant, on peut discuter du reste de la soirée.

– Je veux t'inviter quelque part, a dit Tobey. Et d'ailleurs, tu fais quoi demain matin ?

– Rien de spécial. Pourquoi ?

– Tu veux qu'on se voie ?

– D'accord, ai-je acquiescé avec un sourire. Je viens ici ou tu viens chez moi ?

Tobey a réfléchi.

– Viens, toi. Ta grand-mère Meggie me rend nerveux.

Oh, incroyable ! Tobey avait pris une décision. J'ai failli le lui faire remarquer en riant mais je me suis ravisée. Après tout, ça m'allait très bien.

– Pourquoi tu mets tes tennis ? lui ai-je demandé en le regardant lacer ses chaussures.

– Je te raccompagne chez toi.

– Tobey ! J'habite la maison d'à côté ! Je pense que je peux faire le trajet toute seule sans problème.

– J'ai pas dit le contraire, mais je te raccompagne, a-t-il insisté.

J'ai décidé de ne pas discuter. Pour être franche, je trouvais plutôt agréable qu'il veille sur moi. Il était manifestement plus doué pour l'amour que pour la guerre. Contre oncle Jude ou qui que ce soit d'autre, il me serait sans doute aussi utile qu'une casserole en chocolat, mais il était vraiment gentil.

21. Tobey

– Jessica ! Tu campes ou quoi ? ai-je crié à la porte fermée de la salle de bains. T'es pas la seule à avoir une vessie, je te ferais remarquer.

– Pourquoi t'es pas au travail ?

La voix de Jessica était étrange, rauque comme si elle était encore à moitié endormie.

– Je travaille pas aujourd'hui, ai-je répondu, agacé. Et toi, pourquoi t'es pas au boulot ?

– Je me sens pas bien.

– Tu veux pas aller faire ça dans ta chambre et libérer la salle de bains ?

Je voulais bien montrer de la compassion mais ma vessie était vraiment sur le point d'exploser. Si Maman n'était pas rentrée de son service de nuit et en train de dormir dans sa chambre, j'aurais cogné comme un fou sur la porte. Qu'est-ce que Jessica fabriquait ? Ça faisait au moins un siècle qu'elle était là-dedans ! Étant le seul homme de la maison, j'avais eu maintes fois l'occasion de tester ma patience. Après tous les trucs de gonzesse que j'avais dû supporter, il était étonnant que je n'aie pas besoin d'une thérapie.

– Jessica ! Je dois aller aux toilettes ! Maintenant !

– D'accord, d'accord.

À ce moment, un bruit étrange a résonné dans la salle de bains.

Quand la porte s'est enfin ouverte, je me suis précipité à l'intérieur en essayant de pousser Jessica en même temps. Elle portait une vieille robe de chambre de Maman trois fois trop grande pour elle et elle avait une serviette sur le bras.

– Tu vas où avec ça ? ai-je demandé en désignant la serviette.

– Je vais la mettre dans le panier de linge sale.

– Pourquoi ?

– Elle est mouillée.

– Et moi, j'utilise quoi ?

– T'as qu'à en prendre une autre.

J'ai observé ma sœur.

– Bon sang, Jessica. T'as une sale tête !

– Merci, a-t-elle grogné, les paupières à moitié closes.

– On dirait que t'as été oubliée sous la pluie et que t'es toute froissée.

– Je suis fatiguée ! D'accord ?

Elle m'a jeté un regard noir.

– Dans ce cas, prends des vitamines et essaie des gouttes pour les yeux. Tu ressembles à un vampire.

– Va te faire foutre !

Jessica s'est dirigée vers sa chambre. Sur le trajet, elle s'est cognée deux fois dans le mur. Si elle voulait avoir l'air digne, c'était raté.

Les sourcils froncés, j'ai reniflé.

– Pourquoi ça sent le vinaigre ici ? ai-je crié à ma sœur.

– Dissolvant pour les ongles, a-t-elle répondu avant de refermer sa porte.

Bon sang ! Elle ne pouvait pas utiliser ce genre de truc dans sa chambre ! Ma vessie s'est rappelée à mon souvenir. J'ai couru prendre une serviette propre dans le placard du couloir au-dessus du chauffe-eau et je suis retourné en courant dans la salle de bains. Il arrivait à ma mère ou à ma sœur de s'y glisser juste le temps que je tourne le dos et le fait que Jessica venait d'en sortir ne réduisait pas les probabilités. J'avais l'intention de prendre une longue douche, de me laver les cheveux et de me raser avant l'arrivée de Callie. Je voulais être propre et apprêté tout en donnant l'impression que je n'y avais pas passé beaucoup de temps. Il fallait que je me mette au boulot si je voulais avoir l'air irrésistible.

Callie n'a pas montré le bout de son nez avant le milieu de la matinée. J'étais dans le salon et j'écoutais mon groupe de rock préféré en sourdine pour ne pas réveiller Maman. Je n'arrêtais pas de regarder par la fenêtre. Dès que j'ai aperçu Callie, j'ai couru dans l'entrée. J'ai ouvert avant qu'elle ait eu le temps d'appuyer sur la sonnette.

– Maman dort, ai-je expliqué.

Mais en réalité, le sommeil de ma mère n'avait pas grand-chose à voir avec ma hâte.

Callie portait un T-shirt bleu marine, col V sans manches. Pour une fois, elle ne s'était pas attaché les cheveux et ils tombaient en cascades bouclées autour de son visage et sur ses épaules. Ses boucles d'oreilles en or mettaient en valeur son teint de miel. Elle a souri. Ses yeux étaient d'un brun chaud. Elle était si belle que mon estomac a eu comme un sursaut. À chaque fois que je la voyais, ça me prenait par surprise. Je n'étais pas très sûr d'aimer ça. Ça me donnait une impression bizarre... comme si je devais porter un pantalon alors que je n'avais pas de fesses. Mais j'avais beau essayer de rationaliser ou trouver une explication logique, je n'avais aucun contrôle sur la réaction de mon corps.

– Comment vas-tu ? lui ai-je demandé en ouvrant la porte plus grand.

– Ça va.

Callie s'est faufilée à l'intérieur. Je n'étais pas certain de la sincérité de sa réponse jusque-là, mais quand elle a été près de moi, j'ai vu qu'elle allait réellement bien. J'ai jeté un coup d'œil vers l'escalier.

– Même après hier ? ai-je murmuré.

Callie a acquiescé.

– Ça va, a-t-elle répété.

– Tu… tu… j'ai arrêté de bafouiller comme un imbécile et je me suis penché en avant pour l'embrasser.

Mes bras autour d'elle, ses bras autour de moi, nous nous sommes embrassés comme si c'était la fin du monde.

Quand je l'ai finalement libérée, Callie a ri.

– C'était pour quoi, ce baiser ?

– Juste pour te dire bonjour, ai-je souri.

– J'ai hâte d'entendre la suite de ta conversation, a-t-elle lancé d'un air taquin. Tu as du café ?

Elle est passée devant moi et s'est dirigée vers la cuisine. Quand je l'ai rejointe, elle était en train de sortir deux tasses.

– Tu en veux ? m'a-t-elle demandé.

– Je veux bien.

J'ai mis la bouilloire à chauffer pendant que Callie versait deux cuillerées de café en poudre dans chaque tasse plus deux sucres dans la mienne.

– Ta sœur n'est pas là ? a-t-elle demandé.

– Elle est dans sa chambre. Sans doute pendue au téléphone.

– On fait quoi après avoir bu le café ?

– Qu'est-ce que tu as envie de faire ?

Je savais bien ce dont moi j'avais envie mais je n'avais aucune chance que Callie accepte avec Jessica dans la maison.

– Si on regardait un DVD ? a-t-elle proposé. C'est moi qui choisis.

Oh non !

– On n'a pas le temps, me suis-je empressé de répondre. On doit aller retrouver Dan dans pas longtemps.

– C'est que cet après-midi ! a protesté Callie. Oh, s'il te plaît, Tobey. J'ai vraiment envie de m'allonger sur le canapé pour regarder un film.

– Mais Callie...

– S'il te plaît, pour moi...

Elle a langoureusement battu des cils.

– On pourrait se blottir l'un contre l'autre...

– Bon, d'accord.

J'étais littéralement désespéré à l'idée de passer des heures à regarder des comédies romantiques.

– Bon sang, Callie ! Je dois vraiment beaucoup t'aimer.

– Oui, vraiment ! a souri Callie en m'adressant un clin d'œil.

22. Tobey

– Alors, il est où Dan ? a demandé Callie en regardant autour de nous.

– Je sais pas, ai-je répondu d'une voix dure.

J'ai jeté un coup d'œil à ma montre. Quatre heures vingt. J'avais vraiment été crétin de croire qu'il allait se montrer. J'ai observé les alentours. Je lui donnais encore cinq minutes. Un match de foot, apparemment spontané, se déroulait sur le terrain. Les joueurs étaient principalement des Nihils mais il y avait aussi quelques Primas. Callie et moi attendions sur le côté. Le terrain vague était plutôt bondé, même pour un samedi après-midi. Je me suis tourné vers Callie. Elle regardait le match, les sourcils légèrement froncés. Elle n'avait presque rien dit pendant le trajet. Quelque chose la tracassait, j'en aurais juré.

Elle a levé les yeux au ciel.

– On peut partir bientôt ? a-t-elle demandé. Il ne va pas tarder à pleuvoir.

– Bonne nouvelle, ai-je lâché.

Ces deux dernières semaines, le temps avait été torride et plus chaud que l'enfer. On méritait bien une pause. C'était sans doute la raison pour laquelle il y avait tant de monde sur le terrain vague, l'atmosphère s'était un peu rafraîchie. Être dehors aujourd'hui ne donnait pas l'impression d'être un insecte sous une loupe.

– On doit attendre jusqu'à quelle heure ? a grogné Callie.

– Je ne sais pas.

– Quand est-ce que Dan va arriver ?

– Comment veux-tu que je le sache ?

– Oh pardon ! a râlé Callie.

– Désolé, ma puce.

Je me suis penché pour l'embrasser.

– Tu es pardonné, a-t-elle murmuré à la fin de notre baiser.

– Eh, allez faire ça dans un lit ! a crié un crétin sur le terrain de foot.

Callie et moi avons échangé un sourire et ignoré les commentaires graveleux. Hormis la non-apparition de Dan, la journée n'avait pas été trop mauvaise. Et même plutôt bonne. Callie était allée chercher un DVD chez elle. Un film qui aurait pu soigner toutes les formes d'insomnies. L'action était si lente que je sentais mes cheveux pousser. Pendant qu'elle regardait, allongée sur le canapé, le dos appuyé contre ma poitrine, je l'ai enlacée et je lui mordillais l'oreille et l'embrassais dès que l'histoire se ramollissait. Et l'histoire était vraiment molle.

Et puis, ça m'avait aussi donné le temps de penser à mes soucis et à l'oncle de Callie. Si Jude McGrégor était vraiment en vie, s'il avait d'une manière ou d'une autre échappé à l'explosion de l'hôtel *Isis*, j'allais avoir besoin d'argent pour emmener Callie loin d'ici. Avec de l'argent, nous pourrions aller dans un endroit où son oncle ne la retrouverait jamais. Ça signifiait que je devrais manquer les cours et les examens mais si c'était nécessaire pour sauver Callie, je ne me poserais pas une seconde la question. Je ne voulais pas lui exposer mes projets tout de suite. Il fallait d'abord que j'amasse assez d'argent.

Bon sang ! Si Dan voulait bien se pointer, Callie et moi pourrions nous tirer d'ici. J'avais prévu deux ou trois choses pour la fin de la journée. Un bon repas, un ciné ou une pièce de théâtre pour l'impressionner et après on verrait. On avait toute la soirée pour nous. On pourrait discuter de notre avenir quand le moment serait venu. Je devais soigneusement choisir ce moment. J'ai regardé Callie et je me suis dit que nous avions la vie devant nous. Callie et moi. Ensemble.

Une brise étonnamment froide s'est levée et m'a sorti de mes pensées. Le vent m'a ébouriffé les cheveux et s'est engouffré sous mon T-shirt. J'ai levé la tête. Les nuages étaient de plus en plus noirs. Callie avait raison, il n'allait pas tarder à pleuvoir. Même si je trouvais difficile de me concentrer sur la météo à ce moment précis. Les anneaux dorés de Callie étincelaient et attiraient mon regard. Je n'avais d'ailleurs pas besoin que ses boucles d'oreilles me fassent de l'œil pour avoir envie de la regarder. Elle était si belle que j'avais du mal à la quitter des yeux. J'ai passé mon bras autour de ses épaules. Du moins, j'ai essayé parce qu'elle m'a esquivé et s'est placée face à moi.

– Tobey, quand allons-nous parler de ce qui s'est passé hier soir ? a-t-elle demandé d'une voix hésitante.

– Pourquoi ?

De quoi voulait-elle qu'on discute, bon sang ! On n'avait aucun besoin d'un de ces trucs de filles genre : analysons la situation jusqu'à ce qu'on ait envie de se suicider !

Les yeux de Callie se sont déplacés vers le haut, vers le bas, sur le côté. Partout sauf sur moi.

– Je sais que ça n'avait sans doute pas autant d'importance pour toi que pour moi mais...

Wouah !

– Où est-ce que tu es allée pêcher cette idée ?

– Eh bien, tu n'en as pas parlé ce matin...

– Qu'est-ce que tu voulais que je dise ? Que c'était bon ?

Callie m'a lancé un regard noir.

– Tu vois ! Tu tournes tout à la blague !

De quoi parlait-elle ?

– De quoi tu parles ?

Est-ce que Callie cherchait la bagarre ? Ou alors, j'avais été si mauvais au lit qu'elle essayait de trouver un prétexte pour me larguer.

– Tobey, je ne regrette pas ce qui s'est passé hier soir. Vraiment pas. Mais je me suis dit toute la matinée qu'on ne devrait peut-être pas recommencer. Du moins pas tout de suite.

– Pourquoi ? ai-je marmonné, complètement perdu.

C'était ça ! Je savais que je n'avais pas été extraordinaire mais c'était ma première fois à moi aussi.

– Hier soir, nous avions besoin de réconfort et nous nous sommes consolés l'un l'autre pour nous couper du reste du monde. À mon avis, ce n'est pas une bonne raison pour continuer...

– C'est tout ce que la nuit dernière a signifié pour toi ? ai-je lâché, affreusement déçu. Un peu de réconfort et un moyen de ne plus penser à ton oncle ?

– Tu n'as pas le droit de dire ça ! s'est écriée Callie. C'est toi qui n'as pas arrêté de te vanter de ne plus être puceau. C'est toi qui as dit que tu avais fait quelque chose de stupide et, manifestement, coucher avec moi t'a permis d'oublier tes soucis pour la soirée !

– C'est faux ! ai-je nié.

– Ah oui ? Alors Tobey, sans jeux de mots, sans blague, sans faire le malin, qu'est-ce que tu ressens pour moi ?

J'ai ouvert la bouche pour tout lui déballer mais je l'ai refermée aussitôt. Je voulais lui dire. Je le voulais vraiment. Mais certains mots étaient difficiles à reprendre. Une fois prononcés, ils menaient leur propre vie et si je les énonçais, ils pouvaient aussi bien me retomber dessus. Callie m'observait attentivement.

– C'est ridicule. Tu es complètement idiote, ai-je fini par lâcher.

– Merci, a répliqué Callie sans prendre la peine de masquer sa peine. C'est bien ce que je pensais.

– Callie, je...

– Laisse tomber, Tobey. J'étais en train de me noyer, tu m'as lancé une bouée de sauvetage, point final. J'ai effectivement été idiote de penser que ça pouvait être autre chose pour toi.

– Hé salut ! a crié Dan.

Il était à plusieurs mètres de nous.

– Callie… ai-je murmuré. On ne peut pas discuter de ça maintenant. Dan va me donner mon fric et je vais t'emmener manger quelque part. On pourra parler autant que tu voudras.

– Il n'y a plus rien à dire, a lancé Callie froidement.

Pourquoi est-ce que j'avais soudain l'impression que j'essayais de m'accrocher à notre relation du bout des doigts ? Sans doute parce que c'est exactement ce que j'étais en train de faire. J'avais le choix entre m'ouvrir la poitrine et montrer à Callie ce que je ressentais vraiment pour elle – avec tous les risques que ça comportait – et la perdre à jamais.

– Callie, il faut qu'on parle, ai-je insisté.

– Que l'on parle ou que je t'écoute continuer de m'insulter ?

– Que l'on parle.

Callie n'a pas répondu.

– Je suis désolé de t'avoir traitée d'idiote, ai-je grondé, exaspéré. Est-ce qu'on ne peut pas tout simplement aller quelque part et discuter. S'il te plaît ?

Callie est restée muette. Elle s'est tournée vers Dan. Je l'ai imitée. J'avais l'impression de me noyer. Dan s'est approché de nous, un grand sourire aux lèvres.

– À quoi ça te sert d'avoir une montre de m'as-tu-vu si t'es pas capable d'arriver à l'heure aux rendez-vous ? lui ai-je lancé en guise d'accueil.

– Je suis là maintenant, a-t-il répondu comme s'il ne voyait pas le problème. Salut Callie. Toujours aussi jolie.

– Merci Dan.

– Je suis sincère. T'es vraiment canon, a-t-il repris en s'approchant d'elle.

L'agacement s'est mis à bouillonner en moi comme de l'eau frémissante sur le feu.

– Tu sais, Callie, je peux t'emmener dans des endroits ou t'acheter des choses dont Tobey n'a même pas idée.

Le sourire de Dan était huileux.

– Tobey est mon pote, a-t-il continué, mais quand est-ce que tu vas te décider à le larguer pour sortir avec moi ?

Callie m'a jeté un regard noir avant de se tourner vers Dan comme si elle réfléchissait sérieusement à sa proposition.

– Pense seulement à toucher Callie et je brise chaque os de ton squelette, ai-je sifflé à Dan. Et quand tu seras mort et enterré, je te déterrerai pour les casser encore une fois.

Dan et Callie m'ont fixé. Et puis ils ont éclaté de rire. Qu'est-ce qu'il y avait de si drôle ?

– Eh ben, il est mordu ! a ricané Dan.

Callie m'a regardé ; une lumière étrange brillait dans ses yeux. Toute la rigidité de son visage avait disparu. J'ai tourné la tête pour qu'elle ne me voie pas rougir jusqu'à la racine des cheveux.

– Tu vois, Tobey, a-t-elle dit d'une voix douce. Tu n'as pas besoin d'en dire plus.

– Je ne comprends pas de quoi tu parles ! ai-je grommelé en décidant de les ignorer, elle et Dan.

De l'autre côté de la pelouse, une grosse QRB noire s'est arrêtée. J'ai pensé un instant que c'était McAuley mais qu'aurait-il fait au terrain vague un samedi après-midi ? Deux Nihils en costume que je n'avais jamais vus sont sortis du véhicule et ont traversé nonchalamment la pelouse en direction du terrain de foot.

– Alors Callie, a demandé Dan en tendant devant lui un micro imaginaire, depuis quand est-ce que mon pote est aussi accro à toi ?

– Eh bien, Dan, tout a commencé quand j'avais sept ans, a caqueté Callie comme si ses poumons étaient pleins d'hélium.

Dan tournait le dos aux deux hommes qui marchaient lentement mais sûrement vers nous. Il y avait un truc qui clochait. J'ai regardé autour de moi. Une limousine blanche était garée de l'autre côté du terrain de foot. Deux hommes en sont sortis. Deux Primas. Ils venaient aussi vers nous. J'ai de nouveau regardé les deux Nihils. Ils échangeaient quelques mots. Mon malaise s'est accentué. Les deux Nihils n'étaient plus qu'à quelques mètres. Ils ont passé une main sous leur veste et... l'enfer s'est ouvert sous nos pieds. J'ai crié :

– À terre !

Mais c'était trop tard.

23. Callie

Plusieurs détonations ont retenti. On aurait dit une dizaine de voitures qui pétaradaient successivement. J'ai sursauté à chaque fois. J'ai regardé autour de moi. Le monde entier semblait avancer au ralenti. Chaque couleur, chaque sensation était accrue sauf que tout ce que je pouvais entendre était les battements de mon cœur. Le monde au ralenti, mon cœur en accéléré. Étrange combinaison.

Les gens se sont écartés de nous comme des points cardinaux sur une boussole. Je voyais leur bouche bouger, leurs visages se décomposer, mais je n'entendais toujours que les battements de mon cœur, de plus en plus rapides. C'était comme un tambour à l'intérieur de moi imposant son propre rythme. Que se passait-il ? J'ai à nouveau regardé autour de moi. Des hommes avec des armes à feu. De chaque côté du terrain de foot. Ils se tiraient dessus. Et on était au beau milieu.

À terre, Callie.

Baisse-toi.

Baisse-toi, maintenant.

Deux Primas tiraient vers nous. Ils semblaient viser la route. Je me suis tournée juste à temps pour voir McAuley assis à l'arrière d'une voiture, la fenêtre ouverte. Des éclairs sont partis de l'intérieur de la voiture. Des balles. J'ai tourné la tête dans tous les sens. Tobey criait. Sa bouche bougeait si lentement, trop lentement pour que je comprenne ce qu'il disait. Pourtant c'était important et urgent. Je le voyais dans ses yeux. Et il m'agrippait le bras.

Lâche mon bras.

Dan était allongé par terre.

À terre, Callie…

De l'intérieur de la voiture, McAuley a tiré. Son arme était pointée sur nous. L'arme a sauté dans la main de McAuley. Il a tiré encore. Et encore. Je n'avais pas le temps de prévenir Tobey ou de le pousser. Je me suis placée devant lui.

Le temps s'est soudain accéléré. Il est passé à toute vitesse. En m'oubliant derrière lui.

24. Tobey

– Bon Dieu, Callie, à terre !

J'ai heurté le sol, essayant d'entraîner Callie avec moi. Mais elle n'a pas bougé d'un pouce. Immobile comme une statue, elle regardait le parc. J'ai rampé vers elle et j'ai tiré son bras.

Furieux, j'ai levé la tête vers elle. Pourquoi ne bougeait-elle pas ? Bon sang ! Les balles sifflaient autour de nous comme des moustiques autour d'une banque du sang. Bon Dieu ! Callie a baissé les yeux vers moi. Et à ce moment, le monde s'est arrêté.

Une tache rouge sombre s'étalait sur son T-shirt bleu marine. Encore des coups de feu. Quelque chose a ricoché contre la tête de Callie et elle est tombée. Elle s'est écroulée lentement comme un château de cartes.

– Callie !

Je me suis jeté sur elle pour la protéger de mon corps. La voiture de McAuley a démarré dans un crissement et une odeur de caoutchouc brûlé. Les deux Primas qui avaient traversé la pelouse avec nonchalance ont couru vers leur voiture. Quelques secondes plus tard, ils avaient eux aussi disparu. Tout le monde courait en tous sens. Dan, qui avait plongé au sol à la première détonation, s'est relevé et a détalé. Un instant plus tard, il ne restait plus personne dans le parc, sauf Callie et moi.

Je me suis assis en tirant Callie vers moi. La tache rouge s'était agrandie. Il y avait un trou dans son T-shirt, juste sous l'épaule gauche. Du sang coulait sur le côté de sa tête, de sa tempe jusqu'à son oreille.

– Au secours ! S'il vous plaît, quelqu'un ! Au secours !

Les yeux de Callie étaient fermés et sa respiration produisait un son étrangement rauque. J'ai regardé vers les fenêtres fermées des appartements et des maisons qui entouraient le terrain vague sur trois côtés.

– S'il vous plaît ! Quelqu'un…

J'ai serré Callie contre moi et je l'ai bercée doucement.

Sans lâcher Callie, j'ai attrapé mon téléphone dans ma poche pour appeler une ambulance.

– Tiens bon, Callie, ai-je murmuré. Les secours ne vont pas tarder. Tiens bon.

Les nuages se sont soudain éloignés et un rayon de soleil s'est posé sur nous. Si éclatant que j'en ai été un moment ébloui. La respiration rocailleuse de Callie s'est brusquement arrêtée. Elle était dans mes bras, inerte. Au loin, j'ai entendu une sirène. Quelqu'un avait dû appeler les secours finalement.

– Callie, ai-je murmuré.

Elle était immobile, comme une poupée cassée. Mes mains et mes vêtements étaient couverts de son sang. Je l'ai serrée contre moi, j'ai pressé ma joue contre la sienne et j'ai recommencé à la bercer.

Je suis là, Callie. Je suis là. Je ne t'abandonnerai jamais, Callie. Jamais.

Toi et moi, bébé, contre le monde entier.

25. Tobey

Le couloir de l'hôpital sentait le désinfectant. Des bips sonnaient à intervalles irréguliers. Des gens passaient devant moi, pressés. Personne ne s'arrêtait. J'avais eu beau supplier, ils ne m'avaient pas laissé rester avec Callie. Les ambulanciers ne voulaient même pas que je monte avec eux mais je tenais la main de Callie comme si nous étions collés l'un à l'autre et ils n'avaient pas eu le choix. Dès que nous sommes arrivés à l'hôpital, ils ont emmené Callie. Une infirmière m'a fait entrer dans une petite pièce et m'a posé des tas de questions sur le passé médical de Callie. Je ne connaissais la réponse à presque aucune d'entre elles. J'ai appelé la mère de Callie, mais elle n'a pas répondu. J'ai laissé un message sur son portable. J'ai téléphoné chez Callie mais Meggie n'était pas là non plus. Personne ne se trouvait là où il était censé se trouver. Je ne pouvais rien faire d'autre que prévenir par répondeur interposé que Callie avait été blessée par balle et qu'elle était soignée aux urgences de l'hôpital de la Pitié. Ce n'était pas le genre de nouvelles que j'avais envie d'annoncer, encore moins de cette façon, mais je n'avais pas le choix. On m'a poussé dans la salle d'attente bondée. Il n'y avait plus de chaise disponible. Je me suis adossé au mur. J'ai envoyé un texto à ma mère pour lui raconter ce qui s'était passé. Je savais que son téléphone serait coupé puisqu'elle était au travail. Elle était quelque part dans cet hôpital, mais je ne suis pas allé à sa recherche. Je devais rester ici pour savoir comment allait Callie quand elle sortirait du bloc.

On avait tiré sur Callie.

Elle allait peut-être mourir.

S'il vous plaît, faites qu'elle ne meure pas...

J'étais encore en train de me demander ce qui était arrivé. Des images ont surgi dans mon esprit. Les deux Primas dans la voiture blanche. Des hommes des Dowd. McAuley et les siens qui arrivent au terrain vague exactement au même moment. Ça n'était évidemment pas une coïncidence. Il ne s'était rien passé de ce genre à la Prairie depuis des années. Et à présent, Callie luttait contre la mort avec une balle dans la poitrine. Et peut-être une dans la tête. Je commençais tout juste à réaliser.

Je vous en supplie, je ne veux pas la perdre. Pas maintenant.

Pas maintenant...

J'ai soudain levé la tête pour regarder dans le couloir. Mon instinct ne m'avait pas laissé tomber. Deux officiers de police approchaient à grands pas, se frayant un chemin entre les patients pour parvenir jusqu'à moi. Ils portaient des costumes civils mais je savais que c'étaient des flics. Le premier avait la quarantaine, c'était un Prima ; l'autre était plus jeune, vingt-cinq ans peut-être, et il était nihil. Le Prima arborait un sourire sous ses fines moustaches. Ses yeux noirs étaient attentifs et perçants. Le Nihil avait les cheveux blonds et une coupe à la mode. Ils venaient vers moi sans me lâcher du regard. Ils étaient tendus – oui, tendus – comme s'ils s'attendaient à ce que j'essaie de fuir. Je me suis redressé et je suis resté complètement immobile. Quand ils sont enfin arrivés près de moi, ils se sont placés de façon à m'empêcher de partir. Même si j'avais voulu, je n'aurais pu aller nulle part.

– C'est toi qui es arrivé avec la victime par arme à feu ? m'a demandé le flic prima.

J'ai acquiescé.

– Elle s'appelle Callie Hadley.

Le Prima a tendu sa main.

– Je suis le détective Omari Boothe et voilà le sergent Paul Kenwood.

Méfiant, j'ai serré la main du flic. Le sergent Kenwood s'est contenté d'un signe de tête à mon attention. Son regard bleu était glacial et ses mains n'ont pas bougé.

– Comment tu t'appelles, fiston ? m'a demandé le détective comme s'il se renseignait de l'heure qu'il était.

Le sergent Kenwood a sorti un bloc-notes et un stylo de sa poche.

– Tobey Durbridge.

– Âge ?

– Dix-sept ans.

– Quand auras-tu dix-huit ans ?

– Dans deux mois.

Pourquoi me posait-il cette question ?

– Adresse ?

Je lui ai répondu.

– Et tu as dit que la fille s'appelle Callie Hadley ?

– Callie Rose Hadley, oui.

– Tu connais son adresse ?

– Elle habite juste à côté de chez moi dans la rue Johnstone, numéro cinquante-cinq.

Le sergent Kenwood ne disait rien mais griffonnait furieusement sur son bloc.

– Peux-tu nous raconter ce qui s'est passé ? a continué le détective Boothe.

J'ai secoué la tête.

– Je ne sais pas très bien. Callie et moi regardions un match de foot et, tout à coup, des balles ont sifflé autour de nous. Tout a été très vite. En quelques secondes.

– Où était-ce ?

– Au terrain vague.

J'ai jeté un coup d'œil au sergent Kenwood. Il n'avait toujours pas prononcé un mot. Peut-être qu'ils jouaient au gentil et au méchant flic.

– Qui a tiré ? a repris le détective.

– Je ne sais pas. Quand les balles ont commencé à voler, j'ai seulement pensé à me protéger.

– Que faisait Callie à ce moment-là ?

– Elle se tenait devant moi. Je crois... je crois qu'elle était en état de choc.

– Combien de coups de feu au total ?

J'ai haussé les épaules. Aucune idée.

– Moins de cinq ? Moins de dix ? Moins de quinze ? a insisté le détective Boothe.

– Je dirais moins de dix, ai-je répondu. Mais je n'ai pas compté.

– Les coups de feu venaient-ils d'une seule direction ou de plusieurs ?

Attention Tobey… Réfléchis.

– De différentes directions, je crois. C'est pour ça qu'on avait l'impression que les balles étaient tout autour de nous. Mais je ne suis pas sûr.

– As-tu remarqué une voiture en particulier ?

J'ai froncé les sourcils et j'ai secoué la tête.

– Je regardais le match, je n'ai pas prêté attention aux alentours.

– Tu n'as rien vu ?

– Non. Je suis désolé.

– Callie Hadley est-elle une amie à toi ?

– Oui.

J'ai hésité.

– C'est ma petite amie.

Le sergent Kenwood a émis un ricanement.

– Ça vous pose un problème ? ai-je lancé agressivement.

– Non, mais elle oui, si elle a pas trouvé mieux que toi, a répliqué le sergent Kenwood.

Il m'a toisé comme si j'étais moins qu'une crotte de chien.

– Si c'était ma petite amie qui était allongée sur la table d'opération avec une balle dans la poitrine, je ferais ce qu'il faut pour que le salopard responsable de cette merde se fasse choper. Mais vous, les Nihils de la Prairie, vous avez la maladie des trois singes : je ne vois rien, je n'entends rien, je ne dis rien.

– Nous, les Nihils de la Prairie, on doit vivre tous les jours dans notre quartier. Même quand la police n'est pas là !

– Nous pouvons te protéger, s'est hâté d'intervenir le détective Boothe. On peut aussi protéger ta famille, si c'est ce qui t'inquiète.

– Je n'ai pas besoin de protection parce que je n'ai rien vu, ai-je répété. J'aurais bien voulu mais ce n'est pas le cas.

Les deux flics ont échangé un coup d'œil. Ils ne me croyaient pas.

– Y a-t-il une autre information que tu pourrais nous donner concernant la fusillade ? a demandé le détective.

Silence.

– Je...

– Tobey ? Tobey ?

Sephy, la mère de Callie, s'est presque ruée sur moi.

– Que s'est-il passé ? Où est ma fille ?

– Elle est au bloc, ai-je immédiatement répondu. J'attends pour en savoir plus.

– Vous êtes madame Hadley ? s'est étonné le détective.

– Mademoiselle Hadley, a rectifié Sephy.

Les flics ont examiné Sephy de haut en bas, avant de tourner vers moi leurs regards surpris.

– Ce garçon affirme être le petit ami de votre fille, a dit le sergent Kenwood.

– C'est vrai, a répondu Sephy. Ils sont amis depuis des années. Est-ce que quelqu'un peut me dire ce qui se passe ? Tobey, ton message disait qu'on avait tiré sur Callie.

– Votre fille a été blessée lors d'une fusillade, a expliqué le détective avant que j'aie le temps d'ouvrir la bouche. Je suis en train d'interroger ce jeune homme qui était au même moment en sa compagnie. Mais il affirme n'avoir rien vu.

– Tobey ?

Sephy m'a jeté un regard noir. Des rides d'inquiétude creusaient son visage.

– Vous ne croyez pas que je parlerais si je savais quelque chose ? me suis-je exclamé.

– Je ne sais pas, a-t-elle rétorqué. À toi de me le dire.

Nous nous sommes dévisagés. Je devais me forcer pour ne pas baisser les yeux. Nous savions tous les deux comment ça se passait à la Prairie.

– Je dois voir ma fille, a fini par réclamer Sephy en me tournant le dos.

L'intense déception que j'ai lue dans ses yeux m'a fait mal.

– Mademoiselle Hadley, nous aimerions d'abord vous poser quelques questions, a déclaré le détective.

– Vos questions attendront. Je veux voir ma fille, a fermement répondu Sephy.

– Ça ne prendra qu'une minute, je vous le promets, a insisté le détective. Pourriez-vous commencer par nous confirmer votre adresse, s'il vous plaît ?

Ils l'ont entraînée hors de la salle d'attente. Je voyais leurs silhouettes à travers la vitre dépolie, mais je n'entendais pas ce qu'ils disaient. Je me suis déplacé de façon à ne pas être en face de la porte quand Sephy reviendrait. Je me suis posté sur le côté, craignant l'inévitable. Après une ou deux minutes, elle est réapparue dans la salle d'attente. Seule. Mon cœur s'est mis à battre plus vite. Je savais exactement ce qu'elle allait me dire.

– Tobey, ce n'est pas la peine de me raconter des salades, a-t-elle commencé par m'avertir, d'une voix dure. Dis-moi ce qui s'est passé. Et cette fois, je veux la vérité.

Nous nous sommes regardés. J'étais plus grand qu'elle mais elle me terrifiait. Sephy était une lionne protégeant sa portée et j'étais un obstacle sur son chemin.

– C'est comme j'ai dit aux flics. Je me suis jeté par terre dès que les balles ont commencé à voler.

– Et tu n'as pas entraîné ma fille au sol avec toi ?

– J'ai essayé. Tout s'est passé si vite, ai-je répondu faiblement.

– As-tu vu qui tirait ?

Je suis resté silencieux. Je ne pouvais pas lui mentir mais je ne pouvais pas non plus lui répondre.

– Tobey, je t'ai posé une question. Qui tirait ?

Silence.

– Je vois, a lentement prononcé Sephy. Tu as dit à ces policiers que Callie était ta petite amie. Voulais-tu dire qu'elle était simplement ton amie ou plus que ça ?

– Les deux, ai-je énoncé calmement.

– Mais apparemment, ça n'a pas suffi pour que tu te comportes comme un homme ?

– C'est injuste...

– Injuste !

Sephy a bondi sur le mot.

– Quelqu'un a tiré sur ma fille. Elle est en danger de mort. Alors ne me parle pas de ce qui est juste ou injuste !

Que pouvais-je répondre à ça ? Rien. Sephy m'a examiné de haut en bas avec dédain.

– Écoute-moi bien : ma fille n'a pas besoin de ta soi-disant amitié, alors rentre chez toi. Tu n'es utile à personne ici. Et maintenant, si tu veux bien m'excuser, je vais voir comment va Callie !

Elle avait déjà tourné les talons et s'apprêtait à sortir de la salle d'attente à la recherche d'une infirmière ou d'un médecin. Je l'ai rattrapée.

– Je viens avec vous.

Sephy s'est retournée.

– Non, Tobey. Si tu penses que ma fille n'est pas assez importante pour que tu dises la vérité à la police, je n'ai pas besoin
de toi. Elle non plus. Rentre chez toi.

Sans attendre ma réponse, Sephy s'est éloignée. Après
quelques pas, elle s'est de nouveau retournée avec dans les
yeux un éclat que je ne lui avais jamais vu.

– Tobey ?

– Oui ?

– Je ne veux plus non plus te voir chez moi. Compris ?

– Oui, mademoiselle Hadley.

Descente
aux enfers

26

– Tobey ? Je peux entrer ?

Maman murmurait à la porte de ma chambre.

Je n'ai pas répondu.

– Tobey, s'il te plaît.

Silence.

J'ai entendu Maman soupirer, mais elle n'a pas essayé de forcer l'entrée et a redescendu l'escalier. Elle avait frappé à ma porte à intervalles réguliers toute la matinée, depuis qu'elle était rentrée du travail. Je n'avais qu'une envie : qu'elle arrête et me laisse tranquille. J'étais assis par terre dans un coin de ma chambre, face à la porte. J'étais là depuis la veille au soir, un genou remonté et l'autre jambe allongée. Ma main gauche tripotait la balle de caoutchouc que je gardais habituellement dans un tiroir de mon bureau. Elle avait la taille d'une grosse bille et était colorée de formes allongées vertes et marron. Callie me l'avait donnée il y a des années. Je ne me rappelais même plus pourquoi. Je n'avais pas bougé de ce coin de ma chambre de toute la nuit. Je m'étais seulement contenté de changer mes jambes de position quand je commençais à avoir des fourmis. J'avais assisté au lever du soleil pour la première fois de ma vie. Au milieu de la nuit, l'obscurité était devenue si dense que je n'avais eu aucun mal à croire que ma chambre resterait pour l'éternité dans les ténèbres.

Mais la lumière grisée de l'aube a lentement mais inexorablement dissous les ombres de la nuit.

Et pendant que le jour naissait, j'ai réfléchi. Je n'ai pas arrêté de réfléchir.

Sephy, la mère de Callie, me considérait comme un moins que rien. La police également. Je n'avais pas l'intention de les convaincre du contraire. Malgré l'interdiction de Sephy, j'étais resté à l'hôpital jusqu'à ce que Callie sorte du bloc. Je ne me suis pas assis près de la mère de Callie. Elle avait été très claire, elle ne voulait rien avoir à faire avec moi. Je suis resté en périphérie, là où je pouvais quand même entendre les explications du chirurgien. Callie avait été touchée deux fois. Elle avait une balle dans la poitrine et une autre avait éraflé sa tempe. La balle dans sa poitrine avait été enlevée mais l'état de Callie restait critique.

– Callie a perdu beaucoup de sang, a expliqué M. Bunch, le chirurgien prima, et il y a également un grand nombre de dommages internes. Elle n'est pas tirée d'affaire. La balle qui est entrée dans sa poitrine a manqué le cœur d'à peine un centimètre. La balle qui a heurté sa tempe a provoqué une fracture superficielle du crâne mais au moins, elle n'a pas pénétré. Les quarante-huit prochaines heures seront déterminantes.

Je me suis avancé d'un pas.

– Je peux la voir ?

– Elle est inconsciente et va le rester encore quelque temps, m'a averti le chirurgien.

– J'ai besoin de la voir, ai-je insisté.

– Non, a commencé Sephy, je ne crois pas que...

– S'il vous plaît, Sephy, s'il vous plaît.

Sephy a secoué négativement la tête.

– Je vais rester devant la chambre de Callie ou dans la salle d'attente ou devant l'hôpital jusqu'à ce que vous acceptiez, ai-je lancé, désespéré. Je vous en supplie, laissez-moi la voir.

Sephy m'a examiné pendant de longues secondes. Puis elle a détourné le regard et une ride s'est creusée au milieu de son front. Quand elle a enfin relevé les yeux vers moi, elle a acquiescé. Manifestement à contrecœur. Je me suis demandé ce qui l'avait fait changer d'avis mais je n'ai pas pris le risque de lui poser la question. Le docteur Bunch nous a emmenés jusqu'aux soins intensifs. Callie était seule dans la chambre la plus proche de la salle des infirmières.

Rien n'aurait pu me préparer à ce spectacle que je m'apprêtais à voir. Callie Rose était reliée à des tas de moniteurs et de machines. Un tube en plastique sortait de sa bouche et elle avait une perfusion en plus d'une poche de sang reliées à son bras. Sa tête était enveloppée d'un bandage. Elle paraissait minuscule, comme si elle avait rétréci. Elle semblait perdue au milieu de tout cet attirail médical.

Je me suis avancé vers elle et j'ai caressé le dos de sa main qui reposait au-dessus des draps. Pendant un long moment, je n'ai rien pu faire d'autre que la regarder. Puis je me suis penché et j'ai murmuré à son oreille avant d'embrasser son front. Je me suis redressé lentement, incapable de la quitter des yeux. Elle me donnait l'impression d'être plus fragile que du cristal. Un coup supplémentaire, si léger soit-il, et elle se briserait en mille morceaux.

Callie Rose, pardonne-moi...

J'ai pris sa main froide dans la mienne. J'aurais voulu ne jamais la lâcher. On voit ça tout le temps au cinéma et à la télé. Un personnage est mourant et sa mère, son père, son compagnon ou son meilleur ami lui murmure des milliards de promesses et supplie le ciel de le laisser prendre sa place. C'est ce que j'ai fait. J'aurais mille fois préféré être à la place de Callie. Mais le ciel ne m'a pas écouté. Callie est restée dans son lit, reliée à toutes ces machines, et moi, je suis resté debout près d'elle, impuissant.

Ma gorge semblait avoir enflé et j'avais du mal à respirer.

Callie, si tu m'entends, je t'en supplie...

Mais avant que j'aie le temps de terminer ma prière silencieuse, le rythme de la pièce a soudain changé. Les moniteurs ont cessé de biper lentement et régulièrement et ont émis un son sourd et continu. Une alarme s'est déclenchée et soudain la chambre s'est remplie. On m'a repoussé. On a enlevé son oreiller à Callie et une armée de médecins et d'infirmières se sont penchés sur elle. Le moniteur affichait une ligne plate. Sephy a tenté de s'approcher de sa fille mais elle aussi a été repoussée. On nous a mis dehors et la porte s'est refermée. Sephy a regardé par la vitre, les poings serrés contre le carreau comme si elle voulait le briser. Elle s'est tournée vers moi. Ses yeux bruns lançaient des éclairs.

– Toi ! a-t-elle sifflé.

Si les mots avaient le pouvoir de tuer, cette accusation m'aurait abattu sur-le-champ.

– Qui a fait ça ? Dis-le-moi !

J'ai regardé par la fenêtre. Les médecins et les infirmières continuaient d'essayer de réanimer Callie. Puis je me suis tourné vers Sephy. Que ferait-elle si je le lui disais ? Sephy était une femme dure. Les épreuves qu'elle avait traversées tout au long de sa vie l'avaient rendue dure. Mais elle ne pourrait rien contre les Dowd et McAuley. Et tous leurs hommes de main. Si elle s'en prenait à eux, ce qu'elle ferait sans aucun doute, elle y laisserait sa peau et Callie deviendrait orpheline. Du moins, si elle survivait. Non. Callie *allait* survivre. Elle allait vivre et sa mère aussi. Et à cet instant, j'ai pris ma décision.

– Je ne sais pas.

Les mots m'ont écorché la bouche. Sephy m'a tourné le dos. J'avais cessé d'exister pour elle. Nous n'avions rien d'autre à nous dire. J'ai quitté les soins intensifs et l'hôpital.

J'ai serré ma balle plus fort. Ça n'avait rien à voir avec un film ou un jeu vidéo. Ce qui s'était passé sur le terrain vague n'avait pas été orchestré pour donner un spectacle d'une élégance chaotique. Aucun technicien n'allait couper telle ou telle scène au montage. Aucun costumier n'avait décidé quel endroit du jean devait être déchiré. Les balles avaient sifflé, tout le monde avait hurlé avant de fuir ou de se jeter au sol. Les blessures étaient bien réelles. Les jeans déchirés et les T-shirts pleins de poussière étaient bien réels. Et le sang sur la poitrine de Callie n'était pas du maquillage. Personne n'avait crié : « Coupez, elle est bonne, on la garde » ou « On reprend. Action ». Je ne comprenais vraiment que maintenant la phrase de Maman : la vie n'est pas une répétition générale. Il n'y avait pas moyen de revenir en arrière, de changer une réplique ou de recommencer depuis le début. On avait tiré sur Callie. La vraie vie était sans pitié. Sans pitié.

Je ne pouvais chasser l'image de Callie allongée sur ce lit d'hôpital. Je savais que je ne pourrais jamais. Personne ne m'avait dit que l'impuissance vous donnait l'impression d'être minuscule. Au lycée, au travail, et même ici dans ma chambre, je n'occupais que très peu d'espace. Avais-je tort de vouloir un peu plus de la vie ? Je m'étais convaincu que c'était ce que me proposait Dan. Un peu plus que ce que j'avais déjà. Et à présent, tout était tombé en morceaux.

Je suis resté dans ma chambre toute la nuit et la majeure partie de la matinée. Je ne suis sorti que pour aller aux toilettes. Je n'ai pas mangé. Ni dormi. Je n'arrivais pas à réfléchir clairement. Jessica et Maman m'ont laissé tranquille. Maman a déposé une assiette avec des sandwichs sur le palier. Je lui avais pourtant dit à travers la porte que je n'avais pas faim. Pour qu'elle me fiche la paix, j'ai essayé de grignoter mais j'ai eu l'impression de mâcher du papier. Ça n'avait aucun goût et ça ne voulait pas descendre. J'ai tout craché dans ma corbeille. J'ai accueilli la nuit suivante, allongé sur mon lit, les yeux fixés sur le plafond. J'ai fermé les yeux et attendu que le sommeil me prenne. Mais c'était comme si j'avais appuyé sur un interrupteur et mon cerveau ne cessait pas de tourner.

McAuley.

C'était la voiture de McAuley sur le terrain vague. Ses hommes étaient venus vers nous. Ils avaient fait feu les premiers. Les deux Primas avaient répondu. Ils étaient au service des Dowd. La fusillade était-elle prévue ? Je ne le pensais pas. Mais alors pourquoi s'étaient-ils pointés au même moment sur le terrain vague ? Ça n'avait pas de sens. S'ils avaient voulu se tirer dessus, ils se seraient donné rendez-vous ailleurs que dans un parc public. Ils n'étaient pas venus pour ça. Un des deux groupes était là pour rencontrer quelqu'un et l'autre avait eu de la chance. Ou était bien informé. Je ne connaissais les Dowd que de réputation. Si on les mettait en colère, ils étaient capables de tuer. Exactement comme McAuley. Tout ce que je savais de lui se résumait aux histoires qui couraient dans le quartier ajoutées à ce que m'avait raconté Dan. Est-il possible que les hommes de McAuley en aient eu après Dan ? Ça n'avait pas de sens non plus. Dan travaillait pour McAuley depuis des siècles. Dan et ses livraisons. Tout avait commencé à merder quand j'avais accepté de… de…

Livraisons…

Ross Resnick.

J'avais livré ce colis à la femme de Ross Resnick comme Dan me l'avait demandé. Pourquoi McAuley en aurait-il voulu à Dan ? Parce que Dan aurait dû s'en occuper lui-même ?

Ou peut-être... peut-être que McAuley en avait après moi ?

Dan avait-il raconté à McAuley que j'avais promis de ne pas tomber tout seul ? Est-ce que c'était la clé de toute l'histoire ? McAuley avait décrété que j'étais trop dangereux. Bon sang ! Je ne pensais pas ce que j'avais dit. J'étais en colère, c'est tout. Comme si j'étais capable de balancer McAuley. Il devait savoir que je ne pouvais rien contre lui. Mais McAuley et ses hommes avaient manifestement décidé de prendre la situation en main. Ainsi, McAuley ne risquerait rien et je serais trop mort pour regretter mes paroles. McAuley avait-il résolu de nous descendre tous les deux, Dan et moi ? C'était ça l'idée, un coup double ? Ou alors j'étais le seul visé. De toute façon, McAuley voulait se débarrasser de moi. De façon permanente.

C'était la seule explication.

Ce que je ne comprenais pas, c'était pourquoi les gorilles des Dowd étaient apparus au même moment. Avaient-ils eu vent de ce que préparait McAuley ? Mais ils n'étaient forcément pas intervenus pour sauver ma peau. Ils ne me connaissaient même pas. Et même si c'était le cas, je ne signifiais rien pour eux.

J'ai cherché une autre explication rationnelle. En vain. Plus je me disais que McAuley était venu pour moi, plus ça me semblait juste.

Et maintenant, je faisais quoi ?

Tant que McAuley me percevrait comme une menace, j'avais les mains liées. Autant me peindre une cible dans le dos. Est-ce que Dan avait la même impression que moi ?

Où était-il ? Planqué ? Ou savait-il qu'il ne courait aucun danger ?

Après trois heures du matin, je me suis endormi. Pas pour longtemps. Quelques heures, d'après mon réveil. Et j'ai eu beau essayer de me rendormir, impossible.

Du sang coule sur la peau de Callie et s'étend sur son T-shirt.

Du sang coule sur le visage de Callie.

Les yeux de Callie se ferment et elle s'écroule devant moi.

Des détonations explosent tout autour de nous...

Ces cauchemars me réveillaient en sursaut. Mais les images restaient gravées dans mon cerveau même quand j'avais les yeux ouverts. Surtout quand j'avais les yeux ouverts. Je n'avais pas le choix. Je ne pouvais agir que d'une seule manière. C'était dangereux – pour moi et mes proches – mais je n'avais pas le choix.

J'avais deux possibilités : fuir et ne jamais m'arrêter, ou tomber sur McAuley avant qu'il me tombe dessus.

Tomber sur McAuley ?

Reviens sur terre, Tobey. Pourquoi est-ce que tu ne fais pas cesser toutes les guerres sur la planète et que tu ne débarrasses pas le monde de toutes les maladies pendant que tu y es ?

Tomber sur McAuley...

Mais il fallait que j'essaie. Je le devais à Callie. McAuley devait payer pour ce qu'il lui avait fait. Et de toute façon, c'était lui ou moi. C'était quoi déjà ce proverbe qui disait de rester proche de ses amis et plus proche encore de ses ennemis ? L'expérience était le meilleur des professeurs. Je devais rencontrer McAuley. Le convaincre que je ne représentais pas une menace pour lui.

Ensuite, j'agirai.

Il ne restait qu'une semaine avant la fin du trimestre. Peu importait d'ailleurs. Une semaine ou un mois, je ne pouvais pas reculer. Je devais changer tous mes projets. J'avais tout à coup des problèmes plus importants à gérer que la question de mes études. J'ai pris mon téléphone et j'ai composé un numéro à toute vitesse. Moins de vingt secondes plus tard, Dan répondait.

– Salut Tobey, a-t-il dit avant que j'ouvre la bouche. Comment ça va ? Putain, ça a craint samedi !

Le ton de Dan était celui d'un ami inquiet. Il m'a fallu un peu de temps avant de trouver quoi dire.

– Dan, il faut qu'on parle.

– On se voit ce soir pour le match, a fait remarquer Dan. Et d'ailleurs, tu nous as manqués hier.

Après tout ce qui s'était passé, c'était tout ce qu'il avait à dire. Mes doigts se sont crispés sur mon téléphone.

– Tu es au courant pour Callie ? ai-je lâché.

– Ouais, je sais.

La voix de Dan s'est légèrement assombrie. J'ai été content d'avoir terni sa jovialité.

– Je suis désolé.

Désolé…

J'avais envie de lui hurler ce que je pensais. Mais je ne pouvais pas.

– On se retrouve où ? ai-je demandé.

– Quand ?

– Maintenant.

– Maintenant ? Mais le soleil vient juste de se lever. Pourquoi pas au terrain de foot tout à l'heure ? Tu comptes pas venir ?

– Je ne suis pas d'humeur. J'ai des trucs plus importants à régler. Dans vingt minutes devant le cinéma. OK ?

– Mais il n'est même pas encore ouvert…

– Dan, je ne t'invite pas à regarder un film, l'ai-je rembarré. Au fait, est-ce que tu as dit à McAuley que j'avais l'intention de le dénoncer à la police si j'avais des problèmes ?

Silence.

– Merci beaucoup.

– T'avais l'air de le penser, a protesté Dan. Qu'est-ce que tu voulais que je fasse ?

Tu étais censé me couvrir et me soutenir.

– Tu étais censé savoir que je ne ferais jamais un truc pareil.

– C'est ce que j'ai dit à McAuley, je te le jure, s'est exclamé Dan. Je lui ai dit que c'était que des mots.

J'ai secoué la tête. Dan n'avait pas encore connecté tous les points. Il n'avait jamais été très fort sur les causes et les conséquences.

– Le cinéma, Dan. Dans vingt minutes.

J'ai raccroché et j'ai attendu pour voir s'il me rappelait. Il ne l'a pas fait. Ce n'est qu'en fixant le téléphone posé sur mes genoux que j'ai réalisé que je portais le même T-shirt taché que la veille. Le sang de Callie avait séché sur le tissu qui était maintenant collé à ma peau. L'odeur montait à mes narines. Pourquoi n'avais-je rien senti jusqu'à présent ?

J'ai enlevé mon T-shirt. Je tremblais. Je l'ai roulé en boule et je l'ai jeté dans la corbeille à côté de mon bureau. Puis je me suis dirigé vers la salle de bains. Je me suis déshabillé et je suis monté dans la baignoire avant d'ouvrir le robinet. Habituellement, je laissais couler l'eau le temps qu'elle se réchauffe. Pas cette fois. La douche était glaciale, mais je m'en fichais. C'était sans importance. Au bout d'une minute ou deux, elle s'est réchauffée. Je me suis lavé les cheveux et savonné. Mais j'ai eu beau frotter et frotter, le sang de Callie me collait à la peau.

27.

Je suis sorti de la maison en refermant silencieusement la porte derrière moi. Maman était toujours de service de nuit et elle dormait sans doute profondément. Ces derniers temps, Jessica avait l'air épuisée. J'imagine qu'elle révisait pour ses examens. Je ne voulais les réveiller ni l'une ni l'autre. Je n'avais aucune envie de répondre à leurs questions. Je posais le pied sur le trottoir quand une voix s'est adressée à moi.

– Excusez-moi, êtes-vous Tobey Durbridge ?

Une grande femme svelte, une Prima, avec des tresses qui cascadaient sur ses épaules se tenait devant moi. J'ai froncé les sourcils.

– Oui.

Qui était-elle ? Je ne l'avais jamais vue de ma vie.

– On m'a dit que vous étiez avec Callie Rose Hadley quand on lui a tiré dessus, a repris la femme.

– Oui.

J'ai encore plus froncé les sourcils.

Le regard de la femme s'est allumé.

– J'en ai un ! a-t-elle crié.

Elle a sorti sa main droite de derrière son dos. Elle tenait un micro. Un homme nihil est apparu de derrière une camionnette blanche sans aucune inscription, garée devant chez nous. Il portait une caméra de télévision. J'ai écarquillé les yeux, horrifié. J'ai reculé d'un pas.

– Qui êtes-vous ?

– Josie Braden, channel 19 pour le journal télévisé, a répondu la femme comme si elle me donnait l'information la plus importante au monde. Vous n'imaginez pas comme il est difficile de trouver un témoin de la fusillade au cours de laquelle Callie Hadley a été blessée.

Elle s'est tournée vers son collègue.

– Prêt, Jack ?

– Une petite seconde, a marmonné Jack en vérifiant sa caméra.

Une lumière rouge s'est allumée et m'a fixé comme l'œil d'un démon. Jack a calé la caméra sur son épaule et a visé Josie.

– Trois, deux, un, a décompté la journaliste avant de s'adresser à l'objectif. Josie Braden. Je me trouve devant chez Callie Rose Hadley à la Prairie. Je suis en compagnie de son voisin, Tobey Durbridge, qui était avec Callie Rose, la petite-fille de Kamal Hadley, quand on lui a tiré dessus.

Josie s'est tournée vers moi. La caméra a suivi le mouvement.

– Tobey, pouvez-vous nous dire ce qui s'est passé ?

Elle a avancé le micro sous mon menton. L'œil rouge attendait que je parle.

Je n'ai pas ouvert la bouche. Josie m'a jeté un regard d'encouragement.

– Excusez-moi, ai-je lancé avant de tourner les talons et de m'éloigner.

Quelques pas plus loin, j'ai tourné la tête. Josie a fait un geste de la main comme pour se couper le cou. Jack a baissé sa caméra. Ils m'ont regardé. La déception était inscrite en lettres capitales sur leurs visages. C'était pas mon problème. La pire des tortures ne pourrait pas m'obliger à parler à la presse. Avec un peu de chance, elle serait la seule journaliste à essayer de nous importuner. Jess et Maman ne savaient rien ; qu'auraient-elles pu dire ? Et si je ne prononçais pas un mot, les journalistes n'auraient rien à se mettre sous la dent. Tout ce que je pouvais espérer, c'est que mon visage ne soit pas placardé dans les journaux. Il n'en faudrait pas plus à McAuley pour jeter une bombe sur ma maison. Un proverbe affirme que toute publicité est bonne. C'est une belle connerie. À la Prairie, aucune publicité n'est bonne. À cause de la publicité, un homme pouvait se retrouver plus mort qu'un poulet rôti.

– Je dois être cinglé, ne cessait de marmonner Dan. McAuley ne va pas du tout apprécier.

Dan gémissait depuis que je lui avais dit qu'il devait se débrouiller pour m'obtenir une entrevue avec McAuley. Je ne lui ai pas parlé des journalistes devant ma porte, il était déjà bien assez inquiet. J'ai enfoncé mes mains dans les poches de ma veste en jean. Mes poings étaient si serrés que mes jointures ont craqué.

– Tu vas nous attirer de gros ennuis, à tous les deux, a lancé Dan, désespéré.

– Je lui dirais que c'était mon idée, ai-je tenté de le rassurer.

– Comme si McAuley en avait quelque chose à foutre. On va se retrouver enterrés dans un bloc de béton à servir de fondations à un immeuble quelque part.

– C'est encore loin ? ai-je demandé.

– Au bout de la rue, a répondu Dan.

Nous avions voyagé en bus pendant une trentaine de minutes. Nous marchions à présent dans une rue résidentielle ordinaire. Pas le genre d'endroit où je pensais arriver. J'ai froncé les sourcils mais je n'ai rien dit. On a continué d'avancer. Dan s'est arrêté devant une maison individuelle non mitoyenne. La porte d'entrée était peinte en bleu foncé. Le genre de maison devant laquelle on peut passer mille fois sans la remarquer.

– McAuley est là-dedans ? ai-je demandé.

Dan a acquiescé.

– C'est vraiment une mauvaise idée. On risque de se faire descendre tous les deux.

– Dan, change de disque, OK ?

– Non, c'est pas OK. C'est pas OK du tout. McAuley aime pas les surprises.

– Il m'a demandé de travailler pour lui, tu te rappelles ?

– Ouais, et t'as refusé.

– J'ai réfléchi et j'ai changé d'avis.

Dan m'a dévisagé.

– Quoi ? ai-je demandé, exaspéré.

– Ça a quelque chose à voir avec ce qui est arrivé à Callie ? Parce que McAuley renifle les mensonges à des kilomètres.

– Ça n'a rien à voir avec Callie ! Je veux juste prendre ma part ! ai-je répliqué. Je veux gagner du fric et le dépenser pendant que je suis encore jeune. La fusillade m'a seulement réveillé, c'est tout !

– McAuley risque pas de croire ça.

– Tu me crois, toi ?

Dan a haussé les épaules.

– On s'en fout de ce que je crois ou pas. C'est pas moi que tu vas devoir convaincre.

– C'est la vérité, Dan. Et si McAuley ne veut pas de moi, j'irai proposer mes services aux Dowd.

Dan a jeté un coup d'œil effrayé autour de lui.

– Tu devrais pas blaguer avec ça. Quand t'es pas loin de McAuley, tu devrais même pas penser des trucs comme ça. Y en a qui sont morts pour moins que ça.

J'ai assassiné Dan du regard.

– Oh merde ! Je suis désolé, s'est empressé de s'excuser Dan. Je ne pensais pas à… Je suis désolé.

J'ai haussé les épaules et j'ai regardé autour de moi. Une camionnette noire était garée devant la maison. Elle devait appartenir à McAuley. Les sièges en cuir blanc étaient un indice. Dan a pris une longue inspiration avant de se diriger vers la porte d'entrée. On y était. Dès que j'aurai mis un pied dans cette maison, je ne pourrai plus revenir en arrière. Étais-je capable de ça ? Est-ce que je tiendrai le coup ? Je pouvais faire demi-tour et partir en courant et... garder ce vide en moi pour le restant de mes jours. Oublier toute dignité. Toute fierté. Et oublier Callie Rose. Je pouvais aussi pénétrer dans l'antre de McAuley et ne plus jamais regarder derrière moi. McAuley me croirait-il ? Je n'avais qu'un moyen de le savoir. Dan a appuyé trois fois sur la sonnette, s'est arrêté et a appuyé encore deux fois. Les dés étaient jetés. La porte s'est ouverte sur un Nihil aux cheveux châtains noués en queue-de-cheval. Il portait un costume marron foncé et une chemise blanche amidonnée. Il était bâti comme un char d'assaut. Pas moyen de passer sans son accord.

– Salut Trevor, a salué Dan, je t'ai manqué ?

Trevor a eu l'air de vouloir étriper Dan. Je suis resté en arrière pour observer la rue. Cette maison était une planque parfaite. Personne ne pouvait deviner que McAuley dirigeait ses activités illégales dans un tel environnement. Il avait un bureau pour toutes ses affaires officielles, dans la zone industrielle de la Prairie, près du vieux pont de chemin de fer, mais il ne devait pas y mettre les pieds plus de deux ou trois fois par an. J'aurais parié aussi que cette maison n'était pas la seule qu'il utilisait pour ses trafics. Malin. Mme Bridge au bout de ma rue vendait de la drogue de chez elle. L'arrangement de McAuley me semblait bien meilleur.

Dan m'a fait signe d'approcher.

– Trevor, c'est Tobey, un pote à moi. McAuley le connaît.

M. Stéroïde m'a examiné de haut en bas et sur les côtés. Il a fini par s'écarter pour nous laisser passer mais pas sans avoir d'abord passé ses mains sur moi. Bon sang ! Qu'est-ce qu'il croyait que je planquais ? Un Uzi ? Dan est entré dans la première pièce à droite. Un immense écran plat était accroché au mur comme un tableau d'art moderne. Deux canapés en cuir se faisaient face. Le sol était en bois. Je suis resté debout. Dan également.

– Il se passe quoi maintenant ? ai-je demandé à Dan.

– On attend jusqu'à ce que McAuley vienne nous chercher.

Un bruit étrange, comme un raclement, s'est fait entendre au-dessus de nos têtes. On aurait dit que quelqu'un tirait une chaise. Puis il y a eu un coup suivi d'un grognement étouffé. Et tout est redevenu silencieux.

J'ai pointé le doigt vers le plafond.

– C'était quoi ?

– Je sais pas et je veux pas savoir, a répliqué Dan.

J'ai compris le message et je me suis mordu la langue pour ne plus poser de questions. Après tout, la pièce était peut-être truffée de micros. Rien ne me surprendrait de la part de McAuley. Mon estomac s'est tortillé comme un serpent en colère. Dans l'histoire des mauvaises idées, je venais peut-être de décrocher la palme. Je n'avais aucune chance que mon plan réussisse. Mais je devais aller jusqu'au bout. Je n'avais pas le choix. Cinq bonnes minutes s'étaient écoulées quand un nouveau M. Muscle est entré. Il était chauve, celui-là. Dan et lui ont échangé un discret hochement de tête.

– C'est OK, Byron ? a demandé Dan.

Byron n'a pas daigné répondre. Il nous a fait signe d'avancer et nous avons traversé une petite cuisine qui donnait sur une véranda. Un bureau ancien et deux immenses plantes en pot y avaient été installés. McAuley était assis derrière le bureau dans un grand fauteuil en cuir bordeaux, comme un roi sur son trône. Il y avait deux piles de papiers à sa gauche, un ordinateur portable en face de lui et une tasse de ce qui semblait être du thé à la menthe à sa droite. Ignorant Dan, il s'est adressé directement à moi.

– Tobey Durbridge, tu es bien la dernière personne que je m'attendais à voir frapper à ma porte. Que puis-je faire pour toi ?

J'ai pris une profonde inspiration.

– Je voulais savoir si votre offre d'emploi tenait toujours ?

McAuley m'a examiné de la tête aux pieds pendant une bonne minute. Personne dans la pièce ne bougeait un muscle. Je me suis forcé à affronter le regard de McAuley.

– Pourquoi es-tu ici, Tobey ?

– Pour un job, monsieur.

– Monsieur ? Toujours aussi poli à ce que je vois.

McAuley s'est penché en avant.

– C'est une chose que j'aime bien chez toi, Tobias Sebastian Durbridge. Tu es toujours si poli.

Il s'était renseigné sur moi. Sinon, comment aurait-il su mon deuxième prénom ? Je ne le donnais jamais à personne – vraiment à personne. Dan ne le connaissait pas. Même Callie ne le connaissait pas. McAuley s'était renseigné sur moi et il voulait que je le sache. Il attendait ma réaction. Mais pas de problème. J'ai rencontré son regard et je n'ai pas cillé. Je devais le convaincre que je n'avais rien à cacher. Byron, le garde du corps de McAuley, se tenait à ses côtés sans prendre la peine de cacher le flingue dans sa main. Byron était une montagne mais je ne doutais pas que ses réflexes étaient d'une rapidité stupéfiante.

– Alors comme ça, tu veux un boulot ? Il me semble me rappeler que tu n'étais pas intéressé, a continué McAuley.

– J'ai changé d'avis, monsieur. J'ai besoin d'argent.

– Qu'est-ce qui s'est passé entre la semaine dernière et aujourd'hui ?

– La réalité m'a sauté à la figure, monsieur.

– Pourquoi je te croirais ?

McAuley était plus immobile qu'une statue. Penché vers moi, il m'étudiait.

J'ai ouvert la bouche pour argumenter mais je me suis ravisé. McAuley n'était pas un imbécile. La pire – et la dernière – erreur que je pourrais commettre serait de le sous-estimer. J'ai haussé les épaules.

– À votre place, je ne me croirais pas non plus.

McAuley s'est de nouveau adossé à son siège et a souri.

– Voilà au moins un point sur lequel nous sommes d'accord.

J'ai acquiescé lentement.

– C'est normal, monsieur McAuley. Je pensais juste vous offrir mes services. Je suis désolé de vous avoir fait perdre votre temps.

J'ai fait demi-tour et je me suis dirigé vers la porte.

– Comment va ta petite amie ? Comment s'appelle-t-elle déjà ? Callie Rose ?

– Ce n'est pas ma petite amie, ai-je répliqué sans m'arrêter.

– Attends ! m'a ordonné McAuley.

J'ai fait volte-face. Il m'a fait signe d'approcher et a montré l'endroit précis où je me tenais une minute plus tôt à côté de Dan. Je m'y suis replacé. Je me sentais comme un petit garçon qui a fait une bêtise devant la maîtresse. C'est exactement ce que voulait McAuley.

– Pourquoi as-tu besoin d'argent ? a-t-il demandé.

– Pour partir d'ici, ai-je répondu. Loin de la Prairie.

McAuley a écarquillé les yeux. J'avais enfin réussi à le surprendre.

– Loin de gens comme moi ? a-t-il repris d'une voix douce en esquissant un sourire.

– Oui, monsieur, ai-je déclaré sans une hésitation.

Dan a failli s'étrangler.

– Tu n'as pas envie de devenir comme moi quand tu seras plus âgé ? a continué McAuley.

– Non, monsieur.

McAuley s'est de nouveau penché sur son bureau. Les extrémités de ses index se touchaient et formaient un triangle avec lequel il s'est tapoté la lèvre. Plusieurs secondes se sont écoulées.

– Tu ne m'aimes pas beaucoup, hein, Tobey ?

– Non, monsieur.

Dan me fixait comme si j'avais perdu la raison.

– Mais tu as envie de prendre mon argent ?

– De le gagner, monsieur.

McAuley s'est mis à rire.

– Je t'aime bien, Tobey Sebastian Durbridge.

Je suis resté silencieux.

– Alors qu'es-tu prêt à faire pour moi ? a lancé McAuley.

– Ce qui me fera gagner le plus d'argent, le plus rapidement possible.

– Et pourquoi te ferais-je confiance ?

– Parce que je suis loyal, travailleur et que je fais ce que l'on me demande. Et je sais aussi quand la fermer.

– C'est vrai, a acquiescé McAuley, mais la loyauté est ce qui compte le plus à mes yeux.

– Je comprends, monsieur.

– J'espère, a grondé McAuley, parce que si je découvre que toi, ou n'importe lequel de mes employés, abuse de ma confiance, il n'y a pas de seconde chance.

Message reçu cinq sur cinq.

– Si vous me donnez ma chance, je ne vous laisserai pas tomber, ai-je promis.

McAuley a jeté un coup d'œil à Byron qui était toujours à ses côtés et lui a adressé un signe de tête. Byron a lentement placé son pistolet sur le bureau et s'est nonchalamment avancé vers nous. Problème. J'ai regardé Byron approcher ; le danger n'était qu'à quelques pas ; je décomptais. McAuley n'avait pas cru un mot de mes propos et, si je quittais cet endroit vivant et en un seul morceau, ce serait un miracle. Une sueur froide a mouillé mon dos et mes aisselles. Qu'est-ce que Byron allait faire ? Me tuer là, maintenant ? Qu'attendait McAuley de moi ? Que je me batte ? Que je le supplie ? Quoi ?

– Monsieur McAuley, je me porte garant pour Tobey, a rapidement lancé Dan avant que Byron soit sur nous.

C'était une tentative courageuse, mais tout le monde dans la pièce savait que Dan gâchait sa salive. Je me suis tourné vers McAuley. Si je devais mourir, je voulais le regarder dans les yeux. Comme un homme. Byron s'est placé entre Dan et moi. J'ai retenu ma respiration. Mais à ma surprise, Byron ne s'en est pas pris à moi. Il a saisi le bras de Dan et l'a tiré en arrière. Dan a poussé un cri de stupeur plus que de peur. Il s'est débattu pour se libérer mais c'était inutile. Il a suffi à Byron de tirer deux ou trois coups secs pour que Dan se tienne tranquille – non sans avoir auparavant gémi sous la douleur. J'ai dévisagé McAuley qui m'observait intensément.

Il a désigné l'arme que Byron avait posée sur son bureau.

– Prends-la.

J'ai avancé pour faire ce qu'il me disait. La crosse était chaude et je ne m'attendais pas à ce que l'arme soit si lourde. Je l'ai ajustée dans ma paume, prenant garde de garder l'index loin de la détente.

– Est-ce que tu sais comment s'appelle cette arme ? m'a demandé McAuley.

C'était un M1911 série 70, simple action, semi-automatique, exclusivement chambré en calibre 45 ACP, capacité de sept coups plus une balle dans la chambre – du moins, s'il n'avait pas été modifié.

– C'est un pistolet, monsieur, ai-je répondu.

– Tu t'y connais, on dirait ! s'est exclamé McAuley ironiquement. Cette arme est en fait très classique. Je répète sans arrêt à Byron qu'il devrait utiliser quelque chose de plus moderne mais il préfère ce modèle.

Pourquoi me racontait-il tout ça ? Comme si j'en avais quelque chose à foutre des joujoux favoris de Byron.

– Cette arme que tu tiens dans ta main, a poursuivi McAuley, est chargée de balles de calibre 45, non explosives et recouvertes de Téflon. Je les fais fabriquer spécialement pour moi.

J'ai voulu reposer l'arme sur la table.

– Tobey, rends-moi un service, a ronronné McAuley. Pointe cette arme sur Dan et tire-lui dessus.

Je n'avais sûrement pas bien entendu.

– Pardon ?

– Tu m'as très bien entendu.

Il a pris sa tasse de thé à la menthe et l'a portée à ses lèvres. Je tenais le pistolet maladroitement et mon regard est allé de Dan à McAuley.

– Vous voulez que…

– Que tu tues ton pote, oui.

La voix de McAuley était douce et collante comme du miel.

Dan m'a regardé, horrifié. Il a tenté de se débattre à nouveau, plus vigoureusement, mais Byron l'immobilisait.

McAuley a haussé un sourcil.

– Alors Tobey ?

– Monsieur McAuley, a supplié Dan. Je travaille pour vous. Je fais du bon boulot.

– Tu as amené un étranger dans ma maison sans te faire annoncer ni attendre d'être invité, a sèchement reparti McAuley. Dans ma maison. Tu ne dois jamais, jamais, amener quelqu'un ici sans ma permission, Dan. Rien que pour ça, tu mérites de mourir.

– Je suis désolé, monsieur McAuley, a hurlé Dan, j'ai fait une connerie. Tobey est mon ami et comme vous lui aviez proposé du travail, je ne pensais pas que...

– Tu ne penses pas, point final, l'a coupé McAuley. Tu es un crétin, Dan, et ça fait de toi un handicap. Tobey, soit tu tires, soit tu me donnes ce flingue que je m'occupe moi-même de mes propres affaires.

Est-ce qu'il m'incluait dans ses « affaires » ?

Sans doute.

J'ai regardé Dan qui tremblait et secouait la tête. L'arme dans ma main était si lourde. Mon père m'avait appris des tas de choses sur les armes avant de partir. Il achetait tout le temps des magazines et il me prenait sur ses genoux. On regardait les photos ensemble et on lisait les caractéristiques de chaque modèle. Mon père ne désirait pas réellement posséder une vraie arme. Il avait quelques répliques, mais il affirmait que c'était pour étudier le mécanisme. La dernière fois qu'il a disparu, Maman a jeté les répliques à la poubelle. C'est à ce moment-là que j'ai compris qu'il ne reviendrait pas. À présent, j'avais un vrai flingue dans la main. Chargé avec de vraies balles.

Lentement, j'ai levé le bras et pointé l'arme sur la tête de Dan.

– Tobey, non, je t'en supplie. Ne fais pas ça... je t'en supplie...

Dan se démenait comme un beau diable pour échapper à la poigne de Byron. En vain.

Les lèvres de Byron étaient une fine ligne qui traversait son visage mais je voyais à l'éclat de ses yeux verts qu'il se délectait de la situation.

– Tobey, non...

Des larmes coulaient sur le visage de Dan. Une tache sombre s'est étalée à l'entrejambe de son jean délavé.

Désolé, Dan. J'ai baissé les yeux pour essayer de me reprendre. Mon arme pendait au bout de mon bras. Lourde. Si lourde.

J'ai tendu le bras.

Je tenais l'arme fermement.

Si je me plante. Si je ne fais pas le bon choix...

Vas-y, Tobey.

Je visais le cœur de Dan.

– Tobey, non ! a hurlé Dan.

Les pieds légèrement écartés, le corps tendu, je me suis concentré sur son visage.

Et j'ai appuyé sur la détente.

Rien.

Il ne s'est rien passé. Juste un clic. Tir à blanc. Pas de détonation. Rien. Pas de recul. Juste un clic. Le clic le plus assourdissant du monde. Et je l'ai à peine entendu à cause des battements de mon cœur. Byron a relâché Dan, qui est tombé à ses pieds en sanglotant.

Je me suis tourné vers McAuley en lui tendant l'arme par la crosse. La détente n'était même pas revenue en position.

– Ce pistolet ne fonctionne pas.

– Ce pistolet n'est pas chargé, m'a informé McAuley.

Il m'a repris l'arme et l'a posée sur la table. Il a bu une gorgée de thé sans me quitter des yeux par-dessus sa tasse.

– Tu me fais vraiment penser à moi, a-t-il dit. Il va falloir que je te surveille de près.

– Est-ce que vous allez me donner du travail, monsieur ?

McAuley a sorti un téléphone et un chargeur d'un tiroir de son bureau et me les a tendus. Puis il a regardé Dan, plein de dédain.

– Dan, tu as de la chance de m'être encore utile. Si tu te plantes encore une fois…

McAuley s'est de nouveau tourné vers moi.

– Garde toujours ce téléphone sur toi, je te contacterai. Maintenant, tire-toi et emmène ton pote.

28.

McAuley n'a même pas autorisé Dan à passer aux toilettes pour se nettoyer. Byron s'est assuré lui-même que nous étions sortis de la maison trente secondes après la fin de notre entrevue avec son boss. C'était étrange de quitter ce lieu, c'était comme fuir la réalité pour entrer dans un monde joyeux et plein de promesses, mais faux et hypocrite. Un monde rempli de gens qui ignoraient l'existence de types comme McAuley. Essentiellement parce qu'ils n'avaient aucune envie de savoir. Contrairement à la connaissance, l'ignorance procurait des nuits de sommeil paisible. Quand la porte s'est refermée sur nous, j'ai pris une profonde inspiration, puis une deuxième. J'étais entré dans la tanière du lion et j'étais ressorti entier. Cette fois... alors pourquoi mon cœur ne battait-il pas plus vite que ça ? Pourquoi n'étais-je pas en train de rendre mes tripes sur le trottoir ? Sans doute parce que mon cerveau turbinait à toute allure et que mon corps, quant à lui, était toujours sur le terrain vague avec Callie. Que Dieu me vienne en aide quand mon corps et mon esprit se rencontreraient à nouveau. Mais avant que ça arrive, j'avais des choses à faire. J'ai enlevé mon T-shirt et je l'ai tendu à Dan.

– Tu n'as qu'à le nouer autour de ta taille, lui ai-je proposé.

Le devant de son jean était toujours bleu foncé.

Dan m'a violemment repoussé. Je ne pouvais pas lui en vouloir. Il s'est passé les mains sur le visage mais ne m'a pas regardé. À chaque pas qui nous éloignait de McAuley, sa peur s'effaçait un peu plus pour laisser place à la rage. Je la sentais irradier. L'éruption était imminente. J'ai renfilé mon T-shirt. Nous avons tourné au coin de la rue et Dan a explosé.

Il m'a poussé contre le mur et m'a collé son avant-bras sur la gorge.

– Espèce de salopard ! Tu as essayé de me descendre !

– Non, ai-je répondu aussi calmement que possible. Le flingue n'était pas chargé.

Dan a appuyé plus fort sur ma gorge.

– Tu le savais pas !

– S... s... si, je le savais.

J'avais du mal à parler avec son bras qui écrasait mon larynx.

– Je... je savais que... c'était un test.

S'il ne me lâchait pas très vite, j'allais devoir agir. Je commençais à avoir mal.

La pression s'est faite moins forte. À peine moins forte.

– Comment tu le savais ?

Son expression était toujours aussi dure.

– Byron était juste derrière toi.

– Et alors ? m'a postillonné Dan au visage.

– McAuley a dit que le flingue était chargé de balles calibre 45, non explosives.

– Et alors ?

– Si j'avais vraiment tiré, la balle aurait traversé ton corps mais également celui de Byron. Peut-être que McAuley en a rien à foutre de ta gueule mais il n'y avait aucune chance pour qu'il risque la vie de son garde du corps. J'étais sûr qu'il bluffait.

Dan m'a fixé. Il m'a lentement relâché avant de reculer. Mais il était toujours furieux.

– Tu aurais pu me prévenir.

– Comment ? McAuley et Byron étaient juste là. Je n'avais pas le choix. Je devais obéir.

– Et si tu t'étais trompé ! s'est écrié Dan.

– Je ne me suis pas trompé.

– Oui, mais si tu t'étais trompé ?

– Je ne me suis pas trompé, ai-je répété.

– Tu m'aurais tué ! a grondé Dan en plongeant son regard dans le mien.

– Mais je ne l'ai pas fait.

Il m'a jeté un œil noir et s'est remis à marcher. Je l'ai rattrapé. J'ai enfoncé mes mains dans mes poches et j'ai fixé un point devant moi. Dan n'arrêtait pas de me regarder de travers.

– Ce qui est arrivé à Callie n'était pas ma faute, a-t-il soudain lâché agressivement.

– Je n'ai jamais dit le contraire.

– Tu penses que c'est ma faute.

– Dan, laisse tomber, ai-je soupiré. C'était un truc qu'on pouvait pas prévoir.

– Je savais pas ce qu'il y avait dans le colis que tu as livré, a repris Dan. Je te le jure.

Je n'ai pas répondu.

– Je sais que tu me crois pas mais c'est la vérité, a-t-il insisté.

– Qu'est-ce qui te fait penser que je ne te crois pas ?

– Ton regard quand tu as appuyé sur la détente...

Dan me contemplait comme s'il me voyait pour la première fois. Ses mots m'ont fait sursauter.

– Tu te trompes, Dan. Et puis, personne ne m'a forcé à livrer ces colis. C'est moi qui te l'ai demandé.

Bien que nous marchions côte à côte, chaque pas nous séparait un peu plus.

– Dan, tu dois me croire, ai-je tenté. Je savais que soit l'arme n'était pas chargée, soit elle était chargée à blanc. Et puis si tu avais été à ma place, tu aurais fait la même chose.

– Je te permets pas de retourner la situation, a enragé Dan. T'étais à ta place, j'étais à la mienne.

– C'est toi qui as dit...

J'ai ravalé le reste de ma phrase. Rien de bien ne sortirait du reste de cette phrase.

– Quoi ?

– Rien.

Bon sang ! En l'espace de quelques minutes, tout avait changé entre nous. Mais je devais compter sur son amitié. Je n'avais pas le choix.

– Dan, tu ferais un truc pour moi ? ai-je fini par lâcher.

– J'ai rien envie de faire pour toi, a rétorqué Dan. Sauf peut-être te coller un pain.

– Mais tu vas quand même m'aider…

J'ai esquissé un sourire las.

– Qu'est-ce que tu veux ?

– S'il m'arrive quelque chose, je veux que tu t'assures qu'il n'arrivera rien à ma mère et à ma sœur.

Dan n'a pas répondu. J'ai risqué un coup d'œil vers lui. Il me regardait. Aucun de nous deux ne souriait. Loin de là.

– Tu me le promets ? ai-je repris.

– Oui, a-t-il fini par acquiescer. Je te le promets.

Deux filles nihils d'à peu près mon âge ou un peu plus âgées se sont avancées vers nous. Dan s'est écarté pour marcher légèrement derrière moi. Il n'avait pas oublié l'état de son jean. Les filles l'ont regardé de haut en bas avant de s'éloigner en riant sous cape. Pourquoi les filles font-elles toujours ça ? Dans le but de se rendre intéressantes ? Attirantes ? Parce que si c'était ça, c'était raté. Elles arrivaient juste à ressembler à des demeurées. Quand elles ont disparu, Dan s'est replacé à côté de moi sans un mot. Le Dan normal n'aurait jamais laissé passer deux filles super mignonnes sans essayer d'obtenir leur numéro de téléphone. Au minimum. Ses mains pendaient, d'une façon faussement naturelle, devant la tache sur son jean. Nous approchions d'une enfilade de magasins quand j'ai eu une idée.

– Attends-moi ici, ai-je lancé à Dan avant de m'engouffrer dans une boutique.

J'ai acheté deux bouteilles d'eau. Par la vitrine, je les lui ai montrées en souriant. Il a froncé les sourcils. En sortant, je lui ai tendu une bouteille et j'ai débouché l'autre. J'ai renversé le contenu sur le T-shirt et le jean de Dan.

– À quoi tu joues ? s'est-il écrié.

Dan sautillait sur place comme si l'eau était bouillante.

Il a essayé de m'arracher la bouteille mais je l'ai esquivé.

– Le meilleur moyen pour cacher une tache, c'est d'en faire d'autres, ai-je lancé.

Comprenant enfin ce que je faisais, il a arrêté de danser. Il n'était pas super content mais il m'a laissé continuer. Quand la première bouteille a été vide, je la lui ai donnée et j'ai repris celle que je lui avais passée. Je la lui ai renversée sur la tête. Et on a tous les deux éclaté de rire. Les gens qui marchaient sur le trottoir faisaient un écart pour nous éviter, sans doute persuadés que nous étions en train de nous engueuler. Les vêtements de Dan étaient trempés. Ses cheveux blonds devenus châtains étaient plaqués sur son crâne comme un bonnet de bain. Nous nous sommes regardés et nous avons cessé de rire. Dan s'est tourné vers le caniveau et, les mains sur les genoux, il a vomi ses dix derniers repas. Je l'ai regardé. Je ne pouvais rien faire. Il a fini par se redresser et a utilisé les dernières gouttes d'eau dans la bouteille pour se rincer la bouche.

– Ça va mieux ? lui ai-je demandé.

L'expression de Dan a répondu à ma question.

– Dis, Tobey, a-t-il commencé calmement, tu aurais fait quoi si tu t'étais rendu compte que le flingue était chargé ?

Nous nous sommes dévisagés. Comment pouvais-je répondre à cette question ?

– Je ne sais pas, ai-je fini par murmurer.

Et c'était vrai.

Dan s'est contenté de hocher la tête. Nous nous sommes dirigés vers l'arrêt de bus.

29.

– *Bien sûr, je regrette profondément que ma petite-fille Callie ait été blessée. Je vais évidemment prier pour elle*, disait Kamal Hadley.

– *Lui rendrez-vous visite ?* a demandé un des journalistes dans la meute qui s'agglutinait devant lui.

– *J'espère sincèrement que le gouvernement tiendra ses promesses et réduira le problème croissant des armes et du crime dans nos rues. Si ma petite-fille a pu être victime de ce genre de situation, alors n'importe qui est en danger. Ce gouvernement manque de la volonté, de l'expérience et, pour parler franchement, des tripes nécessaires pour résoudre cette question. Le peuple de ce pays doit se soulever et réclamer que les rues soient purgées de cette racaille…*

– *Oui, mais irez-vous rendre visite à Callie à l'hôpital ?* a répété le même journaliste.

– *Je n'ai pas d'autres commentaires*, a souri Kamal avec une mine contrite. *J'ai maintenant besoin de passer du temps avec ma famille.*

Kamal Hadley est rentré chez lui, laissant les journalistes aboyer de nouvelles questions. J'ai éteint la télé, le visage dur comme du béton armé. Quel connard ! Il ne mettrait évidemment pas un orteil à l'hôpital de la Pitié, mais il était si sournois qu'il arrivait à le faire croire. Il avait saisi l'occasion pour faire un retour dans l'arène politique, même si c'était en grande partie par sa faute que son parti s'était rétamé aux dernières élections. Callie m'avait raconté des tas de trucs sur son grand-père. La manière dont il avait jeté Sephy hors de chez lui alors qu'elle était enceinte de Callie. Et celle dont il avait claqué la porte au nez de Callie la seule fois où elle avait tenté de le rencontrer.

Mais je devais reconnaître que le voir à la télé avait été instructif. Sa façon de se tenir, de soutenir le regard de tous ceux qui s'adressaient à lui, de baisser la voix pour répondre à une question difficile afin d'indiquer la profondeur de sa sincérité. Le grand-père de Callie était un maître en matière d'hypocrisie et de manipulation subtile. Je pouvais apprendre beaucoup juste en le regardant.

30.

– Tobey, pourquoi cet établissement devrait-il t'engager ?

M. Thomas, le gérant, a jeté un coup d'œil à sa montre en attendant ma réponse.

Cet établissement... Bon Dieu ! Pourquoi il ne disait pas MPLS comme tout le monde ?

M. Thomas était un homme frêle, chauve comme un œuf et plus petit que moi d'au moins une tête. Il n'était pas vraiment maigre, plutôt sec. Le dôme brun foncé de son crâne luisait comme s'il l'avait huilé. Et en quinze minutes, il n'avait pas dû me regarder plus de deux fois.

Après ce qui s'était passé avec McAuley et Dan, quelques jours plus tôt, j'avais passé tout mon temps sur Internet et à la bibliothèque. J'étais resté très peu à la maison et je n'avais pas vraiment prêté attention aux allées et venues de Maman et Jessica. J'avais besoin d'informations, d'autant d'informations que je pourrais me procurer. Mes recherches – qui incluaient la lecture de tout un tas de magazines de ragots sur les célébrités – m'avaient appris que la meilleure façon d'approcher les Dowd était de travailler à MPLS, un des trois meilleurs restaurants de la ville.

Samedi dernier, j'étais allé dans le centre et j'avais rempli un formulaire de demande d'emploi à MPLS. Le jour même, on m'avait demandé de venir pour passer des tests de « niveau de compétence » qui consistaient en QCM de grammaire, de maths et de culture générale. Je pouvais prendre trente minutes pour chaque exercice. J'ai fini en moitié moins de temps, mais je n'ai pas été stupide au point de le faire savoir. MPLS, ou *Merci pour les souvenirs*, comme disaient ceux qui avaient le temps, était manifestement un endroit où on voulait des employés pas trop bêtes, mais pas trop intelligents non plus. C'était il y a deux jours. Ce matin, de bonne heure, j'avais été invité à me présenter à un entretien.

M. Thomas m'a regardé avec impatience. C'était quoi la question, déjà ? Ah oui !

– Eh bien, monsieur, j'apprends vite, on peut compter sur moi et je travaille dur. Et j'ai un peu d'expérience pour avoir travaillé dans un restaurant l'été dernier.

C'était la vérité. Pas toute la vérité, mais la vérité. M. Thomas n'avait pas besoin de savoir que tout ce que j'avais fait lors de ce précédent job avait été d'essuyer les tables et de nettoyer le sol.

M. Thomas feuilletait des papiers sur son bureau sans prendre la peine de me regarder. Il devait avoir entendu cette même réponse des centaines de fois. MPLS était un des restaurants les mieux cotés en ville. La salle était au rez-de-chaussée et au premier étage se trouvait un club du nom de *Le Club* (très ingénieux ! quelqu'un avait dû réfléchir longtemps avant de trouver ça). On pouvait y accéder par une entrée séparée et la rumeur prétendait qu'il y avait aussi une issue secrète pour permettre à la clientèle de célébrités d'éviter les badauds ou les paparazzi. La seule façon de pénétrer dans le Club par le restaurant était de traverser les cuisines à l'arrière du bâtiment. Pour résumer, personne n'entrait au Club sans invitation. MPLS se vantait de n'avoir jamais eu besoin du parrainage de qui que ce soit – riche ou célèbre –, ce qui en faisait évidemment *le* lieu où l'on devait se montrer. J'avais appris tout cela en lisant les permis de construire déposés au cadastre, les rapports, les ragots mondains et tout ce qui m'était tombé sous la main sur le sujet.

MPLS n'avait clairement besoin de personne.

J'avais clairement besoin de MPLS.

J'avais autant besoin d'un job dans ce restaurant que de respirer.

M. Thomas ne me regardait toujours pas. Il fallait que j'agisse, que je trouve quelque chose pour que cet homme se rappelle mon nom. J'ai repris :

– Monsieur Thomas, je suis parfait pour MPLS parce que j'ai fait mes devoirs et que je sais me taire.

M. Thomas a relevé la tête, les sourcils froncés. Enfin, l'entrevue commençait vraiment. J'avais toute son attention. D'abord McAuley et maintenant lui. Ils avaient tous deux besoin d'employés qui savaient garder un silence avisé.

– Que veux-tu dire par « j'ai fait mes devoirs » ? a demandé M. Thomas.

– J'ai fait des recherches sur MPLS avant de venir.

M. Thomas s'est adossé à son siège et a pris la tête du type blasé.

– Et qu'est-ce que tu as trouvé à notre propos sur Internet ?

– Je savais que votre restaurant était un des meilleurs – c'est pour ça que je voulais y travailler –, mais j'ignorais que vous aviez obtenu votre troisième toque au Michelin cette année. Seuls cinq restaurants dans tout le pays peuvent se vanter d'avoir trois toques au Michelin.

J'ai exagéré mon enthousiasme et roulé des yeux émerveillés en me demandant si je n'en faisais pas un peu trop.

Le visage de M. Thomas s'est détendu.

– Oh, je vois. Tu as des ambitions personnelles dans la restauration ?

J'ai acquiescé vigoureusement.

– J'aimerais posséder mon propre restaurant un jour. Oh, rien d'aussi chic que MPLS, peut-être un bistrot ou des chambres d'hôtes sur la côte… Pourquoi pas ?

– Oui, pourquoi pas…

M. Thomas n'a pas cherché à dissimuler son sourire condescendant.

– Je pense que quelques années à MPLS m'apprendront tout ce que j'ai besoin de savoir avant d'ouvrir mon propre… établissement. Donnez-moi juste une chance, monsieur Thomas. Je ne vous laisserai pas tomber.

– Hmm.

M. Thomas a regardé mon formulaire de demande d'emploi et mes résultats aux tests.

– OK, Tobey, tu as le boulot. Quand peux-tu commencer ?

Un sourire de pur soulagement s'est étalé sur mon visage. Presque 100 % authentique.

– Demain soir ?

– Demain soir, parfait ! Tu travailleras du mardi au samedi, de dix-huit heures à une heure et demie du matin, et tu auras tes dimanches et tes lundis libres. Tu auras droit à deux pauses que tu négocieras avec Michelle, ta supérieure directe. Tu dois porter un pantalon noir et une chemise blanche à manches longues qui ne sont ni l'un ni l'autre fournis par la maison. Ils doivent être toujours propres et repassés. Nous te donnerons un nœud papillon et deux gilets. Tu seras tenu responsable de la propreté des gilets. Si tu les perds, l'argent pour les remplacer sera prélevé sur ton salaire. Tu seras payé au minimum mais tu peux garder les pourboires. Si tu travailles bien, tu peux gagner beaucoup en pourboires. Des questions ?

Des centaines. Du genre : où était Ross Resnick, le directeur de MPLS ? On ne l'avait pas vu depuis deux semaines, et encore : il ne s'agissait que de son petit doigt. Le reste du personnage avait disparu dans un trou noir sans doute créé par McAuley. Et les Dowd ? Que pensaient-ils de la disparition d'un de leurs employés ? Après tout, il était de notoriété publique qu'ils étaient les propriétaires de MPLS. Agissaient-ils pour retrouver Resnick sain et sauf ? Des questions ? Tu parles !

J'ai secoué la tête.

– Sois là demain à dix-sept heures trente. On te fera visiter les lieux. Demande Michelle. Elle te dira tout ce que tu dois savoir.

M. Thomas s'est levé, indiquant ainsi que l'entrevue était terminée. Il a tendu le bras et je lui ai serré la main avec zèle. Tout ça pour un putain de boulot de serveur. Mais bon, ça valait le coup. J'avais le boulot. Je m'approchais pas à pas de mon but.

J'ai débuté à MPLS le mardi soir, après avoir juré à ma mère que ce n'était qu'un job de vacances. Le samedi suivant, à la fin de mon service, j'avais mal à des endroits de mon corps dont j'avais jusque-là ignoré l'existence. Mes chevilles, mes mollets, mes cuisses, mes fessiers, la plante de mes pieds et même mes doigts criaient de fatigue et de douleur. J'avais passé mes soirées à me déplacer à toute vitesse comme si j'avais un propulseur au derrière. C'est ce que faisaient tous les serveurs et pourtant certains clients se plaignaient de la lenteur du service. J'avais mal à la mâchoire d'avoir tant souri en écoutant les reproches des uns et les insultes des autres se plaignant que la nourriture était froide alors qu'ils avaient passé vingt minutes à discuter avant de se décider à prendre leurs couverts pour manger. Zara, une serveuse nihil d'environ vingt-cinq ans qui m'avait pris sous son aile, travaillait à MPLS depuis presque trois ans. Et chaque soir, elle jurait qu'elle ne reviendrait pas le lendemain. Mais elle restait. Pour une raison très simple.

– L'argent, m'a-t-elle expliqué. Alors, je serre les dents, j'acquiesce et je courbe l'échine quand un crétin me met la main aux fesses ou essaie de me peloter les nichons, m'a-t-elle expliqué durant une de nos pauses d'un quart d'heure.

Je l'ai regardée enlever ses chaussures et se masser les pieds. Et j'ai écouté. Tant pendant le service que pendant les pauses, je ne faisais que ça : écouter.

– Certains habitués pensent que le droit de toucher est compris dans la note, a repris Zara, dégoûtée. C'est pour ça que nous les filles, on appelle ce restau *Merci pour les seins*. À mon dernier jour, y en a un paquet qui vont se prendre la gifle qu'ils méritent !

M. Thomas n'avait pas menti. Les pourboires étaient élevés. Chaque soir, je gagnais trois fois plus à MPLS qu'en vendant des téléphones. Ce n'est pas la raison pour laquelle je travaillais ici mais ça ne faisait pas de mal.

Il y avait deux vestiaires, un pour les hommes, l'autre pour les femmes. Tous les employés, quel que soit leur grade, se changeaient là, mais ceux qui travaillaient au Club daignaient rarement nous adresser la parole. Je n'avais pas pu m'empêcher de remarquer que la plupart des employés du Club étaient des Primas alors que ceux du restaurant étaient quasiment tous des Nihils.

J'ai enlevé mon nœud papillon et mon gilet arc-en-ciel que j'ai accrochés à un cintre dans mon casier. À ce moment, Michelle, ma supérieure, est entrée dans le vestiaire des hommes. Deux types ont dû attraper une serviette pour couvrir leurs bijoux de famille mais personne n'a protesté. Ce n'était apparemment pas la première fois que ça arrivait.

– Angelo, on a un problème d'effectif au Club demain, donc tu travailleras à l'étage avec…

Elle a jeté un regard autour d'elle.

– … avec toi, Keith et… toi aussi, Tobey.

– Mais je ne travaille pas le dimanche, ai-je protesté.

– Maintenant si, a rétorqué Michelle.

MPLS était fermé le dimanche. Qu'est-ce qui se préparait ?

– On reçoit une soirée privée. Elle commencera à vingt-deux heures et ne se terminera sans doute pas avant l'aube.

– Mais, le dimanche… ai-je objecté de nouveau.

– Vous serez payé trois fois plus si c'est ce qui te tracasse, a lancé Michelle, agacée. Il y a toujours un problème ?

– Qui organise cette soirée ? ai-je demandé.

– Rebecca Dowd.

J'ai eu l'impression qu'une poigne de fer étreignait mon estomac. Rebecca Dowd… j'ai essayé de prendre l'expression la plus neutre possible.

– C'est qui ?

Les yeux de Michelle se sont écarquillés. Pas seulement les siens d'ailleurs. Tous ceux qui m'avaient entendu me regardaient comme si j'étais débile.

– La fille de Vanessa Dowd ? La sœur de Gédéon et d'Owen Dowd ? Ces noms te disent quand même quelque chose ?

Mon visage éberlué devait être convaincant. Michelle a soudain pris un air de pitié.

– Bon sang, Tobey ! Tu ne sais donc rien ?

J'ai haussé les épaules.

– Je suis ici pour apprendre.

– Contente-toi déjà d'être là à neuf heures et demie demain soir, a sèchement ordonné Michelle.

– Comment je rentrerai à la maison après ?

– C'est pas mon problème !

Sur ces mots, Michelle est sortie. Angelo a secoué la tête et Keith avait l'air complètement abattu.

Moi ? J'étais extatique ! Une soirée privée un dimanche soir et qui risquait de durer jusqu'aux petites heures du matin, ça voulait dire que j'aurais un mal de chien à dégotter un moyen de locomotion pour rentrer à la maison. Si je ne trouvais pas de bus, j'étais bon pour une marche de deux heures et demie. Mais je m'en fichais.

J'allais rencontrer les Dowd.

31.

– Callum, j'ai besoin de ton aide. De la tienne aussi, Maman. Si l'un de vous deux m'entend, quelque part, je vous en supplie, protégez Callie. Ne laissez pas ma fille passer de l'autre côté. Je sais qu'il n'est écrit nulle part que la vie doit être juste mais s'il vous plaît, faites en sorte que Callie reste en vie. Meggie a traversé tant d'épreuves. Moi aussi. M'enlever

Callie serait injuste. Je sais que c'est égoïste mais ça m'est égal.

« Callum, ramène-moi notre fille. Son corps est là mais son esprit s'est envolé. Les médecins ne comprennent pas pourquoi elle ne s'est pas encore réveillée. Un des médecins m'a demandé si Callie était combative. Je lui ai dit oui. Car notre fille est plus que combative, c'est une battante. Callum, ne laisse pas ta fille oublier ça. Rappelle-lui tout ce qu'elle attendait de la vie. Rappelle-lui combien je l'aime.

« Maman, ton humour et tes conseils me manquent. Tu me manques. Je viens parler à Callie tous les jours. Je lui donne les nouvelles et je lui parle de choses et d'autres. Je ne sais pas si elle m'entend, peu importe. Mais si elle ne m'entend pas, je suis sûre qu'elle peut t'entendre, toi. Renvoie-la-moi, Maman.

« S'il te plaît.

S'il te plaît…

J'étais adossé au mur, la tête basse, et j'écoutais les mots de Sephy se transformer en sanglots. Je m'étais dit qu'un dimanche après-midi, j'aurais une chance de voir Callie un long moment. Mais sa mère était là avant moi. Une infirmière m'avait fait entrer dans le service et était repartie aussitôt. J'ai entendu la mère de Callie en approchant de la chambre. Elle parlait à voix basse mais, à part le ronronnement des machines et le bip régulier des moniteurs, il n'y avait aucun bruit. Peut-être que je n'aurais pas dû écouter. Une part de moi voulait entrer dans la chambre et partager ma douleur avec Sephy, mais c'était impossible. Deux infirmières venaient vers moi dans le couloir ; il était temps de prendre une décision. J'ai brièvement fermé les yeux.

À demain, Callie.

Il était temps de partir.

32.

Le dimanche soir, tous les serveurs (tous des hommes sauf Michelle qui supervisait) ont été emmenés au Club quinze minutes avant l'arrivée des invités. Les tâches et les secteurs ont été répartis.

– Tobey, tu circuleras avec un plateau de différentes boissons, m'a informé Michelle. Ceux qui désirent une consommation particulière devront aller au bar. Assure-toi que ton plateau n'est jamais vide. Tu pourras prendre dix minutes de pause à minuit, c'est tout.

J'ai acquiescé. Je l'avais à peine écouté, trop occupé à découvrir les lieux. C'était la première fois que j'entrais dans le Club et c'était quelque chose. Je n'avais jamais rien vu de tel. Des statues plus ou moins déshabillées ornaient les alcôves autour de la salle principale et les plafonds étaient drapés de soie jaune, orange et rouge. La piste de danse était immense et éclairée de spots de toutes les couleurs. De l'autre côté, il y avait le bar et, derrière, la petite cuisine qui servait à préparer les sandwichs ou, comme ils disaient ici, les canapés. Des tables et des chaises étaient dispersées autour de la piste de danse, des banquettes bordaient les murs. Une odeur fleurie flottait, pourtant il n'y avait pas une seule fleur en vue. Je suis allé au bar chercher mon premier plateau de boissons.

– Eh mec, j'espère que tu portes des sous-vêtements en titane, m'a murmuré Angelo.

– De quoi tu parles ?

– Tu vas voir, a lancé Angelo avec un sourire.

Les premiers invités sont arrivés et la soirée a officiellement débuté. J'ai demandé à Angelo de me désigner Rebecca. Elle était plus petite que je ne m'y étais attendu, elle ne mesurait pas plus d'un mètre cinquante-cinq. Elle n'était pas vraiment maigre mais pas loin. Elle portait ses cheveux en petites tresses qui arrivaient au niveau de ses épaules. Elle était un peu trop maquillée à mon goût, mais je n'y connaissais pas grand-chose. Elle portait une robe rouge sans manches assortie à ses sandales à talons et elle était époustouflante. La robe était décolletée devant et derrière et flottait autour de ses cuisses à chacun de ses mouvements. Même d'où j'étais, je voyais les diamants de ses oreilles étinceler, ainsi que les pierres à son cou. Joyeux dix-huitième anniversaire ! Je l'observais sous toutes les coutures, je buvais les traits de son visage : ses yeux de chat, un peu trop écartés, ses lèvres rouge foncé, son front haut. Un Prima assez grand mais à la silhouette épaisse s'est approché d'elle et a posé un bras autour de ses épaules. Elle lui a souri, l'air amusé. Il a répondu à son sourire avec une affection sincère et les rides autour de ses yeux se sont creusées. Il avait au moins trente ans. Peut-être trente-deux.

– C'est qui, le type qui la tient par l'épaule ? ai-je glissé à Angelo.

– C'est son frère Gédéon. Vaudrait mieux pour toi qu'il te voie pas reluquer sa petite sœur. Et je vais te dire autre chose : Gédéon est pas un gentil mais c'est un nounours comparé à son petit frère Owen.

– Pourquoi ? Qu'est-ce qu'il a, cet Owen ?

– Il est ambitieux, malin et sans scrupules.

– Il est là ce soir ?

– C'est le type en costume bleu qui vient d'entrer.

J'ai essayé de regarder mais j'ai juste réussi à l'apercevoir avant que Rebecca le serre dans ses bras. Le Club commençait à se remplir et ça devenait difficile d'avoir plus qu'une vue partielle. Je me suis déplacé de quelques pas pour mieux voir et j'ai mémorisé son visage avant de retourner au bar.

– Pourquoi t'es tellement intéressé par Gédéon et Owen ? m'a demandé Angelo.

– J'ai pas envie de m'attirer des ennuis en marchant sur des orteils que j'aurais dû éviter, lui ai-je répondu.

Apparemment, il n'était pas prévu que Vanessa Dowd soit présente. Angelo m'a dit qu'elle s'aventurait rarement hors de chez elle. Il en parlait comme d'une marionnettiste, œuvrant d'en haut et tirant toutes les ficelles, y compris des membres de sa famille. Il était temps de se mettre au travail. Je suis retourné au bar chercher mon plateau et je me suis engouffré dans la foule de plus en plus compacte.

Vers minuit, le dix-huitième anniversaire de Rebecca Dowd battait son plein. La musique était assourdissante, le Club était bondé et la plupart des invités étaient soûls. Les canapés et les petits-fours faisaient le tour mais la nourriture solide avait moins de succès que les boissons. Mon travail consistait à louvoyer entre les gens et à les laisser échanger leurs verres vides contre des verres pleins. Quand mon plateau contenait plus de verres vides que de verres pleins, j'allais au bar et je reprenais un chargement. Personne n'avait rien à débourser. La nourriture et les boissons étaient offerts par la maison, ou plus exactement par les Dowd. Il y avait plus de cent personnes, des Primas pour la plupart, mais presque cinq pour cent de Nihils. Je me suis demandé combien de ces personnes étaient de véritables amis de Rebecca Dowd. J'aurais parié pour moins de dix.

En une heure, on m'avait tellement pincé les fesses qu'elles devaient être bleues et il n'y avait pas un centimètre de mon corps qui n'avait pas été tâté. Je comprenais mieux l'avertissement d'Angelo à propos des sous-vêtements en titane. Mais mes poches étaient également pleines de billets – et de quelques numéros de téléphone. L'argent ne me rendait pas du tout coupable. Selon la manière dont je voyais les choses, je le gagnais. À minuit, je commençais à avoir mal à la tête et je titubais de fatigue. Heureusement, l'heure de ma pause était arrivée et c'était maintenant ou jamais. Je me suis faufilé dans la foule à la recherche de ma proie. Je l'ai enfin trouvé, adossé contre une porte. Je me suis aussitôt dirigé vers lui.

– Monsieur Dowd, puis-je vous parler ?

Je devais élever la voix pour avoir une chance d'être entendu.

Owen Dowd a froncé les sourcils.

– À quel propos ?

– Alex McAuley.

J'avais éveillé son attention.

– Quoi ?

– Puis-je vous parler en privé ?

Owen Dowd m'a dévisagé.

– Je ne prendrai que cinq minutes de votre temps, lui ai-je promis.

Owen a sorti une clé de sa poche et a ouvert la porte derrière lui. Il m'a fait signe de passer devant lui. Il ne prenait aucun risque. Je suis entré et me suis aussitôt retourné vers lui. Moi non plus, je ne voulais pas prendre de risque. Owen a allumé la lumière et fermé la porte avec un cliquetis de mauvais augure. Le bruit provenant du Club a immédiatement cessé comme s'il avait éteint une radio. La pièce devait être bien isolée. J'ai regardé autour de moi. C'était un petit bureau, avec une fenêtre de la taille d'un poster derrière une table démesurée. Le store bleu foncé était baissé. Sur le bureau étaient posés des chemises couleur sable et un ordinateur portable. Le sol était moquetté de bleu marine, ce qui rendait la pièce encore plus petite.

– Comment tu t'appelles ? m'a demandé Owen.

– Tobey Durbridge.

– De quoi tu veux me parler ? J'espère pour toi que c'est intéressant.

Sans perdre un instant, je lui ai tout expliqué.

Il ne me restait que cinq minutes sur ma pause. Le restaurant était fermé et je n'avais pas envie de discuter avec qui que ce soit dans le vestiaire. Je suis donc monté sur le toit, en espérant que la porte d'accès serait ouverte. C'était le cas.

Au moment où j'ai mis le nez dehors, j'ai pris une grande inspiration. Après l'atmosphère bruyante et étouffante du Club, j'avais besoin de fraîcheur. L'unité d'air conditionné ronronnait au milieu de la terrasse, poussant parfois des grognements sourds comme un animal blessé. Je me suis approché du bord pour regarder en bas. Sous mes pieds, la musique vibrait et pénétrait dans mon corps. J'ai levé les yeux. Jamais les étoiles ne m'avaient paru si lointaines. J'ai regardé en bas. Deux étages et le sol. Plus je fixais le trottoir, plus il semblait se rapprocher, mais je ne voulais pas tourner la tête. C'était toujours mieux que de voir Callie au-dessus de moi, du sang sur la poitrine. Mieux que de fermer les yeux et de voir Callie à l'hôpital pendant que les médecins et les infirmières essayaient de la ramener à la vie.

– Vous comptez vous jeter ?

La voix m'a fait sursauter. J'ai fait volte-face. C'était Rebecca Dowd. Elle se tenait près de l'unité d'air conditionné. Depuis combien de temps était-elle là ? Je l'ai dévisagée d'un air perdu.

Rebecca a souri, sans doute amusée par ma ressemblance avec un poisson rouge. J'ai refermé la bouche et essayé de donner l'impression que mon QI était plus élevé que mon âge.

– Excusez-moi, ai-je marmonné. Vous m'avez surpris.

– Vous n'allez pas sauter ?

Elle avait l'air inquiet.

– Je n'en avais pas l'intention, non.

– Ah, je préfère.

Rebecca a laissé échapper un soupir de soulagement.

– Parce qu'il aurait fallu que j'essaie de vous parler et je ne suis pas très forte pour ce genre de choses.

– Je comprends, ai-je souri.

J'ai de nouveau levé la tête vers le ciel, absorbant le plus de paix possible avant de retourner dans l'arène.

– Vous allez bien ? m'a demandé Rebecca. Vous avez l'air… épuisé.

– Non, ça va. Je suis seulement à des années-lumière d'ici.

– Pas dans un endroit très agréable si on se fie à votre mine, a-t-elle remarqué.

– Ma petite amie me manque, ai-je avoué.

– Oh ? Où est-elle ?

Comment répondre ?

– Nous ne sommes plus ensemble.

– Oh, je suis désolée.

J'ai haussé les épaules. Il valait mieux changer de sujet.

– Pourquoi êtes-vous montée ?

Rebecca a soupiré et s'est avancée vers moi.

– Pour trouver un peu de paix et de calme, a-t-elle murmuré.

– Moi aussi. Mais si je vous dérange, je peux partir.

– Non, pas de problème. Vous pouvez rester.

J'ai souri.

– Je m'appelle Tobey.

– Beck, s'est présentée Rebecca en me tendant la main.

J'ai dû faire un pas vers elle pour la serrer.

– Salut, Beck. Alors comment vous trouvez cette soirée ?

– Pas mal.

La réponse de Rebecca était ostensiblement tiède.

– Je n'aime pas beaucoup les soirées, a-t-elle ajouté. Et vous ? Comment vous la trouvez ?

– Eh bien, je ne suis pas vraiment un invité, ai-je lancé en montrant mon gilet de serveur.

– Vous êtes justement très bien placé pour me donner un avis objectif, a répliqué Rebecca.

J'ai réfléchi.

– Je n'aime pas tellement les soirées moi non plus. Je préfère un bon film suivi d'un bon repas.

– Moi aussi ! s'est-elle exclamée.

Nous avons échangé un sourire.

– Mais la plupart des gens présents semblent s'amuser. ai-je repris. Et de toute façon, demain matin, ils ne se rappelleront pas si la soirée était bonne, moyenne ou nulle.

– C'est vrai, a acquiescé Rebecca avec une pointe d'amertume, alors pourquoi se donner du mal ?

– Excusez-moi de vous poser la question mais est-ce que vous ne seriez pas Rebecca Dowd ? Est-ce que ce n'est pas votre fête d'anniversaire ?

– Oui, a-t-elle reconnu. Mais elle a plus été organisée pour faire plaisir à ma mère qu'à moi. On parlera de cette soirée dans tous les magazines people et dans un tabloïd ou deux, avec photos des habitués, et ma mère affirmera que mon anniversaire a été un succès.

– Les habitués ? ai-je demandé.

– Oui, tous ces gens qui iraient à l'ouverture d'une porte de réfrigérateur s'ils étaient sûrs d'avoir leur photo dans le journal.

J'ai contemplé Rebecca. Je l'avais imaginée comme une petite princesse gâtée qui pensait que la Terre tourne autour d'elle et qui ne se préoccupait que des plis de sa robe ou de la marque de ses chaussures.

– Qu'est-ce qu'il y a ? m'a-t-elle demandé en se passant la main dans les cheveux.

– Rien… c'est juste que vous n'êtes pas du tout comme je croyais.

– Je suis mieux ou moins bien ?

– Beaucoup mieux, ai-je souri.

Nous sommes restés côte à côte un moment à regarder la ville. La circulation, les lumières. Nous avons écouté les sirènes en fond sonore. J'avais envie de tendre la main, de tout prendre pour le mettre au fond de ma poche. Mais je me suis délibérément tourné pour faire face à Rebecca.

– Qu'avez-vous eu pour votre anniversaire ? lui ai-je demandé.

Rebecca a porté la main à son cou.

– Ce collier entre autres.

– Il est très beau.

– Vous l'aimez vraiment ?

Sa voix était pleine de doute.

– Eh bien, je ne le porterais pas, mais il vous va très bien.

– Je le trouve un peu… voyant, a murmuré Rebecca, mais Maman tenait absolument à ce que je le mette.

– Ça pourrait être pire, ai-je lancé.

J'ai fait un pas vers elle. Rebecca n'a pas reculé. J'ai pris le collier dans ma main pour l'observer de plus près. Le métal sous mes doigts irradiait encore la chaleur de sa peau. La chaîne était soit en or blanc soit en platine. J'aurais plutôt dit platine. Ce n'était sûrement pas de l'argent. Le pendentif était une croix ornée d'au moins neuf diamants d'un demi-carat chacun. Je ne m'y connaissais pas vraiment en diamants ou pierres précieuses mais il m'arrivait de regarder dans la vitrine du bijoutier en rêvant de la montre ou des bijoux que je pourrais acheter à Callie si j'étais assez riche. Le collier de Rebecca aurait été magnifique au cou de Callie, il serait parfaitement ressorti sur sa peau dorée.

– Tobey ?

La voix de Rebecca m'a tiré de mes pensées et j'ai immédiatement lâché la chaîne.

– Désolé, je me suis perdu, ai-je murmuré.

– Tu étais encore avec ta petite amie ?

J'ai haussé les épaules sans chercher à nier.

– Tu étais très amoureux d'elle ?

C'était… la seule chose sur laquelle je ne pouvais pas mentir. Je préférais ne pas en parler.

– Comme je vous l'ai dit, c'est fini.

– Peut-être que…

– Tobey ! Qu'est-ce que tu fous ? Ta pause est terminée depuis dix minutes !

Michelle semblait prête à me tordre le cou.

– Michelle, s'il te plaît, est aussitôt intervenue Rebecca. Ne te fâche pas. Il me tenait compagnie.

– Oh, mademoiselle Dowd, je suis désolée, je ne vous avais pas vue.

La voix de Michelle s'était faite servile.

– J'espère que Tobey n'aura pas de problème à cause de moi, a repris Rebecca.

– Bien sûr que non, mademoiselle, s'est empressée de répondre Michelle. Tobey, tu peux prendre tout ton temps.

Elle a fait demi-tour et s'est dirigée vers la porte pour redescendre.

– Non, c'est bon, Michelle. Je retourne travailler, l'ai-je rappelée.

Je ne voulais surtout pas perdre mon travail. Pas tout de suite. Je me suis tourné vers Rebecca.

– Ravi de vous avoir rencontrée, Beck.

Michelle avait déjà quitté le toit. Je suppose qu'il ne valait mieux pas déranger un Dowd, quel qu'il soit.

– Dommage que nous ayons été interrompus, a dit Rebecca. J'ai pris beaucoup de plaisir à discuter avec toi.

Quelque chose dans sa voix m'a fait dresser l'oreille.

– Vous dites ça comme si peu de gens discutaient avec vous, ai-je remarqué, surpris.

– C'est le cas, a répondu Rebecca. Les gens s'adressent à moi, parlent, essaient d'attirer mon attention. Il est très rare qu'ils discutent avec moi. Encore moins qu'ils m'écoutent.

– J'aime bien écouter, ai-je lâché.

– Je m'en suis rendu compte, a murmuré Rebecca. Ta petite amie a été stupide de te quitter.

Je n'ai pas pris la peine de corriger cette assertion.

– Je ferais mieux d'y retourner. J'espère seulement que j'aurais assez de force pour rester debout jusqu'à la fin.

J'ai souri pour alléger mon propos, mais j'étais vraiment inquiet.

– Ne t'en fais pas, m'a rassuré Rebecca, dans une heure au plus, ce sera fini et tu pourras rentrer chez toi.

J'ai soupiré.

– Il va me falloir marcher pendant trois heures, alors je n'ai pas vraiment hâte.

– Trois heures ? Pourquoi ? Où est-ce que tu habites ?

– À la Prairie. J'ignorais avant ce soir qu'aucun bus de nuit ne fait le trajet jusque là-bas un lundi matin.

– Oh, je vois.

– Peu importe. Amusez-vous bien, Beck.

– Je vais essayer, a-t-elle répondu. C'était très agréable de discuter avec toi.

– Avec vous également, ai-je lancé.

Et je suis redescendu.

Quand j'ai enfin quitté le Club, il était trois heures du matin. Je n'arriverais à la maison que longtemps après l'aube et je n'avais qu'une envie : me jeter tout de suite dans mon lit. Mes pieds étaient affreusement douloureux. Ce serait forcément pire après trois heures de marche. Bon sang !

J'avais demandé à Michelle si je pouvais rester dans le vestiaire jusqu'à l'heure du premier bus, mais elle avait répondu par une fin de non-recevoir.

– Impossible ! C'est contre tous les règlements sanitaires et de sécurité. De plus, tu déclencherais l'alarme. Et d'ailleurs, M. Dowd ne le permettrait jamais.

J'ai regretté de lui avoir posé la question.

– T'aurais pas dû demander, m'a chuchoté Angelo. T'aurais juste dû le faire.

De toute façon, à présent, c'était trop tard.

Après avoir salué les autres serveurs, je suis parti. L'idée de dormir dans le renfoncement d'une porte jusqu'à ce que mon corps et tout particulièrement mes pieds soient moins douloureux, me semblait de plus en plus séduisante. Je ne marchais que depuis quelques minutes quand une limousine a ralenti à côté de moi. La vitre arrière s'est baissée.

– Coucou, Tobey.

Rebecca s'est penchée à la fenêtre.

– Tu veux qu'on te dépose ?

J'ai jeté un regard au chauffeur prima qui gardait les yeux fixés sur le pare-brise. J'ai examiné les lignes élégantes du luxueux véhicule. Si je voulais monter dans cette voiture ? Bon Dieu, oui !

– Merci Rebecca, ai-je souri. J'adorerais.

Rebecca Dowd me ramenait chez moi. Quelle étrange nuit !

33.

Maman a insisté, insisté jusqu'à ce que j'abandonne et la laisse me préparer un petit déjeuner.

– Je sais que ton travail te rapporte de l'argent, a-t-elle marmonné, mais je ne suis pas très contente de tes horaires. Tu es un jeune homme en pleine croissance. Tu as besoin de sommeil et de repas réguliers.

– Maman, tu fais des histoires pour rien, ai-je soupiré. C'est juste en attendant la rentrée. J'arriverais bien à survivre jusque là. Et puis, je ne dois pas y retourner avant demain soir.

À vrai dire, j'étais encore tellement fatigué que j'avais envie de manger vite fait et de retourner me jeter dans mon lit. Jessica était au travail et Maman avait un de ses rares jours de congé. Quand elle ne travaillait pas à l'hôpital, elle faisait des visites à domicile. Les frais de scolarité de Jessica et les extras pour le lycée nécessitaient qu'elle travaille presque sans arrêt. Mais un jour, tout ça changerait. Un jour, c'est moi qui payerai pour elle et je lui achèterai tout ce dont elle pourra avoir besoin.

– Je veux que tu quittes cet emploi une semaine avant la reprise des cours, a continué Maman. Tu devras te réhabituer à dormir la nuit et à te réveiller à des heures raisonnables.

– Oui, Maman, ai-je acquiescé.

Il était inutile de discuter. Et puis, Maman aurait dû suivre son propre conseil. Elle avait maigri et elle semblait sur le point de se casser en deux. Pendant qu'elle me préparait de quoi manger, je suis allé prendre une douche rapide. J'ai ensuite renfilé mon pyjama et je suis descendu dans le salon. J'avais allumé la télé et commencé à zapper quand Maman est entrée et m'a tendu une assiette d'œufs brouillés et des sandwichs. Elle a froncé les sourcils.

– Tu as l'intention de prendre une douche aujourd'hui, j'espère.

– Je viens de le faire.

– Et tu as remis ton pyjama ?

Les sourcils de Maman exécutaient une danse de désapprobation.

– Ouais.

– Comment peux-tu prendre une douche et remettre ton pyjama ! s'est-elle exclamée.

– Comme ça, ai-je lancé, content de moi. Et tu sais quoi ? Après, je retourne me coucher.

– Pas trop longtemps, alors, a râlé Maman.

J'ai mordu dans mon sandwich et, avec ma main libre, j'ai continué à zapper. Je suis tombé sur les infos et j'allais à nouveau changer de chaîne quand Maman m'a arraché la télécommande.

– Laisse ça, a-t-elle soufflé.

Elle s'est assise à côté de moi pour regarder tout en buvant son café. J'ai continué de manger.

– ... tôt ce matin, la Milice de libération a garé une voiture piégée devant le ministère de l'Industrie et du Commerce à Silver Square, à seulement deux kilomètres du Parlement. Un avertissement a été donné par téléphone une heure avant l'heure prévue de l'explosion et la police a immédiatement fait évacuer les lieux. La bombe a été désamorcée par l'armée et il n'y a eu aucun blessé. Nous nous adressons à présent au ministre du Commerce, Pearl Emmanuel, qui se trouve dans nos studios de Westminster. Dites-nous, madame le ministre, que pensez-vous...

Maman a éteint la télé.

– Qu'est-ce qui ne va pas dans la tête de ces gens ? a-t-elle grondé.

– Pourquoi tu dis ça ? lui ai-je demandé, la bouche pleine.

J'ai regardé l'écran noir. Pourquoi avait-elle éteint ? Même les infos, c'était mieux que rien.

– La Milice de libération, a repris Maman, presque en colère. Le décret pour l'égalité des lois est sur le point d'être voté. Pourquoi ne laissent-ils pas une chance à ce gouvernement ?

– Ils veulent peut-être juste s'assurer qu'il ne reviendra pas sur sa parole, ai-je suggéré.

Après tout, ce ne serait pas la première fois.

– Mais le gouvernement tiendra parole, s'est énervée Maman. Il serait stupide ou suicidaire de retirer le décret maintenant. La Milice de libération est sur le point d'obtenir ce pour quoi elle s'est battue, alors pourquoi continuer à poser des bombes ?

– Peut-être qu'elle essaie de rappeler au gouvernement qu'elle est toujours là et qu'elle l'a à l'œil, ai-je tenté avant de mordre à nouveau dans mon sandwich.

– Si la Milice de libération ne fait pas plus attention, a rétorqué ma mère, le peuple va se retourner contre elle. Elle ne sert plus notre cause. Plus maintenant.

J'ai pris une nouvelle bouchée.

– Tu sais quoi, a-t-elle continué, les yeux plissés, cette bombe, c'est le dernier sursaut d'un groupe terroriste à l'agonie.

– Peut-être qu'il leur reste des explosifs et qu'ils veulent les utiliser pour ne pas gaspiller, ai-je plaisanté.

Maman m'a jeté un regard noir.

– Ce n'est pas drôle, Tobey.

J'ai soupiré.

– Je sais, mais bon, ils ont quand même changé leurs méthodes. À une époque, ils ne prévenaient pas la police quand ils avaient mis une de leurs putains de bombes.

– Ils ne devraient plus en poser du tout ! a déclaré Maman. Et arrête de parler grossièrement.

– Quoi ? Époque, c'est pas grossier !

– Ha ha ! a fait semblant de rire Maman.

Elle m'a tendu la tasse de café avant de se lever.

– C'est pour toi.

J'ai regardé la tasse vide.

– Tu as tout bu.

Maman a souri.

– Je sais.

Et elle est sortie du salon.

– Ha ha ! ai-je lancé.

– Arrête d'être grossier !

J'ai lavé mon assiette et la tasse de Maman avant de retourner me coucher. J'avais à peine tiré la couette sur moi que mon portable a sonné. J'ai regardé si c'était celui que McAuley m'avait donné. Non. C'était le mien. J'ai décidé de changer la sonnerie sur celui de McAuley pour savoir sans avoir besoin de vérifier.

– Allô ?

– C'est moi. J'ai réfléchi à ta proposition.

Pas de bonjour. Peu importait. J'avais reconnu la voix d'Owen Dowd. Je me suis assis dans mon lit.

– À mon avis, je n'ai rien à perdre.

– Vous avez parfaitement raison, monsieur Dowd, ai-je acquiescé. Vous n'avez rien à perdre.

– Et tu penses vraiment que tu en es capable ?

– J'en suis sûr.

– OK. J'en suis. Pour le moment.

– Vous ne le regretterez pas, ai-je lâché en retenant un soupir de soulagement.

– Non, mais toi tu le regretteras si tu essaies de me planter un couteau dans le dos, m'a averti Owen. Je considérerai que tu vaux quelque chose quand tu auras obtenu l'information que tu m'as promise hier soir.

– Ça me paraît juste, monsieur Dowd.

– Si quelque chose tourne mal...

– Je suis tout seul, je sais.

Silence.

– N'essaie de me contacter sous aucun prétexte. On est bien d'accord ?

– Oui, monsieur.

– Je te rappellerai.

Il a raccroché. Ni bonjour, ni au revoir. Exactement ce à quoi je m'attendais.

J'ai raccroché à mon tour et j'ai laissé tomber mon téléphone sur mon lit. La soirée précédente ne s'était pas déroulée tout à fait comme je l'avais prévu mais tout allait bien. Sur le trajet de retour, Rebecca et moi n'avions pas arrêté de discuter. C'était agréable de parler avec elle ; il n'était pas difficile de l'apprécier. C'était même trop facile. Je ne devais pas oublier qu'elle était une Dowd. Pendant tout le trajet, je me suis demandé si je ne surestimais pas sa proposition de me déposer chez moi. Quand la limousine s'est garée dans ma rue, nous avons continué à discuter pendant des heures. Et c'est moi qui avait dû couper court parce que sinon, nous y serions encore. Je suis sûr de ne pas avoir imaginé la déception que j'avais lue dans ses yeux quand je lui ai dit que je devais y aller.

La soirée d'anniversaire de Rebecca n'aurait pas pu avoir lieu à un meilleur moment. Et bonus imprévu, j'avais réussi à rencontrer son frère. J'ai considéré que c'était un signe. Quelque part, quelqu'un était de mon côté.

34.

Mardi, juste avant midi, le téléphone que McAuley m'avait donné a sonné. La sonnerie ne m'était pas familière et il m'a fallu un moment pour réaliser. Il m'a fallu un autre moment pour retrouver le téléphone dans la poche de ma veste en jean, pendue au clou que j'avais planté dans la porte de ma chambre.

– Allô ?

– Bonjour Tobey, comment vas-tu ? m'a demandé McAuley.

J'ai instantanément été sur mes gardes.

– Ça va, merci, monsieur McAuley.

– Tu as bien dormi ?

Silence. Qu'est-ce que ça voulait dire ? Il valait mieux limiter les risques.

– Très bien, monsieur. J'ai des nouvelles pour vous, monsieur. Je voulais vous téléphoner plus tôt mais je ne savais pas où vous joindre et je ne voulais pas me présenter chez vous sans y avoir été invité.

– L'homme sage apprend des erreurs des autres, a susurré McAuley comme s'il venait d'inventer le proverbe.

Pathétique.

– Quelles nouvelles as-tu pour moi ? a-t-il poursuivi.

– J'ai réussi à me faire embaucher à MPLS.

Silence.

Je l'ai rompu le premier.

– Monsieur McAuley ?

– Pourquoi as-tu fait ça alors que tu travailles pour moi ? a-t-il demandé d'une voix douce.

– J'ai pensé que ça pouvait vous être utile d'avoir un de vos employés dans un lieu dont les Dowd sont propriétaires. Je ne vous en avais pas parlé avant parce que je n'étais pas sûr de décrocher le boulot.

Silence. Encore.

– Si vous voulez que je démissionne, monsieur, vous n'avez qu'un mot à dire, ai-je proposé. J'ai juste pensé que ça pourrait vous être utile.

– Effectivement, Tobey, ça pourrait, a soufflé McAuley. Tu fais quoi exactement à MPLS ?

– Je suis serveur. Je ne travaille pas au Club malheureusement mais j'en ai l'intention.

Pas besoin de lui dire que j'avais déjà un pied dans la place. Ce qu'il ignorait ne pouvait pas me faire mal.

– Je vois. Je veux que tu me fasses des rapports réguliers, a lancé McAuley.

– Je n'ai pas votre numéro de téléphone, monsieur.

– Je t'appellerai.

– Oui, monsieur.

J'ai fait attention de retenir mon soupir de soulagement. Il avait gobé mon histoire.

– Eh Tobey ?

– Oui, monsieur ?

– C'est moi qui réfléchis ici. Pas toi. Compris ?

– Compris, monsieur.

– Tu travailles ce soir ?

– Oui, monsieur. Je travaille du mardi au samedi, de dix-huit heures à une heure et demie du matin.

– Très bien. Parce que j'ai un petit travail à te confier. Une livraison… non, deux. Des paquets qui doivent être remis avant ce soir. Tu peux faire ça pour moi ?

Quel genre de livraison ?

Ne pas poser de questions permet de ne pas entendre de mensonges.

Mais je vous en supplie, plus de morceaux de corps.

– Oui, monsieur. Où et quand ?

– Byron te retrouvera sur le terrain vague dans trente minutes. Il te donnera toutes les infos.

– Oui, monsieur.

Mais McAuley avait déjà raccroché. Il n'avait pas besoin de m'entendre dire que j'allais obéir. De toute façon, je n'aurais jamais raccroché le premier. Ce genre de détails était important pour lui. Plus l'employé était insignifiant, plus les moindres détails comptaient.

Je me suis habillé en soupirant. Dommage pour ma matinée de paresse au lit ! La veille, j'en avais profité et je reconnais que j'aurais bien recommencé. Bah, tant pis.

Je n'étais pas étonné de découvrir qu'il n'y avait presque personne sur le terrain vague, hormis une poignée de gamins ; si j'avais des enfants, je leur interdirais de venir jouer ici, surtout après ce qui s'était passé. J'ai regardé autour de moi mais sans trouver aucun signe du lieutenant de McAuley. Je n'étais pas très sûr du point exact de rendez-vous et je me suis donc dirigé vers le terrain de foot vide. C'était la première fois que j'y retournais depuis... depuis. Le seul fait d'être là faisait battre mon cœur à toute vitesse. J'ai regardé le sol. L'endroit exact où Callie était tombée. Il n'y avait aucune trace. Même les fleurs, déposées après la fusillade, par des amis à elle et des étrangers, avaient été enlevées. Une équipe de nettoyage ou une journée de pluie avait ôté toute trace de sang. Il n'y avait besoin de rien de plus – une averse, un claquement de porte, un coup de couteau ou un coup de feu – et une personne pouvait disparaître et ne plus exister que dans le souvenir de ceux qui restaient. La vie était trop fragile.

– Suis-moi, Tobey.

La voix de Byron dans mon oreille m'a fait sursauter. Je ne l'avais pas entendu approcher. Il s'éloignait déjà du terrain de foot, direction la route. Direction plus exactement une limousine noire aux vitres teintées. Encore une mise en scène ? La voiture noire appartenait-elle à Byron ? Byron s'est tourné vers moi, l'impatience se lisait sur son visage. Je lui ai emboîté le pas.

– Assieds-toi à l'avant, m'a-t-il ordonné en faisant le tour de la voiture.

Je n'ai hésité qu'un quart de seconde et je n'ai pas discuté. Byron s'est installé derrière le volant. Une fois à l'intérieur, il a appuyé sur un bouton pour verrouiller les portières. Le claquement m'a crispé.

Tobey, respire et reprends-toi.

J'étais beaucoup trop nerveux. J'avais l'air coupable. Byron m'a regardé.

– McAuley veut que tu livres un colis et une lettre. Tu peux faire ça ?

J'ai acquiescé.

Byron a sorti une enveloppe blanche de la poche intérieure de son blouson et me l'a tendue. Il n'y avait pas d'adresse dessus.

– C'est pour qui ? ai-je demandé.

– Vanessa Dowd.

Vanessa… il rigolait ou quoi ? Non, apparemment, il ne rigolait pas. Vanessa Dowd ne mettait jamais les pieds au MPLS. Comment étais-je censé lui remettre cette lettre ? Je ne connaissais même pas son adresse et personne au restaurant n'accepterait de me donner l'info.

Est-ce que c'était une tentative pour me démasquer ?

Bon Dieu ! Je devenais trop parano. Mais fréquenter des gens comme McAuley ou les Dowd n'était pas fait pour me rendre serein. J'ai avalé la boule qui s'était formée dans ma gorge et j'ai pris l'enveloppe. Je l'ai glissée dans la poche de ma veste en jean.

– Comment est-ce que je suis supposé entrer en contact avec Vanessa Dowd ?

– À toi de trouver, a rétorqué Byron comme s'il s'en fichait totalement.

– C'est quoi son adresse ? ai-je demandé.

Byron a haussé les épaules.

– McAuley ne la connaît pas. Tu n'as qu'à te débrouiller. Le patron a confiance en toi. Il sait que t'es intelligent.

Je n'avais rien à répondre. Le ricanement dans la voix de Byron ne m'avait pas échappé.

– Oh, avant que j'oublie, m'a-t-il dit en me tendant une autre enveloppe, beaucoup plus épaisse que la première.

– Elle est pour qui ?

– Pour toi. En paiement pour avoir fait ce qu'on t'avait demandé.

J'ai hésité une seconde ou deux avant de ranger l'enveloppe dans l'autre poche de ma veste.

– Tu l'ouvres pas ? s'est étonné Byron.

– Plus tard. Tu remercieras McAuley pour moi.

Byron a acquiescé sans me quitter des yeux comme pour essayer de m'évaluer.

– M. McAuley m'a également parlé d'un colis, ai-je repris.

– C'est pour Adam Eisner. Appartement 18. Même adresse que la dernière fois.

J'ai pris un air étonné.

– Quelle adresse ?

Une lueur d'amusement s'est allumée dans les yeux de Byron.

– Tu crois vraiment que le boss ne sait pas qu'il y a quelque temps, tu as livré deux colis à la place de Dan ? Un pour Adam et l'autre pour… quelqu'un d'autre.

– Qui le lui a dit ?

Dan ou Adam Eisner lui-même ? Il semblait impossible de dissimuler quoi que ce soit à McAuley.

– Tu devrais arrêter de poser des questions. C'est pas bon pour la santé, a lâché Byron. Pas bon du tout.

Un frisson m'a parcouru la colonne vertébrale. Message reçu cinq sur cinq. Les sièges arrière étaient vides et Byron ne faisait aucun geste pour me donner le moindre paquet.

– Est-ce que je peux au moins demander où est le colis pour M. Eisner ?

– Dans le coffre. Sors, je vais l'ouvrir.

J'ai obéi. J'ai contourné la voiture. J'ai regardé autour de moi. Le coffre s'est entrebâillé dans un cliquetis puis s'est levé dans un bourdonnement. Un paquet de la taille d'un manuel technique, enveloppé de papier brun était posé sur la gauche. À côté, il y avait un sac de courses rempli de nourriture. J'ai pris le colis. Dès que je me suis un peu éloigné, le coffre est redescendu. J'ai regardé à travers la vitre arrière. Byron m'observait dans son rétroviseur, le visage fermé. Dès que son coffre a été refermé, il est parti.

Je suis resté à l'entrée du parc, deux enveloppes sans adresse dans les poches, un paquet sans adresse dans les mains et le sentiment très net que quelqu'un me suivait. J'ai scruté les environs.

Qui m'épiait ?

35.

J'ai passé les deux heures suivantes à sauter de bus en train de banlieue. Parfois, je ne savais même pas où j'étais, mais quand ça arrivait, je prenais un autre bus ou un autre train et je descendais au premier endroit vaguement familier. Je ne cessais de me répéter que c'était ridicule, que je n'étais pas dans un roman d'espionnage, mais perdre deux heures en étant trop prudent valait mieux que de me faire arrêter par la police en possession d'un colis qui contenait je ne savais quoi.

Je pouvais parfaitement imaginer la scène.

– Je vous jure, lieutenant, je ne savais pas que je transportais deux armes automatiques…

Oui, bien sûr !

J'ai pris deux trains vers le centre-ville et trois pour m'en éloigner. J'examinais les visages de tous les voyageurs à la recherche d'une tête vue trop souvent dans la journée. Ce n'est que lorsque j'ai réussi à me convaincre que je n'étais pas surveillé que je suis allé jusque chez Adam Eisner. En montant les marches, je ne pouvais m'empêcher de me demander ce qu'il y avait dans le paquet. Mes doigts me picotaient rien qu'à le toucher. Ce n'était peut-être qu'une impression, mais je le sentais bel et bien. Et c'était plutôt désagréable. La porte de l'appartement s'est ouverte presque tout de suite. Adam Eisner se tenait devant moi, les cheveux coiffés en arrière. Ses yeux bleus envoyaient des éclairs.

– Où t'étais passé ? a-t-il rugi.

Il n'y avait pas d'autre mot, c'était un véritable rugissement. Il m'a tiré à l'intérieur de l'appartement et a violemment refermé la porte.

– Je t'attends depuis plus d'une heure !

Son visage n'était pas à plus de quelques centimètres du mien.

– Je suis désolé, monsieur Eisner, mais quand j'ai récupéré votre colis, j'ai eu l'impression que quelqu'un m'observait. J'ai pris différents bus et différents trains jusqu'à ce que je sois sûr de ne plus être suivi, ai-je expliqué à la hâte.

Eisner a reculé, inquiet.

– Qui aurait pu te suivre ?

J'ai haussé les épaules.

– Je ne sais pas. Sans doute personne. Comme je vous l'ai dit, c'était surtout une impression. J'ai juste pensé qu'il valait mieux prendre des précautions.

Eisner a rouvert la porte d'entrée. Il a regardé sur la passerelle avant de la traverser pour jeter un coup d'œil dans la cour. Il a épié les alentours pendant une bonne minute avant de rentrer dans son appartement et de refermer doucement la porte derrière lui.

– Tu aurais dû téléphoner à quelqu'un pour prévenir de ton retard, m'a-t-il lancé.

Téléphoner à qui ? Aucun d'entre eux ne se trouvait dans mon répertoire. Je lui ai tendu son paquet.

– Va le porter dans la cuisine, m'a ordonné Eisner.

J'ai pris une courte inspiration. Tout ce que je voulais, c'était sortir d'ici. J'avais une enveloppe qui me brûlait la poche et m'écorchait la peau. Et je n'avais toujours aucune idée de comment j'allais la faire passer à Vanessa Dowd.

J'ai suivi Eisner dans la cuisine. Quatre hommes nihils étaient assis autour d'une grande table de ferme, tous à poil. La table était couverte de petits sacs en plastique, la plupart vides, certains remplis d'une poudre blanche.

– Pose le paquet sur la table.

J'avais hâte de m'en débarrasser. Je l'ai jeté comme s'il était brûlant. Ce qui était le cas. Des balances électroniques se trouvaient au milieu de la table à côté d'un autre paquet plein de poudre d'un blanc terne. Qu'est-ce que c'était ? De la farine ? Du glucose en poudre ? Deux hommes pesaient d'exactes quantités de drogue avant de la mettre dans les petits sacs, les deux autres ajoutaient la même quantité de cette substance. Ils coupaient la drogue. C'est la raison pour laquelle ils étaient complètement nus : pour qu'ils ne puissent pas cacher un des précieux sacs dans leurs poches.

Eisner a pris un petit couteau de cuisine et a ouvert le paquet. Comme un chirurgien pratiquant la première incision. De la poudre blanche s'est doucement répandue de chaque côté de la coupure. Mon cœur battait à tout rompre. Eisner s'est tourné vers moi en souriant.

– Je vois que McAuley ne s'est pas trompé : tu es un malin.

Eisner a ramassé un des petits sacs remplis de poudre et me l'a tendu.

– Tiens, pour le mal que tu t'es donné.

J'ai secoué la tête. De la cocaïne ? Pas question.

– Prends-le, a insisté Eisner. T'en trouveras pas de meilleure dans toute la Prairie.

J'ai pris le sac et je l'ai fourré dans ma poche.

– J'ai d'autres livraisons.

Était-ce vraiment ma voix ? Si calme et déterminée ? Oui, sans doute.

Eisner a acquiescé et m'a reconduit à la porte. J'ai marché le long de la passerelle vers l'escalier, conscient qu'Eisner m'observait. Je me suis éloigné de son immeuble sans m'arrêter. Intérieurement, j'étais parfaitement immobile. Mon cœur, ma tête et mon âme retenaient leur souffle.

En tournant au coin, j'ai repéré des poubelles devant une boutique. J'ai marché vers la plus proche et j'ai sorti le petit sachet de ma poche, en prenant garde de bien le dissimuler dans la paume de ma main. J'ai tendu le bras au-dessus de la poubelle.

Lâche-le, Tobey. Avant qu'il soit trop tard. Lâche-le.

Mais je n'ai pas pu. Je n'ai tout simplement pas pu.

36.

Bonjour Callie. Comment vas-tu aujourd'hui ? Tu as meilleure mine. Ton teint n'est plus aussi cendreux. Ils ont essayé de voler ta vie, hein ma belle. Mais tu es forte, Callie Rose. Plus forte même que tu ne l'imagines. Alors ne t'inquiète pas. Tu n'as pas besoin de te réveiller aujourd'hui, ni demain, ni même cette semaine. Tu reviendras quand bon te semblera.

Mais tu reviendras.

Et quand tu te réveilleras, je veux que mon visage soit la première chose que tu vois. C'est pour ça que je viens tous les jours, même si parfois je ne reste pas plus de quelques minutes. Quand tu te réveilleras, tu me souriras et plus rien d'autre ne comptera. Tu as traversé tant d'épreuves ces derniers mois que tu as besoin de te reposer. Ton esprit… se repose, se recharge. Je ne m'en fais pas. Que tu n'aies pas repris connaissance ne m'inquiète pas.

Je pense… je pense que tu m'attends. Alors ne te réveille pas tout de suite. Je n'ai pas fini ce que je dois accomplir. Dors et attends-moi.

Je voulais absolument te voir aujourd'hui, Callie. Je devais tout faire pour te voir. Tu es la seule personne à qui je peux parler. Mes poches sont pleines, Callie, et elles pèsent si lourd que j'ai peine à me tenir debout. Une des poches de ma veste est pleine de fric. De fric et de sang. Dans une autre, il y a une lettre que j'ai peur d'apporter à son destinataire. Et dans mon jean, il y a… un truc… qui colle à mes doigts comme de la Superglue. J'ai beau secouer la main, je n'arrive pas à m'en débarrasser.

J'ai peur, Callie.

Voilà. Je l'ai dit. C'est entre toi et moi, Callie. Je suis terrifié. Mais je continue d'avancer. Pour toi.

Rien que pour toi.

Seulement pour toi.

Je m'accroche et je fais ce que j'ai à faire. Peu importe le prix que ça coûte. N'est-ce pas, bébé ?

Tu te demandes ce que je fabrique ? Eh bien, j'ai passé un étrange week-end. J'ai rencontré une fille. Elle s'appelle

Rebecca, Rebecca Dowd. C'est la fille de Vanessa Dowd. Oui, *la* Vanessa Dowd. J'ai dû travailler à MPLS un dimanche. Réception privée. J'ai gagné trois fois plus que d'habitude, sans compter les pourboires. J'ai un bon paquet de fric maintenant. Dans quelques semaines, j'aurai de quoi t'acheter le cadeau d'anniversaire que je t'ai promis. Rebecca m'a ramené jusque chez moi. Nous avons discuté et ri pendant le trajet. Je crois qu'elle m'aime bien. Je l'ai surprise et c'est une bonne chose. Je ne sais pas ce qu'elle attendait mais j'ai soutenu la conversation et j'ai même réussi à lui apprendre deux ou trois choses. Et quand elle a découvert que j'allais au lycée de Heathcroft ! Tu aurais dû voir sa tête. Ma mère avait raison, ce lycée, c'est comme un passeport.

Quand on est arrivés devant chez moi, on est restés une heure encore à discuter dans la voiture. Si j'ai bien lu entre les lignes, Rebecca a l'impression que la plupart des types qu'elle rencontre sont plus intéressés par l'argent de sa famille que par elle. Évidemment, je ne lui ai pas demandé son numéro de téléphone ni proposé qu'on se revoie. Je crois que ça aussi, ça l'a étonnée. Et je dois reconnaître que je l'ai trouvée chouette. Je crois que tu l'aimerais bien. Mais assez parlé d'elle. De toute façon, je ne la reverrai probablement jamais.

Callie, je reviendrai te voir dès que possible. C'est difficile parce que personne ne doit le savoir. Je ne peux pas prendre le risque d'être surpris par ta tante Minerva ou ta mère. Ta mère attend que je raconte tout ce que je sais à la police. Chaque jour qui passe, elle me méprise un peu plus. Je dois vivre avec ça.

Je vais faire payer McAuley pour ce qu'il t'a fait.

Je l'aurai.

Ou j'y laisserai ma peau.

Le problème, c'est que je ne peux pas agir seul. J'ai besoin d'aide. De l'aide d'Owen Dowd. Il est le seul à posséder assez d'argent, de ressources et de détermination pour m'aider. J'aimerais juste me débarrasser de l'impression que je couche avec le diable pour attraper un démon. Métaphoriquement parlant bien sûr. Je ne cesse de me répéter que la fin justifie les moyens. Et il faut que je parvienne à mes fins. Le chemin qui y mène est périlleux, mais n'est-ce pas toujours le cas ? J'ai un vague plan et la volonté de réussir. Ça devra suffire. Le problème, c'est que j'ai la sensation de me lancer dans une danse improvisée dont je dois inventer les pas au fur et à mesure. Mais ça va. Je vais m'en sortir.

J'espère.

Toi, tu dois vivre. Tu le sais, Callie, n'est-ce pas ? Je ne sais pas ce que je ferais sans toi. Je... tu es près de moi depuis si longtemps. Je ne saurais vivre sans toi. Je ne peux parler à personne d'autre qu'à toi. Bon sang ! D'ailleurs, je ne te raconterais pas tout ça si tu étais consciente.

Mais... je... tu es importante pour moi. Très importante.

Tu forces mon cœur à battre.

Ne me refais plus jamais une frayeur de ce genre.

Quand tu as été touchée, ça a été comme si la balle avait traversé ton corps pour venir se ficher entre mes yeux. Je n'ai survécu que parce que tu as survécu. Mais quand ton cœur s'est arrêté... quand c'est arrivé, tout espoir en moi s'est brisé. Je suppose que tout le monde a son talon d'Achille. Je ne suis pas différent.

Reste ici, Callie. Rappelle-toi, c'est toi et moi contre le monde entier. Je vais m'occuper de McAuley et, quand tu te réveilleras, on partira tous les deux. Loin d'ici, où Jude McGrégor ne nous trouvera jamais. Dors, Callie. Dors jusqu'à ce que tout soit fini. Fais-moi confiance, Callie. Je m'occupe de tout. Quel que soit le prix à payer.

Et si ça ne marche pas, si je me plante, sache que je ne regretterai rien. Que ça valait le coup.

Que tu en valais le coup.

37.

Vanessa,

La dernière chose que nous voulons ou dont nous ayons besoin, toi et moi, est une reprise des hostilités. La dernière guerre de territoire qui nous a opposés a fait des victimes des deux côtés. Mais si toi ou ta famille essaie de marcher sur mes plates-bandes, je n'hésiterai pas à riposter. Tu dois tenir tes fils en laisse. Quand j'aurai récupéré la totalité de mon territoire, je te rendrai ton directeur.

Pas avant.

M.

38.

Je suis arrivé à MPLS avec quinze minutes d'avance et j'ai attendu le moment propice pour mettre mon plan en action. À l'intérieur du restaurant, quelques clients prenant un déjeuner vraiment tardif et deux ou trois membres du personnel étaient visibles à travers les vitres teintées. Ils étaient installés au fond de la salle et ne m'avaient pas remarqué. Ce qui m'arrangeait.

Je suis resté devant le bâtiment en regardant ma montre, la tapotant régulièrement et la portant parfois à mon oreille. Juste au cas où quelqu'un était en train de m'observer. Je n'avais à présent plus aucun doute : j'étais suivi. Et j'avais une idée de l'identité de la personne qui se prenait pour mon ombre.

J'ai regardé dans la rue. J'attendais le bon moment. Je n'ai pas attendu longtemps. Une femme prima, la quarantaine, venait vers moi. Elle me faisait un peu penser à Minerva, la tante de Callie. Elle portait un tailleur gris foncé et un chemisier ocre. Elle avait à la main une sacoche d'ordinateur et ses tresses étaient élégamment relevées au-dessus de sa tête.

— Excusez-moi, ai-je lancé en me plaçant en travers de son chemin.

— Oui, a demandé la femme, une légère méfiance dans la voix.

Mais au moins, elle s'était arrêtée.

J'ai fait un autre pas vers elle.

— Je suis désolé mais mes lentilles de contact me jouent un tour, ai-je souri. Pourriez-vous me dire quelle adresse est inscrite sur cette enveloppe, s'il vous plaît ?

Le dos tourné au restaurant, j'ai tendu l'enveloppe destinée à Vanessa Dowd. Je me suis lentement écarté pendant que la femme l'examinait. Je devais m'assurer que de l'intérieur du restaurant, elle serait vue avec l'enveloppe à la main. Elle l'a regardée et l'a retournée, d'un air perplexe.

— Il n'y a pas d'adresse sur cette lettre.

— Ah ! Ça explique pourquoi je n'arrivais pas à la lire !

J'ai grimacé un sourire d'excuse.

— Je suis désolé.

– Ce n'est pas grave.

Elle m'a rendu l'enveloppe et m'a observé comme s'il me manquait une case.

– Merci, ai-je marmonné.

La femme s'est éloignée sans un mot. J'ai regardé l'enveloppe et je l'ai retournée comme la femme venait de le faire. J'ai froncé les sourcils et, quand j'ai levé les yeux, Michelle et Angelo arrivaient. Je n'avais joué cette petite scène que pour eux. J'espérais que ça avait fonctionné.

– Oh, salut, ai-je lancé.

– Tu es en avance, a remarqué Michelle.

– Ma montre avance.

Je la leur ai montrée de façon à ce qu'ils voient l'enveloppe dans ma main.

– Alors, achète-t-en une autre, a répliqué sèchement Michelle.

– C'est quoi ça ? m'a demandé Angelo en désignant la lettre du menton.

J'ai pointé le doigt dans la direction que la femme avait prise.

– Oh, ça ? Une femme vient de me demander de la remettre à Vanessa Dowd. Je lui ai dit qu'elle ne travaillait pas ici mais elle a insisté en disant que je n'avais qu'à la faire passer par son fils Gédéon. Elle n'a rien voulu entendre.

– Qu'est-ce que c'est ? a demandé Michelle.

J'ai haussé les épaules.

– Aucune idée. Je ne savais même pas que Gédéon travaillait ici. Il y a un moyen pour lui faire passer cette lettre ?

Angelo a tendu la main. Je lui ai hâtivement donné l'enveloppe. Empreintes digitales. Je voulais que ce morceau de papier soit couvert d'empreintes digitales. Les miennes seraient seulement parmi les autres. Juste au cas où les Dowd aient envie de vérifier.

– Je me demande ce que c'est, s'est interrogé Angelo à voix haute avant de me la rendre.

– Vous savez si Gédéon vient aujourd'hui ? ai-je répété.

– Il se trouve que oui, a répondu Michelle en se mordant un peu nerveusement la lèvre. Il vient parfois donner un coup de main à M. Thomas.

– Oh, je vois.

– Mais comment cette femme pouvait-elle le savoir ?

Michelle avait l'air inquiet.

J'ai haussé les épaules.

– Michelle, puis-je vous la confier pour que vous la donniez à M. Dowd afin qu'il la remette à sa mère ?

L'idée ne plaisait manifestement pas beaucoup à Michelle mais qu'aurait-elle pu dire ? Elle a pris l'enveloppe à contrecœur. D'après ce que j'avais entendu, Gédéon et Owen Dowd avaient chacun un bureau au-dessus du Club. Je n'étais pas censé m'y rendre. D'ailleurs, j'avais déjà vu le bureau d'Owen et je ne tenais pas à découvrir celui de Gédéon. A priori, Michelle non plus n'avait pas très envie que j'aille remettre cette lettre moi-même. Il valait mieux que ce soit elle que moi.

Mercredi, j'ai fini mon service à MPLS aux petites heures du matin. Au moins, nous étions en semaine et il y avait des bus de nuit. Je pourrais descendre assez près de chez moi et je n'aurais qu'à marcher une vingtaine de minutes, ce qui était toujours mieux que deux heures et demie. Je me satisfaisais de petits plaisirs. La nuit était tiède et m'enveloppait comme une couverture. J'ai levé les yeux. La lune formait un croissant et je devinais les principales étoiles. Les lumières d'un avion ont lentement traversé le ciel. Il y avait trop de pollution urbaine pour en voir plus.

Avec un soupir, j'ai commencé à marcher. J'avais fait cinq ou six pas quand j'ai entendu :

– Enlève tes sales pattes de là, Néant !

J'ai fait volte-face. C'était Charles, un barman du Club, qui venait de crier. L'objet de sa colère était un Nihil d'une cinquantaine d'années, assis par terre en tailleur, avec une coupelle dans les mains pour mendier quelques pièces aux passants. Sur un carton devant lui était écrit : *Je n'ai pas de maison et j'ai faim. S'il vous plaît, aidez-moi.* Le SDF ne devait pas avoir toute sa tête pour mendier à cette heure, mais après tout, demander la charité aux fêtards en goguette et aux employés qui rentraient chez eux, n'était peut-être pas si idiot. Malgré la chaleur, il portait un bonnet de laine. Il avait aussi une chemise à carreaux et un jean, tous les deux marbrés de taches allant du gris clair au noir.

– Pardon, pardon, s'excusait-il en levant la main.

De quoi s'excusait-il ? Qu'avait-il fait ?

– Ne t'avise pas de me toucher une nouvelle fois, a menacé Charles avant d'essuyer son pantalon de la main en grommelant.

Il ne me semblait pas que son pantalon ait été sali. Peut-être essayait-il d'ôter des traces de doigts. Quelques employés de MPLS s'étaient approchés pour voir d'où venait ce raffut.

– Regarde-toi, a repris Charles avec dédain. Tu es une merde. Lève-toi et va te chercher un boulot, bon à rien de Néant.

Deux ou trois personnes tressaillirent mais personne ne protesta.

– Et toi, qu'est-ce que tu es ? a lancé le SDF, sans quitter Charles des yeux.

Je me posais la même question. Charles était aussi blanc que le SDF. Aussi blanc que moi.

– Je ne suis pas un Néant, je suis un Nihil, a déclaré Charles.

Derrière lui, ses collègues ont gloussé. Certains ont même dû serrer les dents pour ne pas éclater de rire. Le mendiant s'est levé lentement, sa coupelle toujours à la main. Charles et lui ne se quittaient pas des yeux. Le SDF a secoué la tête. Charles a plissé les paupières. Il a fait un pas en avant. J'ai fait de même.

– Tiens, ai-je lancé en tendant quelques billets au clochard. Va t'acheter un repas chaud.

L'homme a pris mon argent sans sourire. Je n'attendais rien d'autre. Charles ne pouvait plus le frapper sans d'abord me pousser, ce qu'il n'hésiterait sans doute pas à faire. Il avait dix ans et quelques kilos de plus que moi, mais je n'avais pas l'intention de bouger. Enfin, pas avant qu'il m'ait chargé. Le SDF s'est éloigné comme s'il n'avait aucun problème, ce qui n'était sans doute pas le cas. J'ai marché dans sa direction mais Charles m'a attrapé par le bras et m'a obligé à me retourner vers lui. Il m'a jeté un regard noir. Je n'ai rien dit.

– Un Néant reconnaît un autre Néant, a-t-il sifflé.

Il a lâché mon bras et s'est éloigné. Tous les employés de MPLS qui avaient assisté au spectacle se sont dispersés. En moins d'une seconde, je me suis retrouvé seul.

Nihils et Primas. Néants et Primates. Nihils et Néants. Primas et Primates. Des cercles dans des cercles. Des divisions et d'autres divisions. Pas de blanc, pas de noir. Des myriades de nuances de gris, une nuance pour chaque personne sur la planète. Je n'aimais pas où mes pensées me menaient. Ma tête était pleine de sentiments aigus et douloureux. De mots aigus et douloureux, comme Néant, de sons aigus et douloureux comme celui des collègues primas de Charles qui se moquaient de lui, de visions aiguës et douloureuses comme celle de Charles et du SDF en train de se dévisager. D'odeurs aussi et de sensations comme si on m'enfonçait des aiguilles dans le corps. Je n'étais bien qu'avec Callie. J'ai secoué la tête. Cette altercation entre Charles et le clochard m'avait laissé... vide. J'avais besoin de Callie pour remplir les vides en moi. Mais elle n'était pas là. Je me suis soudain senti incroyablement seul. Je n'avais pas réalisé avant cet instant que la solitude pouvait vous dévorer. Il fallait que je rentre à la maison. Je m'étais éloigné d'une dizaine de pas quand une voiture de sport s'est arrêtée à mon niveau.

– Une balade ?

J'ai reconnu la voix de Rebecca alors que la vitre n'était encore qu'à moitié descendue.

Je me suis baissé et j'ai souri.

– Elle est chouette, cette voiture. Elle est à qui ?

– À moi, a souri Rebecca. Un cadeau pour mes dix-huit ans. Regarde la plaque.

J'ai reculé pour jeter un coup d'œil. J'ai lu : *Beck 1*.

– Super ! ai-je lancé en me demandant ce que ma mère allait m'offrir pour mon dix-huitième anniversaire dans deux semaines.

– Monte.

J'ai obéi, reconnaissant pour la voiture et la compagnie.

Alors que nous roulions, j'ai demandé :

– Je suis ravi d'être avec toi mais comment tu peux avoir le permis alors que tu viens tout juste d'avoir l'âge de le passer ?

Depuis assez récemment, on n'avait plus le droit de prendre des leçons de conduite avant la majorité. Pourtant, Rebecca était en train de conduire la voiture qu'on lui avait offerte pour ses dix-huit ans.

— Leçons privées sur une piste privée pendant toute l'année dernière, m'a-t-elle éclairé. J'ai passé l'examen le jour de mon anniversaire et je l'ai eu. Maman avait dit que si je réussissais du premier coup, j'aurais une voiture. Je ne pensais pas que ce serait aussi vite.

Les joies de l'argent ! C'était pas magnifique ?!

— Tu étais au Club ce soir ? ai-je lancé.

— Non, je passais juste par là... Non, en réalité... je t'attendais.

Je l'ai regardée, stupéfait.

— Pourquoi ?

— J'avais envie de te ramener chez toi.

— Tu penses ouvrir ta propre station de taxi ?

Rebecca a ri.

— Non, pas vraiment.

— Pourquoi es-tu venue me chercher, alors ?

— J'avais envie de discuter avec toi, a répondu Rebecca en regardant droit devant elle.

— De quoi ?

Elle a haussé les épaules.

— Ce que tu veux. Ça m'est égal.

Quoi ?

— Oh, je vois.

J'étais un peu lent de la comprenette.

Nous avons échangé un sourire et Rebecca s'est de nouveau concentrée sur la route. Je me suis adossé contre mon siège et je me suis détendu. Waouh ! Elle m'appréciait vraiment.

— C'est dommage que tu ne sois pas venue au restaurant ce soir, ai-je commencé. Ça devait être la soirée internationale des râleurs parce qu'on n'a eu que ça. Un type a commandé le strudel aux fruits des bois et s'est plaint qu'il était trop sec. Le strudel est servi avec un petit pichet de crème à la pomme et au cognac et j'ai failli lui faire remarquer que s'il versait la crème sur son gâteau, son problème serait sans doute résolu.

— Je n'ose pas imaginer là où ça t'aurait mené, a lancé Rebecca ironiquement.

— Sûr, ai-je acquiescé, mais c'était vraiment tentant.

J'ai passé les trente minutes suivantes à lui parler d'autres clients que j'avais croisés. C'était très indiscret, mais je m'en fichais. J'étais assez fort pour les imitations et, pour être honnête, MPLS fournissait une matière assez riche. À un moment, Rebecca riait si fort que nous avons failli sortir de la route. Une voiture derrière nous a donné un coup de klaxon coléreux et m'a convaincu par la même occasion de lever le pied sur les blagues. Nous nous sommes finalement arrêtés devant chez moi.

— Merci, Rebecca. Pour la balade et la compagnie. Merci beaucoup.

— De rien, a-t-elle souri.

Je suis sorti et je me suis dirigé vers la porte. Je lui ai adressé un signe et je suis entré.

La nuit suivante, Rebecca était de nouveau devant MPLS. Cette fois, je lui ai tendu la main pour la remercier avant de sortir. La nuit suivante, je l'ai embrassée sur la joue. Et la nuit encore d'après, elle a tourné la tête pour que je l'embrasse sur la bouche. Ça a été bref. Elle m'avait surpris.

— C'était pour quoi ? n'ai-je pas pu m'empêcher de demander.

— Tobey, pour un garçon intelligent, tu es parfois particulièrement lent, a grondé Rebecca, exaspérée.

J'ai froncé les sourcils.

– Ah oui ?

Elle a pris une profonde inspiration.

– Tu vas me demander de sortir avec toi ou pas ?

Je l'ai regardée, les yeux écarquillés.

– Tu en as envie ?

– Si tu me le demandes, tu le sauras, a-t-elle rétorqué.

– Beck... je... je ne pense pas que ça te dirait d'aller voir un film un de ces soirs avec moi ?

– Enfin ! s'est-elle exclamée. J'ai cru que tu ne te déciderais jamais.

Elle a ri.

– Si le coup du baiser n'avait pas marché, j'avais dans l'idée de venir danser nue devant chez toi demain matin.

– Bon sang ! ai-je souri, et c'est maintenant que tu le dis !

Mais mon sourire s'est aussitôt effacé.

– Et tes frères ?

– Quoi, mes frères ? Ils ne sont pas invités.

– Que vont-ils dire si je sors avec toi ?

Nous savions tous les deux à quoi je faisais allusion.

– Peu importe ce que pensent mes frères. C'est ma vie et je sors avec toi, pas avec eux, a déclaré Rebecca.

Elle avait répondu à la question mais j'ai décidé de pousser plus loin.

– Que diraient tes frères s'ils nous voyaient là maintenant ?

Rebecca a pris une longue inspiration.

– Pour être franche, ça ne regarde pas Gédéon et Owen s'en fiche complètement. En ce qui le concerne, je pourrais sortir avec le chef de la Milice de libération.

– Je suis sûr qu'Owen se préoccupe de toi. À sa manière.

J'ai grimacé, un peu honteux d'avoir sorti une telle platitude.

Les yeux de Rebecca ont pétillé comme si elle essayait de s'empêcher de rire.

– D'accord, c'était nul. Je ne savais juste pas quoi dire.

Rebecca a souri.

– J'apprécie l'intention. Mais Owen ne se préoccupe que d'Owen et de rien d'autre. Il m'aime et je l'aime. C'est juste qu'on ne se comprend pas. Voire pas du tout. Quant à Gédéon, il est comme ma mère. Il aime tout diriger, y compris ma vie.

Cette fois, je me suis contenté d'acquiescer.

– Tobey, tu n'as pas l'air d'être le genre de garçon qui se laisse impressionner par ce que pensent les autres. Mais si le fait de sortir avec moi te met réellement mal à l'aise, dis-le et oublions cette histoire.

– Non, ce n'est pas ça, me suis-je empressé de la rassurer. J'ai vraiment envie de sortir avec toi. En fait, je suis assez content d'en avoir eu l'idée.

Rebecca a ri et j'ai ri avec elle.

– Alors, tu veux qu'on aille voir quoi ? ai-je demandé.

– Pourquoi on n'irait pas dans un de ces énormes multiplex où passent des tas de films ? a-t-elle proposé. Comme ça, on décidera sur place.

– D'accord. Dimanche ou lundi ?

Rebecca m'a adressé un clin d'œil.

– Pourquoi pas les deux ?

– OK pour les deux, ai-je acquiescé.

Je lui ai demandé son numéro de portable et elle me l'a donné sans hésitation. J'avais les coordonnées de Rebecca ! Après un dernier baiser, un peu plus long cette fois, je suis sorti de la voiture. Je lui ai fait signe pendant qu'elle partait. Mais dès que je me suis tourné vers ma porte, mon sourire s'est évanoui.

39.

Bonjour Callie,

Je les ai achetées pour toi. Je suis désolé, elles sont un peu écrasées et elles ont perdu quelques pétales... enfin, beaucoup de pétales. Mais c'est parce que je les avais cachées sous ma veste. Ce n'est pas que j'ai honte de t'apporter des fleurs, ni rien, c'est juste... je les gardais sous ma veste pour les protéger du vent...

Mais bref, assez parlé des fleurs. Je vais les laisser sur ton chevet et je demanderai à une infirmière de les mettre dans un vase. Je sais que tu adores les fleurs.

Comment vas-tu aujourd'hui ?

Tu as l'air d'aller mieux. Je sais que je te le dis à chaque fois mais c'est vrai. Est-ce que ce n'est pas un sourire qui se dessine sur tes lèvres ? Callie, je dois reconnaître que, d'une certaine manière, je t'envie. Ce qui se passe à l'extérieur ne te touche pas. Tu es au-dessus de tout ça. Je sais que quand tu te réveilleras, tu seras obligée d'y faire face mais au moins pour le moment, tu es tranquille.

Parfois, je regarde autour de moi et je me demande : « Est-ce que c'est bien vrai ? Est-ce que j'en suis là ? »

Et puis, je pense à toi. Je me rappelle ton sourire.

Et j'ai la réponse à ma question.

40.

– Rebecca, pourquoi est-ce que tu ne dis pas tout simplement à ta mère que tu veux être professeur ?

– Parce que ça ne servirait à rien, a soupiré Rebecca.

Elle a bu une gorgée de son eau gazeuse et a observé le restaurant mexicain dans lequel nous étions assis. C'était un peu bruyant et sans doute pas aussi chic que les endroits auxquels elle était habituée, mais je payais la moitié de la note – j'avais insisté – et je n'avais pas le choix. Nous avions décidé de dîner ensemble ce soir et d'aller au cinéma le lendemain. Et pour être honnête, Rebecca s'était montrée très enthousiaste à l'idée de manger à *Los Amigos*. C'est moi qui m'étais montré réservé mais finalement j'avais eu tort. Le restaurant était plein aux deux tiers, c'était pas mal pour un dimanche soir.

– Si tu allais à l'université, tu choisirais quelle filière ? ai-je demandé.

– Histoire. Ou science politique. Mais ça ne sert à rien d'en discuter. Ça n'arrivera jamais.

– Pourquoi pas ?

– Ma mère ne voudra pas en entendre parler. À son sens, elle et mes frères travaillent dur pour que je ne sois pas, moi, obligée de travailler. Pour elle, ma vie doit se résumer à – j'ouvre les guillemets – trouver un homme, me marier, faire des enfants et me distraire. Qu'est-ce que tu dis de ça ?

– Ça ressemble à une description de l'enfer, ai-je répondu sincèrement.

Rebecca a ri.

– C'est tout à fait ce que je pense. Ma mère estime qu'avoir de l'argent et avoir de l'ambition s'excluent l'un l'autre.

– Tu as essayé de lui expliquer ton point de vue ?

– À en avoir la bouche sèche.

Elle a pris une nouvelle gorgée d'eau minérale avant de reprendre :

– J'aurais été une bonne professeur.

– Tu vas abandonner ? Juste comme ça ?

– Tu ne connais pas ma mère.

Elle plaisantait ? Vanessa Dowd était une femme peu ordinaire et une ennemie implacable. Tout le monde le savait. Et ses fils, Gédéon et surtout Owen, étaient faits du même bois. Si vous vous mettiez en travers de leur chemin, ils vous roulaient dessus sans état d'âme.

– Ma mère dit toujours que la vie n'est pas une répétition générale, ai-je tenté. Elle affirme que le regret est un sentiment sous-estimé qui peut vous dévorer autant que la colère ou la jalousie.

– Elle en dit des choses, ta mère, a lancé Rebecca piteusement.

– Tu ne crois pas si bien dire !

– D'après toi et ta mère, si on désire quelque chose, il suffit de…

Elle a fait un geste de la main, imitant une fusée s'élevant dans l'espace.

– … d'aller le chercher et c'est tout ? a-t-elle terminé.

– Oui, si tu en as suffisamment envie, ai-je acquiescé. Regarde toi et moi. Pour certaines personnes, c'est compliqué. Pas pour moi. Qu'est-ce qui est plus simple que toi et moi assis ici et profitant d'un bon repas ? Même si… Non, laisse tomber.

– Continue, m'a encouragé Rebecca.

– Je ne peux pas m'empêcher de me demander pourquoi tu as accepté de dîner avec moi, ai-je avoué. Après tout, je suis plus jeune que toi. Est-ce que ce n'est pas la honte ?

– Tu n'as que deux semaines de moins, a précisé Rebecca. C'est presque rien. Et puis, tu as l'air beaucoup plus âgé que moi.

– Merci, ai-je lâché sèchement.

– Non, c'était un compliment, s'est-elle empressée d'expliquer. Certaines personnes font moins que leur âge parce qu'elles agissent de manière puérile et idiote, toi tu es plus mature. Et moi, je fais plus jeune que mon âge, c'est pour ça que tu sembles plus âgé que moi. Tu comprends ?

– Merci. Je comprends.

– Oh, arrête, je ne voulais pas dire ça. Ce que je veux dire, c'est que...

– Tu sais quoi ? l'ai-je coupée. Si on changeait de sujet ?

– Parfaitement d'accord, a-t-elle accepté avec reconnaissance.

Nous nous sommes souri. J'ai cessé de sourire avant elle.

– Tobey, parle-moi de tes amis à...

Elle a été interrompue par l'arrivée du premier plat – un grand bol de guacamole entouré d'une montagne de nachos – que nous avions décidé de partager. J'étais si concentré sur la nourriture que le serveur posait entre nous que j'ai failli ne pas voir le sursaut de Rebecca. J'ai aussitôt levé la tête. Elle a baissé les yeux, mais j'avais vu l'expression de son visage. J'ai froncé les sourcils.

– Que se passe-t-il ? ai-je demandé.

– Rien.

La réponse était sèche. Presque agressive.

J'ai regardé autour de nous. Au bar, il y avait des Primas et des Nihils, des couples et des petits groupes et pas plus d'une ou deux personnes en train de boire seules. La plupart des gens étaient attablés et mangeaient. Personne ne regardait vers nous. Tout semblait parfaitement normal. Je me suis retourné vers Rebecca. Quelque chose la tracassait.

– Beck, je ne suis pas complètement idiot, seulement à moitié ! Que se passe-t-il ?

259

– Je suis désolée, Tobey. Ce n'est pas à ma demande, je te le promets.

– Quoi ?

– On nous surveille.

Je me suis retenu pour ne pas faire volte-face. J'ai pris une longue inspiration. Puis une autre.

– Qui ? ai-je demandé en essayant de rester calme.

– Ça n'a pas d'importance, a répliqué Rebecca, la tête baissée.

– Ça en a pour moi.

– L'homme au bar, celui avec des lunettes. Il travaille pour mon frère.

– Lequel ? ai-je lancé d'une voix dure.

Rebecca a eu un mouvement de recul.

– Je te l'ai dit, l'homme au bar avec les lun…

– Non. Pour quel frère ?

– Gédéon. Mais quelle différence ?

Toute la différence.

– Pourquoi ton frère nous fait-il suivre ?

– Je ne sais pas. Je… j'ai peut-être parlé de toi, une ou deux fois.

Rebecca fixait les nachos comme si elle attendait qu'il leur pousse des ailes.

– Peut-être plus que deux fois. Mais je ne pensais pas qu'il oserait nous faire suivre.

– Qu'est-ce qu'il croit ? Que je vais te kidnapper ?

– Écoute, je suis vraiment désolée.

Rebecca n'arrivait toujours pas à me regarder dans les yeux.

– Si tu veux me larguer, je comprendrai. Je le ferais à ta place.

Son visage reflétait un cocktail d'émotions diverses. Ses lèvres tentaient une parodie de sourire et elle ne cessait de cligner des yeux. Elle n'était pas loin des larmes.

Je me suis forcé à sourire.

– Je ne vais pas te laisser tomber, Rebecca. Je t'aime bien. Mais c'est le rencard le plus bizarre que j'aie jamais eu.

Le sourire de Rebecca était plus sincère que le mien.

– Attends-moi. Je reviens tout de suite.

Elle a pratiquement bondi de sa chaise et a traversé le restaurant à grands pas. Je me suis tourné pour la voir tapoter l'épaule de l'homme aux lunettes. Il l'a regardée d'un air poli. Bien joué, Rebecca. Elle était trop loin pour que j'entende ce qu'elle disait mais son visage m'en apprenait beaucoup. Elle parlait vite, elle était en colère. Le type a essayé de prendre un air innocent mais il a vite abandonné cette stratégie. Ils ont échangé des propos manifestement houleux pendant quelques minutes. Est-ce que c'est le type qui m'avait suivi quand j'étais avec Byron ? Dans ce cas, qu'avait-il vu ? Je l'avais semé avant d'arriver chez Adam Eisner, j'en étais certain. Et de toute façon, il n'avait rien pu distinguer à travers les vitres teintées de la voiture de Byron.

Je me suis levé en me demandant si je ne devrais pas les rejoindre. J'ai hésité quelques secondes, mais au moment où je commençais à me diriger vers eux, le type a pris la direction de la sortie. Rebecca est revenue vers moi, les dents serrées.

– Tout va bien ? lui ai-je demandé alors que nous nous rasseyions.

– Maintenant oui.

– Ton frère fait ça à chaque fois que tu as un rencard ?

– Plus maintenant. Tu peux compter sur moi pour m'en assurer.

– Je peux te poser une question sur ta famille ? ai-je tenté.

– Vas-y.

– Maintenant que ta famille est… reconnue et riche, est-ce que ça ne serait pas logique qu'elle arrête… les trafics illégaux et ce genre de choses ?

– Je pose régulièrement la même question à ma mère, a soupiré Rebecca.

– Et elle te répond quoi ?

– On n'est jamais sûr de la réussite d'une affaire légale car elle comporte trop de variables externes et incontrôlables. En revanche il y aura toujours un marché pour ce qui est hors la loi. C'est aussi prévisible que le retour de l'aube chaque matin et c'est aussi une façon plus rapide de gagner de l'argent.

J'ai froncé les sourcils.

– C'est toi ou ta mère qui dit ça ?

– Ma mère, évidemment, m'a répondu sèchement Rebecca. Et Gédéon.

Un moyen plus rapide de gagner de l'argent. Pour les gens comme les Dowd ou McAuley peut-être. Pour leurs employés, c'était surtout un moyen plus rapide d'aller en prison. Ou au cimetière.

– Et puis ma mère a un policier important de la Prairie dans sa poche, ce qui fait que nous ne risquons pas grand-chose, a ajouté Rebecca.

– Tu restes en dehors de tout ça ? ai-je demandé anxieusement.

– Bien sûr. Ça n'a rien à voir avec moi !

Rebecca a soudain pris un air inquiet comme si elle réalisait qu'elle en avait trop dit.

– De toute façon, ma mère ne me laisserait jamais être impliquée dans ces affaires, même si je le voulais.

Je ne pouvais qu'admirer la désinvolture avec laquelle Rebecca parlait des affaires de sa famille. Rien à voir avec elle sauf que c'est ce qui l'habillait, lui payait sa voiture, la nourrissait, lui permettait de dormir dans un lit douillet et de porter des bijoux précieux. Il fallait que j'éclaire deux ou trois détails avant d'aller plus loin.

– Comment Gédéon va réagir quand il saura que tu sors avec un de ses employés ? ai-je demandé, changeant délibérément de sujet.

– Ça n'interfère en rien avec ton travail à MPLS, a-t-elle lancé.

– La qualité de mon travail n'est pas en cause, ai-je relevé, mais ton frère ne va pas du tout apprécier.

– Ça t'ennuie ?

J'ai secoué la tête.

– Pas si ça ne t'ennuie pas.

– Non, ça ne m'ennuie pas. Je t'aime vraiment beaucoup, Tobey – au cas où tu n'aurais pas encore remarqué. Et tu es le premier garçon à me considérer comme Rebecca et pas comme Rebecca Dowd.

– C'est important pour toi, n'est-ce pas ?

Rebecca a hoché la tête.

– Oui.

J'ai baissé les yeux et j'ai pris un nacho. Elle était avec moi parce qu'elle pensait que son nom de famille ne m'importait pas. Je réalisais à quel point elle était seule.

– On devrait le faire tous les dimanches soir, ai-je proposé. Dîner ensemble.

Elle a souri.

– J'adorerais ça.

Je lui ai rendu son sourire.

– Tu veux qu'on s'échange nos adresses e-mail et nos adresses MSN ?

– Ça marche ! Donne-moi ton téléphone, je rentre toutes les informations.

Nous nous sommes donc donné nos coordonnées. Quand elle m'a rendu mon téléphone, j'ai vérifié que tout était bien enregistré. Rebecca m'avait donné tous les détails, y compris son adresse postale. J'ai rangé le téléphone dans la poche intérieure de ma veste.

J'ai trempé un nacho dans le guacamole et je l'ai tendu à Rebecca. Elle m'a souri avant d'ouvrir la bouche. On s'est mutuellement donné la becquée jusqu'à ce que le bol de guacamole soit vide. Ce dîner était beaucoup plus réussi que je ne l'avais espéré. J'avais appris que les Dowd payaient un flic – et pas un simple flic en uniforme, apparemment. J'avais rapidement changé de sujet quand Rebecca y avait fait allusion. D'autant qu'elle avait l'air inquiet de ses révélations. Je ne voulais surtout pas qu'elle pense que j'avais retenu ses propos. Mais j'avais tout enregistré. Pourtant, mon euphorie retombait comme un soufflé. Je savais qu'un flic de la Prairie était corrompu, d'accord, mais je ne savais pas lequel. Tant que je n'aurais pas d'information supplémentaire sur ce sujet, je ne pouvais faire confiance à aucun d'entre eux. Devais-je prendre le risque de soutirer de nouvelles informations à Rebecca ? Soudain, j'ai réalisé le cynisme de cette intention.

Ne fais pas ça, Tobey.

J'avais besoin de l'info mais une part de moi – une grande part de moi – se sentait méprisable d'utiliser Rebecca de la sorte. Je ne voulais pas qu'elle croie que j'étais comme tous les autres.

J'ai regardé autour de nous, essayant de changer le cours de mes pensées.

Gédéon nous faisait donc suivre.

Je n'avais qu'à le laisser faire. J'avais beaucoup à cacher mais ni lui ni aucun de ses employés ne le découvrirait.

41.

Je venais à peine d'arriver à la maison que mon téléphone, ou plutôt celui de McAuley, a sonné.

– Bonjour, monsieur McAuley, ai-je lancé tout de suite après avoir décroché.

– Bonjour Tobey, m'a-t-il répondu de sa voix huileuse qui a fait parcourir un frisson le long de ma colonne vertébrale. Tu travailles à MPLS depuis un bout de temps maintenant. Qu'est-ce que tu as pour moi ?

Rien.

Sauf…

– J'ai découvert une chose intéressante, monsieur.

– Ah oui ?

J'ai pris une longue inspiration.

– Il y a un flic de la Prairie qui travaille pour les Dowd, monsieur. Haut placé, apparemment.

– Qui ? a demandé McAuley avidement.

– Je ne sais pas encore, ai-je reconnu.

– Pourquoi ?

– Ma source ne connaît pas le nom de ce flic. Reb… euh, je veux dire, ma source ne sait rien de plus sur ce flic.

– Il me faut un nom, Tobey, et vite. Sinon ton information est inutile, m'a rembarré McAuley.

– Oui, monsieur. Je vais voir ce que je peux faire.

– Je veux un nom, Tobey, a-t-il répété.

– Oui, monsieur.

Bon sang ! Je venais de lui offrir des bottes ferrées pour qu'il me botte le cul. J'avais été stupide ! Et en plus, j'avais failli griller Rebecca. Quel crétin ! Maintenant, McAuley n'allait plus me lâcher avant que je lui trouve le nom de ce flic. J'avais plutôt intérêt à savoir qui c'était. Et vite.

Mais comment ?

42.

Mardi soir à nouveau. Les mardis soir reviennent trop vite. Les mardis soir ressemblent de plus en plus à mes anciens lundis matin. Mais au moins, j'avais passé un bon week-end. Dîner avec Rebecca le dimanche et cinéma hier soir. Un film de filles que je l'ai laissée choisir. L'affiche annonçait un thriller romantique mais la trame du thriller était plus que légère. Après le cinéma, nous sommes allés manger un morceau et nous avons marché en parlant de tout et de rien. Et puis, Rebecca m'a ramené à la maison. Elle s'est garée dans ma rue et nous avons passé quinze minutes à emmêler nos langues. C'était plutôt agréable. Rien à voir avec les baisers de Callie, mais agréable quand même.

Quand je suis sorti de la voiture, j'ai vu Sephy qui me regardait. Nous nous sommes dévisagés en silence. Dans un mouvement dédaigneux du menton, elle m'a tourné le dos la première, en laissant tomber son sac poubelle dans le container. Elle est rentrée chez elle sans m'adresser la parole. Je suis resté sur le trottoir un long moment. Je me voyais avec ses yeux. Le spectacle n'était pas des plus agréables.

J'étais de retour à MPLS, l'esprit encombré de questions, de doutes et de souvenirs. Dans tout cela, peu de réponses. J'ai enfilé mon gilet à rayures multicolores en essayant de ne pas trop le regarder pour éviter la migraine. Chaque fois que je voyais ce gilet, je devais me rappeler l'argent qu'il me faisait gagner. Je nouais mon nœud papillon assorti quand Michelle est entrée dans le vestiaire des hommes. Coup de chance, c'était le début du service et la plupart d'entre nous étaient habillés. De toute façon, Michelle n'a eu d'yeux que pour moi.

– Tobey, Gédéon veut te voir dans son bureau.

– Maintenant ou après mon service ?

– Maintenant.

Il souhaitait me parler soit de Rebecca soit de la lettre pour Vanessa Dowd. Je ne savais pas ce que je préférais.

– Où se trouve le bureau de Gédéon ?

– C'est M. Dowd pour toi. Au-dessus du Club. La porte à côté de la cuisine.

Je suis monté par l'escalier de service. En haut des marches, je me suis brusquement arrêté. Quelqu'un sortait du bureau de Gédéon. Quelqu'un que je connaissais. J'ai entraperçu son visage pendant une seconde avant qu'il sorte. Il ne m'avait pas vu. Trop occupé à lire le papier qu'il avait dans les mains. Mais c'était lui. J'en étais sûr. J'ai décidé de garder l'info pour moi. Du moins tant que je ne pourrais pas l'utiliser dans mon propre intérêt.

Je me trouvais de nouveau dans le Club et j'en ai profité pour jeter un coup d'œil. Les tentures de plafond en soie avaient été ôtées pour révéler un plafond strié de poutres. Toutes les statues dans les alcôves avaient été remplacées par des énormes plantes en pot. Ils n'auraient pas dû mettre les statues pour la soirée de Rebecca. Les plantes, c'était beaucoup mieux. J'ai supposé que les statues faisaient mieux pour les photos des magazines. Le Club était presque vide. Il y avait seulement deux types derrière le bar en train de faire l'inventaire. J'ai frappé deux fois à la porte de Gédéon Dowd et j'ai attendu la réponse.

– Entrez ! a lancé une voix étouffée.

J'ai obtempéré et j'ai refermé la porte derrière moi. Une forte odeur de café et de cigarettes m'a agressé les narines. Bon sang ! Il pourrait au moins ouvrir une fenêtre pour aérer. Mais un bref coup d'œil autour de moi m'a suffi. Il n'y avait pas de fenêtre. Comment Gédéon pouvait-il travailler dans une pièce aveugle ? Il était en train de trier des papiers sur son bureau. Il s'est adossé à son siège en m'entendant approcher. Ses cheveux noirs coupés court encadraient parfaitement son visage et ses oreilles comme si le coiffeur avait utilisé un double décimètre. Il avait la mâchoire carrée et des lèvres fines ; on aurait dit qu'il était trop avare pour en montrer plus. Je n'avais jamais été aussi près de lui. Lors de la soirée de Rebecca, il y avait toujours eu des gens entre nous.

Je me suis placé en face de lui. Il m'a fixé. Je n'ai pas bougé. Il a continué de me fixer.

– Assieds-toi, Tobey, m'a-t-il proposé en plissant les paupières.

J'ai obéi.

– Je vais aller droit au but, a-t-il commencé.

Aucune chance qu'il me propose un café, alors ?

– Cette histoire entre ma sœur et toi doit cesser.

Pas même un petit biscuit ? Non ? Bon.

– Rebecca et moi sommes juste amis, ai-je répondu.

– Je n'ai pas envie d'entendre ton point de vue sur cette relation, m'a interrompu Gédéon. Rebecca est en train de s'attacher à toi et c'est hors de question.

Je me suis appuyé à mon dossier.

– Vous ne croyez pas que Rebecca est assez grande pour prendre ses décisions elle-même ?

– Bien sûr que non. Rebecca est d'une grande naïveté. Elle croit tout ce que les gens lui disent.

Comment je devais prendre ça ?

– Avec moi, elle a raison, ai-je répliqué.

– Tobey, je n'ai pas l'intention de discuter. Je veux que tu laisses ma sœur tranquille. Honnêtement, elle n'aura aucun mal à trouver mieux que toi.

– Nous nous sommes contentés de dîner ensemble et d'aller voir un film au cinéma, ai-je tenté. Nous n'avons pas fait de mal.

– Ça m'est égal. Je ne veux plus que tu approches ma sœur.

– Et Rebecca, elle en pense quoi ?

Gédéon m'a examiné des pieds à la tête comme s'il me voyait pour la première fois.

– Tobey, je suis sûr que tu n'as aucune envie que je sois ton ennemi. Aucune envie. Je peux t'empêcher de trouver un travail où que ce soit. Pour commencer...

– Je le sais, monsieur Dowd.

– Donc ?

– Je n'ai rien à dire.

Gédéon a souri pour la première fois depuis que j'étais entré.

– Je savais que tu prendrais la bonne décision. Tu peux reprendre ton poste maintenant.

Gédéon est retourné à ses papiers. J'ai commencé à déboutonner mon gilet. Ce n'est que quand je l'ai enlevé que Gédéon a remarqué que j'étais encore là. Il a froncé les sourcils.

– Qu'est-ce que tu fais ?

Je dis adieu à mes frais de scolarité pour l'université.

– Vous m'avez demandé de choisir entre mon travail et Rebecca, ai-je énoncé en posant mon gilet sur le bureau de Gédéon.

J'ai enlevé mon nœud papillon et je l'ai mis par-dessus.

– C'est ce que je fais, ai-je conclu.

Gédéon a plissé les yeux.

– Tobey, tu viens juste de commettre la plus grosse erreur de ta vie, a-t-il dit d'une voix douce.

Ce n'était pas la peine de lui demander des références, si je comprenais bien.

J'ai quitté la pièce.

43.

Bonjour Callie,

Comment tu te sens aujourd'hui ? Je rentrais à la maison mais je me suis dit que j'allais passer te voir. Tu as l'air d'aller beaucoup mieux, bébé. On dirait que tu es juste en train de dormir. Tu es la belle au bois dormant. Bon sang, voilà que je deviens mièvre. En tout cas, ils ont enlevé les tubes qui entraient dans ta bouche et dans tes veines. C'est bon signe. Tu dois aller de mieux en mieux. Il ne te reste plus qu'à... te réveiller. Pas tout de suite. Mais tu vas te réveiller. Il faut que tu te réveilles.

Tu me manques tellement, Callie. Tellement. Je voudrais que tu sois réveillée. Je pourrais te raconter tout ce qui s'est passé depuis… depuis qu'ils t'ont amenée ici. J'ai besoin de te parler. Tu es la seule capable de comprendre ce que je traverse. Je ne suis plus sûr de qui je suis. J'ai besoin que tu me le rappelles.

Maintenant quand je regarde dans le miroir, un étranger me dévisage. Je ne suis moi, le véritable moi, que quand je suis ici avec toi. Je n'arrête pas de me demander ce que tu ferais ou dirais si tu savais à quoi je m'occupe. Essaierais-tu de m'arrêter ou au contraire m'encouragerais-tu ? J'aimerais pouvoir dire que je connais la réponse. Mais en réalité, je ne suis pas sûr.

Ta main est chaude dans la mienne. Nous allons bien ensemble. Tu ne trouves pas, Callie ? Comme deux pièces d'un puzzle géant.

Oh, mon Dieu ! Tu as serré ma main. Je l'ai senti. Tu as serré ma main. Ouvre les yeux, bébé. S'il te plaît. Ouvre les yeux et regarde-moi.

S'il te plaît.

Bon, d'accord. Petit pas par petit pas. Tu n'es peut-être pas encore prête à ouvrir les yeux mais tu as serré ma main.

Petit pas par petit pas.

Promets-moi quelque chose, Callie. Promets-moi que quand tu ouvriras les yeux, tu me reconnaîtras. Je ne le supporterais pas si toi, toi, tu ne me reconnaissais pas.

44.

Le corps de Ross Resnick, le directeur du célèbre restaurant Merci pour les souvenirs, *a été retrouvé dans les bois ce matin par deux campeurs. Ross*

Resnick avait disparu depuis plus d'un mois, mais d'après la police, sa mort remonterait à trois ou quatre jours. La cause du décès n'a pas encore été déterminée. La femme de Ross Resnick, Louise Resnick, avait récemment...

J'ai éteint mon téléphone. Je n'avais aucune envie d'en savoir plus. J'ai regardé par la vitre du bus le reste du monde qui marchait sans se rendre compte de rien. En tout cas, c'est l'impression que j'avais. Je rentrais à la maison et j'avais hâte d'y arriver. J'avais envie de me glisser sous la couette et de ne plus bouger. Je n'avais plus de travail mais c'était sans importance. Le seul intérêt pour moi avait été de prendre contact avec Owen Dowd et j'y étais parvenu. Gagner de l'argent était un bonus. Ma rencontre avec Rebecca, une aubaine. Un innocent rendez-vous ou deux m'avait permis de lui soutirer des informations très intéressantes sur sa famille. J'avais fait quelques livraisons pour McAuley mais rien que je ne puisse arrêter quand je le voulais. C'est du moins ce que je me disais.

Mais maintenant McAuley en demandait plus. Il voulait l'identité du flic acheté par les Dowd. Je lui avais agité cette carotte sous le nez faute de mieux, mais ce que j'avais gagné, c'était que McAuley ne me lâchait plus. Et je n'avais rien de plus. Pas le moindre indice à lui fournir pour qu'il me fiche la paix.

Et Ross Resnick était mort.

Je ne connaissais pas cet homme et pourtant sa mort me pesait. Était-ce lui que Dan et moi avions entendu à l'étage lors de notre visite chez McAuley ? C'est ce que j'avais pensé à ce moment-là. Et c'est ce que je croyais toujours. Si c'était lui, il était probablement ligoté et bâillonné. Peut-être pire encore.

Que lui avait-il fait avant de le tuer ?

Je ne supportais pas d'y penser mais je n'arrivais pas à me sortir cette question de la tête. J'essayais de me convaincre que je n'étais sûr de rien, que je ne faisais que supposer. J'essayais de me convaincre d'un tas de choses. Mais au fond de moi, je savais qu'à ce moment-là, le mari de Louise Resnick était vivant dans la chambre à l'étage.

Aurais-je pu empêcher sa mort si j'avais prévenu la police ? Resnick n'était pas un saint – il travaillait pour les Dowd, qui étaient aussi pourris que McAuley. Mais qui méritait de mourir de cette façon : seul et dans la douleur ? Avant que Callie soit touchée lors de la fusillade, j'aurais répondu avec assurance : personne.

À présent, je n'étais plus sûr.

Et c'est ce qui m'effrayait.

Une fois à la maison, je suis allé directement dans ma chambre. Je me suis déshabillé et je me suis couché, sachant que je n'arriverais pas à m'endormir. Je ne m'étais pas trompé. Le sommeil a refusé de m'accorder son secours. Je suis resté allongé la majeure partie de la nuit, essayant de voir au-delà de mon désir de vengeance. Peut-être que Gédéon avait raison et que j'avais commis une grosse erreur. Et Rebecca ? Elle était chouette, beaucoup plus chouette que je ne l'aurais cru. Avais-je le droit de l'entraîner dans cette histoire ? Surtout alors que Callie allait chaque jour un peu mieux. Si seulement je pouvais me débarrasser de l'image de Callie regardant vers moi, du sang sur la poitrine, alors peut-être que je pourrais laisser tomber. Peut-être.

Il fallait que je trouve un moyen de me retirer. Je voulais être près de Callie quand elle s'éveillerait. Elle avait autant besoin de moi que moi d'elle. J'ai repensé aux événements de la journée. Ross Resnick avait perdu la vie. J'avais perdu mon boulot. Mon problème était dérisoire en comparaison. J'avais quitté mon job à MPLS. En sortant du bureau de Gédéon, je m'étais pratiquement cassé le bras à essayer de me taper dans le dos pour me féliciter. Mais la réalité avait rapidement refait surface. Les gestes dramatiques, c'était très beau, mais si Rebecca obéissait à son frère et décidait de ne plus me voir ? Pourquoi cette idée m'ennuyait-elle autant ? Je n'étais pas attiré par elle, non. Mais j'appréciais son amitié. Où était-ce encore plus basique ? N'avais-je pas tout simplement besoin d'elle pour l'utiliser ? Et si c'était le cas, qu'est-ce que ça faisait de moi ? Un homme remplissant une mission ? Ou un sale hypocrite comme tous les autres ?

Rebecca venait toujours me chercher après mon service. Elle devait donc maintenant être au courant que j'avais démissionné. Pourtant, elle n'avait pas essayé de m'appeler. Peut-être que tout était fini. Mais je me refusais de croire à ça. Elle m'aimait bien. Elle m'aimait vraiment bien. C'était flatteur. Et j'appréciais sa compagnie. J'allais lui donner une journée et si elle ne m'appelait pas, je le ferais. Je l'inviterais peut-être à dîner. Ou au cinéma. Pas de problème.

Et si elle disait non ?

Mais ce n'était qu'un si.

Je me suis finalement endormi la tête pleine de Rebecca, le cœur plein de Callie Rose.

Je me suis réveillé beaucoup plus tôt que d'habitude. Je n'avais toujours aucune réponse.

Laisse tomber, Tobey.

Éloigne-toi des Dowd et de McAuley, de ce monde, avant qu'il ne soit trop tard. Je suis allé à la salle de bains. Je voulais être sûr d'avoir ma part d'eau chaude. Mais je n'avais pas besoin de me dépêcher : la porte de la chambre de Maman était ouverte, ce qui signifiait qu'elle était déjà partie travailler et aucune musique et aucun bruit de télé ne me parvenait de la chambre de Jessica, qui était sans doute à l'école. Génial ! J'avais la maison pour moi tout seul. J'adorais ça.

Après avoir pris une serviette propre dans le placard, je suis allé vers la salle de bains. J'ai examiné mon pantalon de pyjama. Devais-je le mettre à laver ou lui restait-il quelques jours ? J'ai décidé de le garder. Je trouvais qu'il mettait mes jambes en valeur. J'ai ouvert la porte de la salle de bains. Jessica était assise par terre, le dos contre la baignoire.

– Bon sang, Jess ! Et si j'étais entré à poil ! Je pensais que tu étais… partie…

Sur le couvercle rabattu des toilettes, étaient posés la plus belle théière de Maman et un chalumeau de cuisine. Une légère fumée embrumait la pièce comme une buée sortie de la théière.

Qu'est-ce que Jess… ?

– Jessica ?

Mon murmure a atteint son cerveau. Ses paupières ont tremblé et se sont ouvertes. Ses pupilles avaient la taille d'une tête d'épingle, son regard était trouble.

Elle a ouvert la bouche pour dire quelque chose mais les mots se sont perdus quelque part dans sa tête. Elle a cligné deux fois des yeux, comme si ses paupières étaient aussi lourdes que son corps tout entier, puis elle a refermé les yeux. Elle s'est laissée aller et elle se serait cognée par terre si je ne l'avais pas rattrapée. Je l'ai maintenue d'une main et, de l'autre, j'ai soulevé le couvercle de la théière. Une tache brun foncé teintait le fond. Un parfum familier m'a heurté les narines. Vinaigre. J'ai regardé le chalumeau de cuisine, la théière, ma sœur. Et j'ai compris. Seulement à ce moment-là. Pourtant, je n'arrivais pas à y croire.

Qu'est-ce qu'elle avait pris ? Apparemment, elle avait fumé une merde. Mais c'était impossible. Elle ne pouvait pas être aussi stupide. J'ai regardé autour des toilettes avant d'ouvrir la poubelle. Un morceau de papier froissé. Du papier glacé. Il était au-dessus des autres déchets. Elle n'avait même pas essayé de le cacher. Je l'ai pris et je l'ai porté lentement à mon nez. Il ne sentait rien. J'ai supposé que cette odeur de vinaigre se propageait seulement quand on le brûlait. J'étais quasiment certain qu'à l'école, on nous avait dit que l'héroïne dégageait une odeur. Peut-être que ça dépendait. L'intérieur du papier était collant. Qu'est-ce que Jess avait mélangé avec sa drogue ? J'ai refroissé le papier et je l'ai remis dans la poubelle avant de m'essuyer vigoureusement les mains sur mon pyjama.

Jessica se droguait ? Depuis combien de temps ? Comment Maman et moi avions fait pour ne rien remarquer ? Est-ce que je devais appeler une ambulance ? Était-elle dans un état normal pour une droguée ou était-elle en overdose ? J'ai essayé de me remémorer les cours sur le sujet que nous avions eus au collège. Était-il possible de faire une overdose en inhalant de l'héroïne ? Oui, c'était plus difficile que quand on se l'injectait, mais c'était possible. Je n'avais pas prêté une grande attention aux cours à cette époque. J'étais certain que je ne serais jamais assez bête pour sniffer ou me piquer ou je ne sais quoi, alors pourquoi écouter ? Maintenant, je regrettais de ne pas avoir retenu chaque mot. Est-ce que Jessica allait revenir à la réalité ? Je n'en avais aucune idée. La théière semblait se moquer de moi. De moi et de mes petites livraisons.

– Jess, ouvre les yeux. Jess, s'il te plaît, ouvre les yeux.

Je l'ai secouée et lui ai doucement tapoté les joues. Ses paupières se sont décollées, elle a semblé me reconnaître. Sans prévenir, elle s'est jetée sur les toilettes. Le chalumeau est tombé et j'ai juste eu le temps d'attraper la théière alors que Jessica soulevait le battant et vomissait ses tripes. Je me suis accroupi à côté d'elle, j'ai posé ma main sur son dos, j'ai écarté les cheveux de son visage. Elle a fermé les yeux et s'est effondrée sur moi. Elle était de nouveau partie.

Ma sœur respirait et son pouls était régulier. J'avais sans doute le temps d'appeler une ambulance. Je ne pouvais pas prendre le risque qu'elle fasse une mauvaise réaction à la drogue qu'elle avait inhalée ou vomisse de nouveau alors qu'elle était inconsciente. Mes pensées ont dû d'une manière ou d'une autre parvenir jusqu'à elle parce qu'à ce moment elle a ouvert les yeux. Du café. Je devrais peut-être faire du café. Non, ça c'était pour les gens qui avaient trop bu. Bon sang ! Du café ne serait d'aucune utilité à ma sœur dans l'état actuel des choses. Je n'arrivais plus à réfléchir.

– Jess, écoute-moi, quand as-tu pris ce truc ? Il y a cinq minutes ? Une heure ? Quand ?

J'aurais aussi bien pu parler martien. Mais c'était sûrement récent. Quand j'étais entré dans la salle de bains, la théière fumait encore. J'ai regardé le bras de Jessica. Pas de marques de piqûres. Au moins, elle ne se mettait rien dans les veines. Pas encore.

Maman. Devais-je téléphoner à Maman ? Mais oui, bien sûr, Tobey, c'est tout ce dont Maman a besoin pour éclairer sa journée. Je ne lui téléphonerai que si c'est absolument nécessaire. Mais si Jessica tombait dans le coma pendant que je me demandais désespérément ce que je devais faire ? Bon sang, je ne connaissais rien à la drogue et à tous ces trucs.

Ne me tirez pas dessus, je ne suis que le messager.

Non, laissez plutôt ma sœur se droguer.

Il était inutile de demander pardon et encore plus inutile de se désoler. Peu m'importait si j'avais l'air d'être sans cœur. J'ai regardé ma sœur et, tout à coup, j'ai eu l'impression que chaque cellule de mon sang s'était transformée en lame de rasoir. Inutile ou pas, je devais prononcer les mots.

– Jess, je suis désolé.

J'ai vérifié son pouls. Lent mais régulier.

– Jess, lui ai-je ordonné. Jess, regarde-moi.

Bon sang ! Quelle quantité de ce truc avait-elle inhalée ?

J'ai repensé à tous ces jours ou demi-journées de congé que Jessica prétendait avoir. Est-ce que c'est ce qu'elle faisait pendant tout le temps qu'elle passait à la maison ? Avait-elle encore son emploi ? Ou passait-elle ses journées à inhaler l'Oubli de la Prairie, ou OP comme on l'appelait dans le quartier ? J'avais deux amis, que je connaissais depuis la maternelle, qui étaient accros à l'OP, mais jamais je n'aurais cru que ma propre sœur tomberait dedans à son tour. Je ne comprenais toujours pas comment je n'avais rien remarqué. Mais de quoi m'étonnais-je ? Je m'étais absorbé dans tant d'autres choses… Je n'aurais rien remarqué si une autre tête lui avait poussé. Je me suis rendu compte que je n'avais même pas pensé à lui demander comment s'étaient passés ses examens – pourtant je savais à quel point c'était important pour elle de réussir.

Maintenant, je devais faire quoi ?

Si je téléphonais à une ambulance, Maman serait mise au courant. Mais peut-être que c'est ce dont ma sœur avait besoin, que ma mère sache tout afin de pouvoir l'aider. Ma tête tournait. Que devais-je faire ? Jess avait ouvert les yeux et me regardait.

– Je vais appeler Maman.

Jess a lentement secoué la tête.

– Non, a-t-elle murmuré. S'il te plaît.

– Jess, elle doit savoir.

– Non. Promets-moi de ne pas l'appeler.

J'ai ouvert la bouche pour protester.

– Promets-le-moi, a répété Jess.

– D'accord, ai-je acquiescé à contrecœur.

– Promets.

– Je… je te le promets.

– Tu… tu devrais… être en train de dormir.

Les paupières de Jessica ne cessaient de se fermer et, à chaque fois, elle avait plus de mal à les rouvrir.

Oui, je serais en train de dormir si j'avais toujours mon emploi à MPLS. Revenir tard du travail signifiait que je dormais tous les jours jusqu'à midi passé. Jessica comptait là-dessus pour être tranquille. Elle ignorait que j'avais quitté mon boulot. Couché tôt, levé tôt. Trop tôt pour les plans de ma sœur. Je me suis assis par terre à côté d'elle et je l'ai prise dans mes bras. Je l'ai bercée en attendant qu'elle reprenne ses esprits. Je ne pouvais rien faire d'autre.

Livraisons.

45.

Quand mes jambes ont menacé de ne plus jamais fonctionner si je restais encore assis par terre, je me suis levé avec peine et j'ai à moitié tiré à moitié porté ma sœur dans sa chambre. Elle était totalement léthargique. Je l'ai allongée sur son lit et je l'ai couverte de sa couette. Je me suis assis près d'elle et je l'ai veillée toute la matinée. Le silence qui enveloppait la maison rendait l'atmosphère étrange. Jessica dormait si profondément que parfois elle semblait ne plus respirer. Je prenais alors son pouls ou je mettais mon oreille près de son nez pour sentir sa respiration. Ce n'est que vers midi qu'elle a commencé à avoir un sommeil normal. J'ai pris le risque de la laisser seule afin de prendre une douche et de ranger la salle de bains avant le retour de ma mère. Je ne cessais de passer la tête dans l'entrebâillement de la porte de sa chambre.

J'ai passé un coup d'aspirateur dans toute la maison, j'ai rangé et nettoyé la cuisine et la salle de bains, j'ai frotté la théière. Maman ne se servait pas de cette théière plus d'une ou deux fois par an, mais je n'aimais pas l'idée qu'un de nos parents âgés se mette à planer ou soit empoisonné. Une théière… Bon sang ! Qu'est-ce que ma sœur avait dans le crâne ? J'espérais qu'elle n'avait pas uriné dans son lit ou vomi, je ne saurais pas expliquer ça à Maman. Pendant qu'elle dormait, j'ai fouillé dans son armoire puis dans sa commode. Dans le coin à droite d'un des tiroirs, j'ai trouvé deux autres petits paquets de papier plié. J'en ai ouvert un. Il contenait une masse brune de la taille d'un chewing-gum. J'avais déjà entendu parler d'héroïne – comme tout le monde à la Prairie – mais je n'en avais jamais vu avant. J'ai essayé de me rappeler tout ce que j'avais entendu. C'était collant, très puissant et très addictif. Voilà tout ce dont je me souvenais. Le papier a tremblé dans le creux de ma main. J'ai cherché encore dans les affaires de Jessica mais je n'en ai pas trouvé d'autre. Dans la salle de bains, j'ai vidé le contenu des papiers dans les toilettes puis j'ai jeté les papiers et j'ai tiré la chasse. La drogue a disparu mais pas les papiers. Ça aurait été trop simple. J'ai tiré la chasse une deuxième fois, puis une troisième, et les morceaux de papier étaient toujours là. Ils flottaient tranquillement. J'ai fini par plonger la main dans les toilettes pour les récupérer avant que Maman ne rentre et les voie. Je me suis lavé les mains pendant quinze bonnes minutes mais je me sentais encore sale. Je suis resté assis sur le couvercle des toilettes durant une éternité, à essayer de réfléchir.

Je suis retourné dans la chambre de Jessica et je me suis assis au bout de son lit.

– Jessica, ai-je commencé d'une voix douce.

Je ne voulais pas l'effrayer ou la réveiller trop brusquement.

– Jessica, réveille-toi.

Elle a enfin ouvert les yeux. Pour la première fois depuis des heures, son regard semblait capable de fixer un point et elle semblait savoir qui j'étais. Ma sœur était de retour. Elle s'est assise et a émis un grognement avant de porter ses mains à sa tête.

– Quelle heure est-il ? a-t-elle marmonné.

– Treize heures passées.

Son regard s'est fait plus attentif. Silence.

– Tu vas tout raconter à Maman ? a-t-elle fini par demander.

– Non, ai-je répondu.

Jess a laissé échapper un soupir de soulagement. Le sourire qu'elle m'a adressé était reconnaissant.

– Mais toi, tu vas lui dire, ai-je ajouté.

Son sourire s'est effacé. Elle a commencé à secouer la tête mais s'est vite arrêtée. Elle a fermé les yeux comme si elle avait mal.

– Je ne peux pas.

– Si Jess, tu peux. Parce que si tu ne le fais pas, c'est moi qui lui dirai.

– Non. S'il te plaît, Tobey.

– Je suis désolé, Jess. Je n'ai rien dit pour beaucoup de choses mais je ne garderai pas ça pour moi. Tu as besoin d'aide avant qu'il ne soit trop tard.

Jessica a plissé les paupières.

– Arrête de me regarder comme ça ! s'est-elle exclamée. Ça n'est que la troisième fois que je fume ce truc, y a pas de problème.

– C'est ce qu'ils disent tous, ai-je répliqué. Bon sang, Jess. Une théière ! Tu étais désespérée au point d'utiliser la théière de Maman ?

– Il m'a dit que ce serait plus facile que d'essayer de le respirer directement. Il a dit que la théière refroidirait la fumée et que je pourrais l'inhaler quand elle sortirait du bec.

– C'est qui, « il » ? ai-je demandé d'une voix sèche.

Jessica a détourné le regard.

– Je voulais juste essayer, a-t-elle tenté de se défendre. Je ne suis pas accro, ni rien. Les accros se le mettent dans les veines. Pas moi.

– Tu commences par fumer, tu continueras en te piquant. Ce n'est pas négociable, Jess. Soit tu le dis à Maman, soit c'est moi.

– Si tu m'obliges à faire ça, je ne te le pardonnerai jamais.

– C'est ton problème, ai-je lancé. Mais il est hors de question que je passe encore une matinée comme celle-ci. Plus jamais, Jess.

– T'as pas besoin de m'espionner. Je ne t'ai rien demandé. Va te faire foutre et occupe-toi de tes affaires !

Jessica était de plus en plus en colère.

– Tu es ma sœur, et m'occuper de toi, c'est mes affaires.

Ironique, si on songeait au nombre de fois où Jessica m'avait balancé la même chose et où j'avais pensé qu'elle me prenait la tête. Je me suis dirigé vers la porte mais avant de sortir, je me suis tourné vers elle.

– Pourquoi t'as fait ça ? Bon Dieu, Jessica ! Tu sais pourtant ce que ça fait, ce truc. Qui t'a donné cette putain d'idée ?

– Tu peux pas comprendre.

– Essaie toujours.

Jessica a secoué la tête.

– Fous-moi la paix.

– Jess, comment as-tu pu être aussi stupide ?

– C'est ça, a-t-elle crié. Je suis stupide. La stupide Jessica qui ne peut jamais rien faire de bien ! Qui n'arrive jamais à apprendre quoi que ce soit ! Qui ne sera jamais rien !

Je l'ai fixée.

– C'est... tu dis ça pour ton école de coiffure ?

– Ne sois pas stupide, a soupiré Jessica. Non, attends, la stupide c'est moi. Je suis l'idiote de la famille. J'ai passé toute ma vie à essayer de te rattraper, Tobey.

– Et donc tout est ma faute ?

– Ça n'a rien à voir avec toi ! Le monde ne tourne pas autour de ton nombril !

Sa voix était plus calme.

– Maintenant, Tobey, va-t'en.

Je reconnaissais cette expression sur le visage de ma sœur. Elle ne dirait rien de plus. Rien que j'aie envie d'entendre en tout cas. J'ai ouvert la porte mais j'ai soudain pensé à autre chose.

– Jess, où est-ce que tu t'es procuré ta drogue ?

– Ça te regarde pas.

Elle s'est de nouveau allongée et a tourné la tête.

Je suis revenu auprès d'elle et j'ai posé ma main sur son épaule. Puis je l'ai forcée à me regarder.

– Qui t'a vendu cette merde ?

Jess s'est de nouveau assise et m'a fixé.

– Tu veux vraiment que je te le dise ?

À ce moment, j'ai su. Mais j'avais peur qu'elle l'énonce à voix haute.

Jess a prononcé un nom. Le nom que j'avais peur d'entendre.

– Dan.

Dan.

Une poigne glacée m'a étreint l'estomac. Si mon soi-disant ami s'était tenu devant moi à cet instant précis, je l'aurais réduit en morceaux à mains nues. Jessica s'est levée, les jambes tremblantes, et s'est dirigée vers la salle de bains. Une minute plus tard, j'ai entendu la douche couler. Au moins, elle était debout maintenant et elle faisait un effort avant l'arrivée de Maman. Mais pour combien de temps ? Elle allait sans aucun doute péter un plomb quand elle découvrirait ce que j'avais fait de sa drogue. Il me restait le paquet de cocaïne qu'Adam Eisner m'avait donné, mais il était bien caché et personne ne risquait de le trouver. Je n'avais aucune intention de l'utiliser pourtant je ne l'avais toujours pas jeté. Je n'avais pas eu autant de scrupules avec la drogue de ma sœur.

Quant à Dan… j'allais le faire payer.

Lui et McAuley.

Ils profitaient des habitants de la Prairie et nous mangeaient tout crus. Il était temps que je montre les dents.

46.

Le lendemain matin, la chaleur était moins étouffante. Ce rafraîchissement était un soulagement. En revanche, les deux invités inopinés ne l'étaient pas du tout. Le détective Boothe et le sergent Kenwood. Comme si je n'avais pas assez de problèmes comme ça. Maman n'était pas non plus ravie de les recevoir, c'est le moins qu'on puisse dire. D'abord, ça l'avait obligée à se lever tôt, mais en plus c'étaient des policiers. Maman me répétait sans arrêt qu'elle ne voulait pas voir la police frapper à la porte pour quelque raison que ce soit. Au moins, la voiture de police qu'ils avaient garée devant chez nous était banalisée. Heureusement, sinon, j'en aurais entendu parler jusqu'à la fin de ma vie. Je ne savais pas pourquoi ils avaient envoyé les deux flics qui m'avaient interrogé à l'hôpital. Peut-être que leurs chefs pensaient qu'on avait établi une espèce de relation !

– Une tasse de thé ? a proposé Maman plus par politesse qu'autre chose.

– Avec plaisir, mademoiselle Durbridge, a accepté le sergent Kenwood.

– C'est madame, s'est hérissée Maman.

– Madame Durbridge, s'est corrigé le policier avec un sourire hypocrite.

– Moi aussi, a lancé le détective. Deux sucres. Si ça ne vous ennuie pas, bien sûr.

– Pas du tout, a rétorqué Maman sur un ton qui laissait entendre l'inverse. Tobey ?

J'ai secoué la tête. Maman est partie préparer le thé.

Le sergent Kenwood a doucement fermé la porte derrière elle. Tous mes sens étaient en alerte. Je me suis pourtant bien gardé de le fixer. Le thé n'était manifestement qu'un prétexte pour se débarrasser de ma mère.

– Nous nous demandions si la mémoire t'était revenue, a tenté le détective.

– Je vous ai dit tout ce que je savais.

– Je ne te crois pas, a-t-il répliqué.

Ce n'était pas mon problème, mais le détective ne semblait pas d'accord avec ça.

— Je pense que ce serait mieux si...

Il n'est pas allé plus loin.

Ma sœur Jess est entrée dans le salon comme un ouragan.

— Tobey a des problèmes ? a-t-elle demandé.

— Vous êtes... ? s'est enquis le sergent Kenwood en sortant son calepin.

Jess s'est approchée de lui.

— La sœur de Tobey, Jessica, a-t-elle déclaré. Ça s'écrit J-e-s-s-i-c-a.

Elle a jeté un coup d'œil par-dessus l'épaule du sergent pour vérifier s'il avait correctement écrit son prénom.

— Mon Dieu, quelle vilaine écriture ! s'est-elle exclamée. Vous devez vous fier à ces notes pendant les jugements ? Comment arrivez-vous à vous relire ?

Et malgré tout ce qui s'était passé la veille, je me suis senti à cet instant plus proche que jamais de ma sœur. J'adorais sa façon de ne pas se laisser intimider par le sergent. Jessica m'a souri. Un sourire incertain comme celui que je lui ai adressé en retour, mais au moins c'était un sourire partagé. Nous étions en connexion et c'est ce qui nous avait manqué jusqu'à présent.

— Paul, pose ton carnet, a soupiré le détective Boothe.

Le sergent a obéi à contrecœur. Maman est entrée dans le salon avec deux tasses de thé. Elle les a tendues aux policiers avant de se tourner vers ma sœur.

— Jessica, cette histoire ne te concerne pas. J'aimerais que tu ailles dans ta chambre.

— Maman ! Tu ne peux pas m'envoyer dans ma chambre comme si j'avais huit ans, a protesté Jess.

286

– Alors va dans la cuisine, ou dans le jardin, tu peux même aller t'asseoir sur le toit si tu veux, mais je ne veux pas te voir ici ! a lancé Maman.

Jess et moi connaissions ce ton. Maman l'employait rarement, seulement dans les grandes occasions. La lèvre en avant dans une moue boudeuse, Jess est sortie. Maman s'est adressée aux policiers.

– Maintenant, messieurs, quel est le problème ?

– Madame Durbridge, nous aimerions que votre fils nous accompagne au poste de police afin de faire une déposition, a dit le détective Boothe.

– Pour quoi faire ? a demandé Maman en s'engonçant un peu plus dans sa robe de chambre. Il vous a déjà dit tout ce qu'il savait.

– Nous avons besoin d'une déposition, a répété le sergent Kenwood.

Il a tourné vers moi ses yeux bleus aussi froids qu'un océan de glace.

– Tobey, a-t-il repris, tu es notre seul témoin. Apparemment, toi et Callie Hadley étiez seuls au parc à l'heure de la fusillade. Hormis les tireurs, bien sûr. Étonnant, ça, toi et ta petite amie, un samedi après-midi, seuls dans le parc. Qui l'aurait cru ?

Gros malin. Il sous-entendait que le manque de témoins était ma faute. Mais après tout, en ne racontant pas à la police ce qui s'était réellement passé, je me contentais d'agir comme tout le monde.

– Mon fils n'ira nulle part sans moi, est intervenue ma mère.

– Bien entendu, madame Durbridge, a acquiescé le détective.

– Si vous pouvez patienter ici, a dit Maman d'un ton ferme, je vais m'habiller.

Sans attendre leur réponse, elle est montée à l'étage. Je n'avais aucune envie de rester dans le salon avec les deux flics. Je me suis levé et j'ai marmonné quelque chose à propos de ma veste. Je suis allé dans ma chambre et je me suis assis sur mon lit jusqu'à ce que j'entende Maman redescendre. Je ne dirai rien de plus que ce que j'avais déjà dit, alors pourquoi nous traîner, ma mère et moi, jusqu'au poste ? C'était du harcèlement. Ou de l'intimidation. Ou les deux. Mais s'ils croyaient me faire peur au point de me faire lâcher une information qui pourrait mettre ma vie en danger, ils se trompaient lourdement.

Quand nous sommes arrivés au poste, le sergent Kenwood nous a fait entrer dans une salle d'interrogatoire et nous a laissés seuls. J'ai attendu l'explosion de colère de ma mère mais elle n'a pas ouvert la bouche. D'une certaine façon, c'était pire. Je suis resté sans bouger, le poids de sa désapprobation pesant lourdement sur mes épaules. Nous étions tous deux assis du même côté de la table. Des appareils pour enregistrer étaient branchés dans le mur adjacent. Dans un coin de la pièce, une caméra était attachée au plafond comme un gros cafard.

Au bout d'une dizaine de minutes, le détective Boothe est entré, accompagné d'une femme prima que je n'avais jamais vue. Elle portait un costume noir, un T-shirt bleu ciel et des chaussures noires à talons plats. Ses cheveux étaient coupés très court. Son visage était joliment maquillé mais elle était du genre qui se fond dans le paysage. Si je l'avais croisée dans la rue, je ne l'aurais sûrement pas remarquée. Le détective et la femme se sont assis et elle a appuyé sur le bouton du magnétophone avant même de nous regarder. Maman et moi avons échangé un coup d'œil.

– Interrogatoire, salle 3, 12 août, 9 heures 50. Détective chef Reid et détective Boothe interrogent Tobey Durbridge, 17 ans. En présence de sa mère, Mme Ann Durbridge.

La détective chef Reid m'a fixé et j'ai aussitôt révisé ma première impression. Elle avait peut-être l'air insignifiant mais son regard était perçant, elle ne devait jamais laisser échapper un détail.

– Tobey, peux-tu me raconter ce qui s'est exactement passé l'après-midi du 10 juillet quand Callie Rose Hadley a été blessée par balle ?

J'ai relaté une nouvelle fois mon histoire. Durant tout le récit, la détective chef Reid n'a pas cessé de regarder sa montre. J'aurais pu croire qu'elle n'était pas le moins du monde intéressée. J'ai terminé, signé ma déposition et elle m'a remercié, puis elle a annoncé pour le magnétophone que le détective Boothe quittait la pièce. Ce dernier s'est levé et est sorti. La détective chef Reid a éteint le magnétophone et le silence s'est installé. Elle n'a pas levé les yeux vers moi. Pas une fois. Que se passait-il ? Moins d'une minute plus tard, le détective Boothe est revenu. Reid lui a adressé un bref signe de tête et Boothe nous a escortés hors de la salle d'interrogatoire.

Les serres qui m'empoignaient le ventre me disaient qu'un truc n'était pas normal. C'était quoi ce cirque ? Pourquoi nous obliger, ma mère et moi, à nous déplacer pour faire une déposition dont ils n'avaient manifestement pas besoin. Ils n'avaient pas bronché une seule fois pendant que je parlais. Rien à voir avec les interrogatoires que j'avais vus à la télé.

Que se passait-il ?

Mon ventre était plus douloureux de seconde en seconde. Ça clochait. Et c'est à ce moment que je l'ai vu venir vers moi entre deux flics.

McAuley.

Menotté.

– Je vais vous poursuivre pour arrestation abusive et procédure illégale. C'est du harcèlement pur et simple. Je n'ai rien fait et vous n'avez pas le droit de m'arrêter.

La voix de McAuley était calme, mais il était si furieux que je m'attendais à voir de la fumée sortir de ses narines et de ses oreilles. Il m'a vu et a eu une hésitation. Puis il m'a souri. C'était un de ses petits sourires entendus. En le reconnaissant, Maman lui a jeté le regard le plus mauvais qu'elle avait en magasin, mais toute l'attention du gangster était concentrée sur moi. Pendant tout le temps où nous nous sommes croisés, il ne m'a pas une seule fois quitté des yeux.

Alors que nous nous frôlions, il a murmuré d'une voix si basse que j'étais le seul à pouvoir l'entendre.

– T'inquiète pas, Tobey. Dès que je suis sorti, je m'occupe de toi.

Mon cœur s'est mis à battre au rythme d'une course folle.

Je m'étais fait rouler.

– Qu'est-ce que ce sale type t'a dit ? m'a demandé Maman en colère quand McAuley a été hors de portée d'oreille.

– Rien, Maman.

– Pas de ça avec moi, a-t-elle grondé, il t'a dit quelque chose. Tu es blanc comme un linge. Il t'a menacé ?

J'ai secoué la tête.

– Il m'a juste reconnu comme un ami de Dan, c'est tout. Dan le connaît.

Maman n'a pas eu l'air totalement convaincue mais elle a laissé tomber. Moi ? Un puissant cocktail de peur et de fureur me secouait intérieurement. Toutes ces conneries à propos de la déposition ! Les flics voulaient seulement que McAuley pense que je l'avais balancé. Et à voir l'expression de McAuley, ça avait marché.

47.

Quand nous sommes arrivés dans le bureau, le détective Boothe m'a demandé :

– Tu acceptes de revoir ta déposition maintenant ?

– Non, ai-je lâché sèchement.

Maman était en train de signer les papiers. Boothe m'a attiré dans un coin et m'a susurré :

– Tobey, nous sommes les seuls à pouvoir te protéger de McAuley. Dis-nous ce qui s'est passé sur le terrain vague. Réfléchis.

Le détective Boothe et ses collègues m'avaient jeté dans la gueule du loup, et maintenant ils me disaient qu'ils pouvaient me protéger ? Oui, bien sûr.

– Tout va très bien, ai-je répondu, sachant, avant même de les prononcer, que ces mots sonneraient faux.

J'étais un cadavre ambulant. Ce n'était plus qu'une question de temps.

Boothe a secoué la tête d'un air désolé.

– Vous voulez que je vous fasse confiance, ai-je repris amèrement, mais moi, de ce que j'en sais, vous pourriez très bien travailler pour les Dowd. C'est pour ça que vous m'avez tendu ce piège ? Pour que McAuley s'occupe de moi ? Vous travaillez sur les ordres de Gédéon ?

Le détective m'a dévisagé, sincèrement choqué. Le choc passé, il s'est mis en colère.

– Tu sous-entends que je suis corrompu ?

– Tout le monde sait que les Dowd ont dans leur poche un flic haut placé ici même. Quelqu'un qui les informe des descentes et de toutes les opérations comme les infiltrations. C'est pour ça qu'ils sont intouchables. Et vous vous demandez pourquoi aucun habitant de la Prairie ne veut vous parler ?

Le détective m'écoutait, les yeux écarquillés, comme s'il n'avait jamais entendu de tels propos avant aujourd'hui. Soit c'était un excellent comédien, soit il ignorait réellement qu'il y avait au moins un flic pourri et sans doute plus parmi ses hommes.

Il a jeté un regard rapide autour de nous. Maman était toujours près du bureau et personne n'était assez près pour nous entendre.

– Tobey, tu peux me faire confiance.

Devant mon air dubitatif, il a ajouté :

– Je sais que c'est ce que je dirais de toute façon, mais c'est la vérité. Tout ce que je veux, c'est trouver un moyen de débarrasser la Prairie de McAuley et des Dowd. Nous méritons mieux que ça.

– Nous ? ai-je lâché.

– Oui, *nous*, a répété le policier. Parce que contrairement à ce que tu crois, je vis également dans ce quartier. Tobey, parlemoi. Dis-moi ce que tu sais.

– Ce que je sais, c'est que grâce à vous, McAuley croit que je suis venu vous balancer tout ce que je pouvais sur lui. C'est quand même bizarre, non ? Gédéon Dowd m'ordonne de ne plus approcher sa sœur, je refuse et je me retrouve au poste de police exactement au même moment que McAuley. Quel excellent moyen pour Gédéon Dowd de s'assurer que McAuley fera le sale travail pour lui ! Et maintenant, je devrais vous faire confiance ? Vous êtes un flic pourri et vous travaillez pour les Dowd ! On le sait tous les deux !

– Je ne travaille pas pour les Dowd, ni pour McAuley, a nié Boothe avec véhémence. Ce n'était même pas mon idée de te faire venir.

– C'était l'idée de qui ? Parce que cette personne est sans doute à la solde de Gédéon Dowd !

Boothe n'a pas répondu.

Je lui ai jeté un regard dédaigneux.

– Et je devrais vous faire confiance ?

– C'est plus sûr que tu ne connaisses pas le nom de la personne qui t'a fait amener ici. Mais moi, j'irai voir de plus près, a lâché Boothe d'une voix déterminée.

– Faites donc ça, ai-je lancé sur un ton incrédule. Oh, et tant que j'y suis, c'est vous qui me faites suivre ?

Le détective n'a pas répondu.

– C'est oui ? ai-je insisté, sachant pertinemment que c'était le cas. Je peux savoir pourquoi ?

– On avait besoin de savoir qui tu protégeais, McAuley ou les Dowd. On espérait te coincer avec l'un ou l'autre.

Il a souri sans réel humour.

– Mais on dirait que tu aimes voler avec les oiseaux et nager avec les poissons en même temps. D'après les rapports de ceux qui te suivaient, tu travailles pour les deux.

– Dites à vos officiers d'arrêter de me suivre, ai-je grondé. Premièrement, ils ne sont pas très forts et, deuxièmement, si vous voulez savoir pour qui je travaille, vous n'avez qu'à me le demander.

– C'est ce que je fais, a reparti le flic.

J'ai souri.

– Je travaille pour moi. C'est tout.

– Et si je ne te crois pas ?

– C'est votre problème. Je veux juste sortir d'ici.

– Laisse-nous te protéger, a une nouvelle fois tenté Boothe.

– Merci mais non merci.

– Je te donne ma parole que rien n'arrivera ni à toi ni à ta famille.

– Je n'ai besoin de personne.

Boothe a secoué la tête.

– Tobey, tu agis comme un idiot. Je suis de ton côté. Quand tu t'en rendras compte, passe-moi un coup de fil. Mais n'attends pas trop longtemps.

Il est parti juste au moment où Maman approchait et je n'ai rien pu ajouter.

Quand nous sommes arrivés à la maison, Maman était livide de colère. Elle n'arrêtait pas de répéter que la police « nous avait traînés au commissariat sans raison » ! Je l'ai laissée râler et je suis allé dans ma chambre. Je n'arrêtais pas de penser au regard de McAuley quand il m'avait vu. Il devait se douter que je ne l'avais pas balancé. Il savait que je n'étais pas débile. Tout le monde se servait de moi et si la police ne me coinçait pas, McAuley ou les Dowd finiraient par le faire. Il me fallait une assurance ; pas pour moi mais pour ma mère et ma sœur. Je ne voulais pas qu'il leur arrive quoi que ce soit.

S'il n'y avait eu que moi, je leur aurais dit à tous d'aller se faire foutre. Mais il n'y avait pas que moi. Si j'agissais contre McAuley ou les Dowd, leurs hommes de main se retourneraient contre moi. Et ils ne se contenteraient pas de me faire souffrir. Ma famille, mes amis proches, ils s'en prendraient à eux aussi. C'est pour ça qu'il fallait que j'agisse prudemment. Je n'étais pas prêt à régler son compte à McAuley.

Je devais lui redonner confiance en moi. Cette histoire avec Rebecca m'a détourné de mon plan. Il était temps d'y remédier.

Je me suis allongé sur mon lit et j'ai fixé le plafond. Ce qui avait commencé par une minuscule incursion sur le terrain de McAuley était devenu un véritable voyage sur lequel je n'avais plus aucun contrôle. Dès le début, je savais que ce serait difficile d'arrêter, mais personne ne m'avait dit que ce serait impossible.

Est-ce que ça m'aurait empêché de m'embarquer dans cette galère ?

Probablement pas.

Je suis resté dans la même position pendant plus d'une heure, sans bouger, à essayer de rassembler mes pensées. Je n'avais aucune idée de ce qui m'attendait. Je m'étais jeté dans l'inconnu mais même si j'avais pu, j'aurais refusé de faire demi-tour.

Le portable que McAuley m'avait donné a sonné. Je m'y attendais. Je savais que dès qu'il serait sorti de chez les flics, il m'appellerait. J'ai décroché, il s'est tout de suite mis à parler.

– Je veux te voir.

– Oui, monsieur.

– Je serai devant chez toi dans dix minutes.

– Mais… ai-je commencé en pensant à la réaction de ma mère si elle voyait la voiture de McAuley devant la maison.

Il était encore moins en odeur de sainteté que la police.

– Oui ? a lancé McAuley d'une voix sèche.

– Rien, monsieur. Je vous attends.

McAuley a raccroché.

Dix minutes…

Le compte à rebours avait commencé.

48.

Je me suis arrêté devant la porte fermée de la chambre de Maman. Elle devait dormir et elle n'apprécierait pas que je la réveille. Jessica était sortie. J'avais un besoin désespéré de dire au revoir à quelqu'un. N'importe qui. Mais il n'y avait personne. Avec un soupir, je me suis éloigné de la chambre de Maman et je suis sorti de la maison, les mains profondément enfoncées dans mes poches. J'ai levé les yeux vers le ciel bleu, espérant...

Mais mon souhait ne s'est pas réalisé.

McAuley est arrivé pile à l'heure. J'ai jeté un coup d'œil inquiet vers la fenêtre de ma mère mais ses rideaux étaient fermés. Byron était la seule autre personne dans la voiture avec McAuley et c'est lui qui conduisait. McAuley m'a indiqué la place à côté de lui à l'arrière. Je suis entré. J'avais à peine refermé la portière que Byron a démarré. Le vide en moi grandissait de seconde en seconde.

– Monsieur McAuley, vous devez me croire, ai-je commencé, je n'ai pas dit un mot à la police. Ils sont venus nous chercher, ma mère et moi, ce matin et ils nous ont emmenés au poste pour que je fasse une déposition. Mais je ne leur ai rien dit parce que je ne sais rien. Ils ont essayé de me rouler et de vous faire croire que je balançais des choses sur vous.

McAuley était adossé contre le luxueux siège en cuir. Son ordinateur portable était posé entre nous. Un journal sur les genoux, il me disséquait du regard. C'était moi ou il faisait horriblement chaud dans la voiture ?

– Pourquoi la police voudrait te rouler ?

– Pour vous faire croire que je représente un danger pour vous. Ils pensent que si vous êtes après moi, j'aurais envie de collaborer avec eux.

– Collaborer avec eux ?

– La police croit que j'ai vu des choses le jour de la fusillade sur le terrain vague. Mais c'est faux.

Je regardais McAuley dans les yeux, désespéré qu'il me croie.

– Quand la fusillade a commencé, je me suis jeté par terre et j'y suis resté. Je n'ai rien vu.

McAuley m'a étudié pendant un long moment. Je n'ai pas détourné les yeux, ni même cillé. Pas une fois. Parce que ça aurait été fatal. Mon cœur faisait des bonds comme un boxeur à l'entraînement.

Ne vomis pas, Tobey. Bon sang, ne vomis pas.

Surtout pas dans la voiture de McAuley.

Ou pire, sur lui.

Mais l'expression de McAuley s'est détendue, même si son regard était toujours aussi dur.

– Comment ça se passe, ton job à MPLS ?

De quoi parlait-il ? Cette façon de passer du coq à l'âne était-elle un moyen de me tester ? Méfie-toi, Tobey… J'ai essuyé mon front avec la paume de ma main. Ça le tuerait d'allumer la climatisation ? McAuley n'avait pas une goutte de sueur sur lui.

– Je n'y travaille plus, monsieur.

– Ah ? Pourquoi ?

J'ai décidé de m'en tenir le plus possible à la vérité.

– Gédéon Dowd m'a viré.

– Pourquoi ?

– Parce que je suis sorti avec sa sœur.

– Rebecca ?

– Oui, monsieur.

– Et vous êtes toujours ensemble ?

– Je ne sais pas, monsieur, je n'ai pas eu de ses nouvelles depuis deux jours.

– Elle te plaît ?

J'ai haussé les épaules.

McAuley m'a observé.

– Donc tu couches avec l'ennemi.

J'ai ouvert la bouche pour nier mais je l'ai refermée aussitôt. McAuley parlait au figuré, mais pour lui, c'était la même chose.

– Monsieur McAuley, si vous me demandez de ne plus la voir, je le ferai immédiatement, ai-je dit après un court silence. Je ne suis avec elle que pour essayer de découvrir le nom du flic qui travaille pour les Dowd. C'est Rebecca qui m'en a parlé.

– Tu ne sais toujours pas qui est ce flic ?

– Non, monsieur. Mais ce n'est qu'une question de temps.

– Tu ne crois pas que tu en as déjà eu assez ?

– Je vous obtiendrai cette information, monsieur. Je vous le garantis.

McAuley s'est adressé à son chauffeur.

– Qu'est-ce que tu en penses, Byron ? Tobey est-il le genre de garçon qui tient parole ?

Byron a haussé les épaules.

– À mon avis, il est trop malin pour sa santé. Ou du moins, il se croit trop malin.

McAuley a souri. Et son sourire a fait parcourir un frisson glacé dans mon dos. Qu'est-ce qu'ils allaient faire ? McAuley a pris son ordinateur, l'a posé sur ses genoux par-dessus le journal et a regardé l'écran. Sa clé USB était branchée à un des deux ports sur le côté. Pourquoi avait-il besoin de son ordinateur pour ses moindres déplacements ? C'était peut-être juste pour se donner un genre. Le genre de l'homme d'affaires. Ou y avait-il un élément dont il avait besoin à cet instant précis ? J'ai continué de le regarder mais il m'ignorait complètement. J'avais l'impression qu'il lisait ses mails mais je ne pouvais évidemment pas me pencher pour vérifier. Notre conversation semblait terminée. Du moins pour le moment.

J'ai avalé ma salive. Devais-je dire quelque chose ? Continuer à défendre mon cas ? M'avait-il cru ou pas ? J'ai regardé par la fenêtre. Je ne savais pas où nous étions et je n'avais aucune idée de l'endroit où nous nous rendions. Après environ vingt minutes de silence total, j'ai risqué un nouveau coup d'œil vers McAuley. Il avait reposé son ordinateur à côté de lui et il me regardait. Mon front était trempé de sueur.

– Il fait trop chaud pour toi, Tobey ? m'a demandé McAuley.

– Un peu, ai-je reconnu en enlevant ma veste.

C'était ça ou me transformer en flaque. Je l'ai posée sur le siège entre nous.

– J'aime quand il fait chaud, a lancé McAuley. Je réfléchis mieux.

Où étions-nous ? Quelque part dans la campagne. Il n'y avait pas de maisons, juste des champs de différentes nuances de vert et, sur ma gauche, des arbres à l'horizon. Les pensées s'abattaient dans ma tête comme une averse sur un toit percé. Mes intestins faisaient des nœuds. Où est-ce qu'ils m'emmenaient ? Byron a tourné à gauche sur une petite route et nous avons roulé encore quelques minutes. Il y avait de plus en plus d'arbres. Puis Byron a encore tourné à gauche et nous sommes sortis de la route. Les suspensions de la voiture devaient être parfaites parce que nous avons à peine senti la différence.

– Byron, arrête-toi là ! a soudain ordonné McAuley en repliant soigneusement son journal.

La voiture s'est arrêtée tranquillement. Mais Byron a laissé le moteur tourner. Nous étions au milieu d'un nulle part de verdure. Les arbres nous entouraient comme des sentinelles, des témoins silencieux de ce qui allait se produire, quoi que ce soit. Je n'entendais pas un gazouillement d'oiseaux. Je n'avais aucune idée de là où nous nous trouvions. Nous n'avions pas roulé plus d'une heure, mais j'aurais aussi bien pu être sur une autre planète.

On y était.

– Tobey, tu sais où nous sommes ?

J'ai secoué la tête.

– Personne ne sait où nous sommes, a repris McAuley avant d'ajouter de sa voix doucereuse : Tu comprends, n'est-ce pas ?

Oh, oui.

– Monsieur McAuley, je travaille pour vous maintenant, ai-je dit calmement. Je ne vous trahirai jamais.

– La loyauté est ce qu'il y a de plus important à mes yeux, Tobey. Je te l'ai déjà dit ?

– Oui, monsieur.

– Vous pourriez le tester, monsieur McAuley. Pour savoir de quel côté il est, a proposé Byron.

– Peut-être que je devrais faire ça, a lentement acquiescé McAuley.

J'ai regardé Byron puis son patron. De quel genre de test parlaient-ils ? Allait-on me féliciter ou m'envoyer directement en enfer ? Mais n'y étais-je pas déjà ?

– Mais peut-être qu'il n'en vaut pas la peine, a réfléchi McAuley à voix haute.

Il a souri, se délectant du pouvoir qu'il avait sur moi. Ma vie était entre ses mains et il voulait être sûr que je le savais. Il n'avait pas besoin de m'amener dans ce trou perdu pour me convaincre.

– Tu vas devoir me prouver ta loyauté, Tobey. Ça te paraît juste ?

– Oui, monsieur.

Le vide en moi me dévorait. Bon sang ! Qu'est-ce que McAuley allait me demander ?

– D'abord, je veux que tu me dises tout, et je dis bien tout ce qui s'est passé au poste de police, tout à l'heure, a commencé McAuley. Et enlève ta putain de veste de mon ordinateur !

– Pardon, monsieur.

J'ai ôté ma veste.

– C'est un putain d'ordinateur et toi tu poses ta veste dessus, comme ça ?

– Je suis désolé, monsieur McAuley.

J'ai glissé l'objet dans ma poche en essayant de faire en sorte que mes mouvements aient l'air naturel. Si je me sortais de cette forêt, au moins... mais je m'emballais. Un pas après l'autre. Quoi que McAuley me demande, j'obéirai.

Quoi qu'il me demande.

Parce que de toute façon, c'était ça ou j'étais mort.

J'ai raconté à McAuley tout ce qu'il voulait savoir. Sans rien omettre. Il n'est intervenu qu'en me posant deux ou trois questions. Quand j'ai eu terminé, il a recommencé à m'examiner.

– Alors Byron, a demandé McAuley à son chauffeur sans me quitter des yeux. Il dit la vérité ?

– Je pense, monsieur.

— Heureusement pour toi, Tobey, j'ai encore besoin de toi.

— Oui, monsieur McAuley.

Heureusement pour moi.

— Ramène-nous, Byron, a lancé McAuley.

Ces mots ont sonné comme du hard-rock à mes oreilles. Byron a doucement fait faire demi-tour à la voiture.

— Byron, a repris McAuley, tu sais que j'aime beaucoup ces petites promenades dans la campagne ?

— Oui, monsieur, a répondu Byron en souriant d'un air sarcastique dans le rétroviseur.

Nous avons parcouru le reste du trajet en silence. J'ai regardé tout du long par la fenêtre mais je n'ai pas reconnu un seul panneau avant une bonne demi-heure.

Quand nous sommes arrivés devant chez moi, je me suis tourné pour ouvrir ma portière.

— J'ai trouvé ce que j'allais te demander de faire pour que tu me prouves ta loyauté, Tobey.

Ma main s'est immobilisée sur la poignée.

— Oui, monsieur.

— Quand tu auras découvert l'identité de ce flic qui travaille pour les Dowd, je veux que tu fasses une nouvelle livraison.

Le sourire de McAuley irradiait l'autosatisfaction. Il était incroyablement content de lui.

— Un nouveau paquet pour M. Eisner ?

— Pas cette fois.

McAuley a doucement secoué la tête.

— Je veux que tu me fasses une livraison à moi.

— À vous, monsieur ?

Mon ton était plus abrupt que je ne l'aurais voulu. Que pourrais-je lui apporter qu'il n'avait pas déjà ?

– Tu as accès à des choses dont je ne peux pas m'approcher. Ce que je veux, Tobey, c'est Rebecca Dowd. Je veux que tu m'amènes Rebecca Dowd.

Et tout à coup, la sensation de vide en train de me dévorer de l'intérieur a disparu. Il n'y avait plus rien à manger. J'étais complètement vide.

Rebecca…

– Oui, monsieur McAuley.

– Donc tu le feras.

Ce n'était pas une question.

– Oui, monsieur McAuley. Tout ce que vous me demanderez.

– Je te ferai savoir où et quand. Garde toujours avec toi le téléphone que je t'ai donné.

– Oui, monsieur. Je l'ai toujours avec moi.

McAuley a regardé ailleurs. Je pouvais partir. Je suis sorti de la voiture. Byron a démarré dès que ma portière a été refermée. J'ai regardé la voiture s'éloigner jusqu'à ce qu'elle tourne au coin de la rue. J'ai continué de regarder longtemps après. Rebecca Dowd était à présent un paquet prévu pour une livraison. Et c'est moi qui devais faire la livraison. Je ne pouvais pas changer mes plans pour Rebecca. C'était impossible. Et Callie ? McAuley devait payer pour ce qu'il avait fait à Callie.

Mais pouvais-je réellement condamner Rebecca ?

Oui.

Non…

Je ne savais pas. C'était le plus effrayant. Je ne savais vraiment pas.

Une fois chez moi, je suis allé directement dans ma chambre. Même après avoir fermé la porte, je n'arrivais pas à me détendre. Je me suis assis sur mon lit et je me suis pris la tête dans les mains, souhaitant que la douleur qui me vrillait le crâne disparaisse. J'ai tremblé durant de longues minutes. J'ai vidé mes poches. La clé USB de McAuley brillait. Je l'avais échangée contre la mienne. Dans la voiture, j'avais vraiment cru que je ne reviendrais jamais à la maison, en tout cas pas en un seul morceau. Mais si je devais mourir, il fallait que je m'assure que McAuley ne s'en sortirait pas. Dissimulé par ma veste, j'avais échangé ma clé USB avec la sienne. L'acte désespéré d'un type désespéré. Je m'étais tout du long attendu à sentir la main de McAuley s'abattre sur mon poignet, aussitôt suivie du canon de l'arme de Byron sur ma tempe. Mais j'avais réussi.

Je ne sais pas exactement ce que je m'étais dit. Un truc du genre : quand on retrouvera mon corps, on retrouvera aussi la clé de McAuley dans ma poche. Même si ça ne l'incriminait pas directement, la police trouverait peut-être sur la clé des informations utilisables contre lui. Ce n'était pas vraiment ce que j'avais prévu au départ, mais je devais improviser.

Et maintenant ?

J'avais la clé de McAuley.

Et il avait la mienne…

Je me suis redressé et j'ai regardé fixement un petit trou dans le mur de ma chambre. Y avait-il quelque chose sur cette clé qui lui permettrait de savoir que c'était la mienne ? J'ai réfléchi. Ma clé était complètement fichue, on ne pouvait même pas l'ouvrir. Mais si McAuley trouvait un moyen de récupérer les données ? Il tomberait sur mon devoir de chimie et l'exposé d'histoire que j'avais fait avec Callie. S'il arrivait à lire ne serait-ce qu'un fichier, j'étais foutu.

Je me suis forcé à me calmer. J'avais tout essayé pour récupérer les données sur ma clé et je n'étais pas manchot en informatique. Si je n'avais pas réussi, il n'y arriverait pas non plus. Il ne me restait qu'à le souhaiter. Je ne risquais rien. Rien ?

Pour le moment, pas de nouvelles, bonnes nouvelles. Et en attendant, j'avais une chance de trouver quelque chose contre lui. Je devais faire vite avant d'être obligé à accomplir un acte monstrueux.

Mon plan de départ, naïf, avait été d'approcher McAuley. De suivre ses ordres – tous ses ordres – jusqu'à ce que j'apprenne quelque chose que je pourrais utiliser contre lui. J'avais prévu de devenir un autre Dan et de garder les yeux grands ouverts et la bouche fermée. Mais maintenant que j'avais la clé USB, je serais idiot de laisser passer cette opportunité.

Mon téléphone a sonné alors que je m'apprêtais à allumer mon ordinateur.

– Salut Dan, ai-je dit froidement après avoir regardé qui m'appelait.

– Tobey, tu peux venir chez moi dans cinq minutes ?

– Pourquoi ?

– J'ai besoin de ton aide.

Il ne m'a pas fallu plus d'une seconde pour me décider.

– J'arrive.

Dan a raccroché. Comme je m'y attendais.

49.

Cinq minutes plus tard, j'étais devant la porte de chez Dan. Je n'avais pas oublié Callie. Ni ma sœur. Je n'oublierai jamais l'état de ma sœur quand je l'avais découverte dans la salle de bains. Cette scène passait et repassait dans ma tête comme celle où Callie se prenait une balle dans la poitrine. J'avais peur que

Dan s'en aperçoive. Pourquoi avais-je décidé de l'aider ? Être près de ses amis, plus près encore de ses ennemis.

– Salut Dan, ai-je lancé quand il a ouvert la porte.

– Salut Tobey.

Il sautillait d'un pied sur l'autre. J'étais parfaitement immobile. Je n'avais jamais réellement remarqué avant que Dan était toujours agité. Pour la première fois, je me suis demandé s'il utilisait sa propre marchandise.

– Qu'est-ce qui t'arrive ?

– M. McAuley m'a téléphoné pour me donner un boulot à faire, mais tout seul, je ne peux pas.

– Quel genre de boulot ?

– Un type du nom de Boris Haddon doit du fric à M. McAuley et il m'envoie le récupérer. M. McAuley m'a prévenu que c'était ma dernière chance. Il m'a dit que si je merdais, il m'écrabouillerait sous une pierre et me laisserait crever.

– Et tu veux que je t'aide à obliger le type à te donner de l'argent ? Je ne crois pas, Dan. Ça vaut au moins cinq ans de prison, ce genre de truc.

– J'ai juste besoin que tu me couvres. Je m'occupe de tout et je te promets que personne ne nous fera de mal. Il nous file l'argent et on repart. Ça nous prendra pas plus d'une minute. Mais si je suis seul, Haddon risque d'avoir envie de faire le con.

– C'est qui ce type ?

– Il a une boulangerie dans le nord de la Prairie. Il gagne bien sa vie.

C'était pour ça que ce vautour de McAuley lui tournait autour.

– Haddon sait que tu viens ?

– Bien sûr que non, s'est offusqué Dan. Enfin… je crois pas.

– Tu dois aller chez lui ou à sa boulangerie ?

– M. McAuley m'a dit qu'il serait à sa boutique jusqu'à six heures mais je me suis dit qu'on pourrait y aller maintenant avant que les clients arrivent pour midi.

– Tu crois pas que McAuley l'a prévenu pour qu'il ait le temps de rassembler le fric ? ai-je demandé. Ce qui voudrait dire que ce type sait que tu vas venir.

Dan a réfléchi.

– Ouais, c'est possible, a-t-il fini par acquiescer sombrement.

– C'est McAuley qui t'a demandé de faire appel à moi ?

Dan a eu l'air surpris.

– Non. Pourquoi il aurait fait ça ? Je te le demande parce que t'es un pote.

Un pote...

– Alors, tu veux bien ? S'il te plaît, Tobey.

Silence.

– OK.

Mais mes raisons n'étaient pas à proprement parler altruistes, loin de là.

– Tobey, t'es prêt à te salir les mains ? Parce que tu serviras à rien si t'es pas vraiment prêt à me couvrir.

– Je vais faire pour toi exactement ce que tu ferais pour moi, ai-je dit d'une voix douce.

Dan a semblé dérouté. Je me suis forcé à sourire.

– Pas de problème, l'ai-je rassuré. Alors comment on y va chez ce Haddon ?

Dan a froncé les sourcils.

– En bus. Qu'est-ce que tu croyais ?

Je me suis retenu à temps de ricaner. Deux mecs qui voulaient se faire passer pour des gros bras et intimider une victime de

McAuley et qui débarquaient en bus ! Génial ! Très impressionnant ! Si Haddon arrivait à se relever quand il aurait fini de rire comme une baleine, il lui resterait peut-être juste assez d'énergie pour nous virer de sa boutique à coups de pied.

– T'auras besoin de ça.

Dan m'a tendu un couteau dans son fourreau.

Et tout à coup, je n'ai plus trouvé ça drôle du tout.

J'ai hésité. Dan a avancé l'arme vers moi. Je l'ai prise.

– Tu penses que je vais en avoir besoin ? ai-je demandé.

– Sans doute, a répondu Dan. On doit montrer à Haddon qu'on ne rigole pas.

– Et s'il a un flingue ?

– Il ne sera pas stupide à ce point. Il sait qu'on bosse pour McAuley.

Alors pourquoi des couteaux ? Dan avait l'air d'être sûr à cent pour cent que Haddon nous filerait le fric sans sourciller, mais la peur ou le désespoir pouvaient mener les gens à des tentatives stupides.

– Alors il nous suffira d'annoncer à Haddon pour qui on bosse, ai-je lancé dubitativement, et on n'aura pas besoin de ces trucs.

– C'est au cas où on ait besoin de se protéger, a répliqué Dan.

J'ai mis le couteau dans la poche de ma veste.

– Je vais chercher mon blouson, a lancé Dan en rentrant chez lui.

Dès qu'il a eu le dos tourné, j'ai tombé le masque. Mon ami, Dan. Mon pote. L'ami sur qui on pouvait compter, à condition que ça ne lui coûte rien et que ça lui rapporte suffisamment. Et il fallait que je lui cache ce que je ressentais en sa présence parce que j'avais besoin de lui. J'avais du mal à ne pas exploser mais je commençais à passer maître dans l'art de l'hypocrisie.

Dan a pris sa veste sur la rampe et est sorti de la maison. Il a claqué la porte si fort que j'ai été étonné que la vitre ne se brise pas en mille morceaux.

– Ta mère est là ?

– Ouais, elle dort. Pas toute seule.

– Un type que tu connais ?

– Non. Elle est rentrée à trois heures ce matin, complètement bourrée, avec ce mec. J'ai fermé ma porte et je les ai laissés faire ce qu'ils avaient à faire.

Nous avons marché en silence. Dans ce monde où tout changeait sans arrêt, la mère de Dan était d'une constance admirable. Elle se comportait de cette façon depuis aussi loin que remontaient mes souvenirs. À une époque, avant que Dan travaille pour McAuley, les seuls repas décents qu'il prenait, c'était chez moi. Il apportait aussi ses vêtements à laver. Jusqu'à ce qu'il ait assez d'argent pour s'acheter une machine.

Mon ami, Dan.

– Dan, ai-je lancé, tu veux faire quoi plus tard ?

– Qu'est-ce que tu veux dire ?

– Tu feras quoi dans cinq ans, dix ans, quinze ans ?

– Je sais pas, moi.

– Tu travailleras toujours pour McAuley ?

– Non, sûrement pas, a-t-il répondu avec véhémence. J'aurai ma propre affaire. C'est moi qui dirigerai.

– Donc, t'es pas le petit chien de McAuley ?

– Je suis le petit chien de personne. Il n'y a que trois choses qui m'intéressent dans la vie : moi, moi et moi.

J'avais cru remarquer, oui.

Moins d'un quart d'heure plus tard, Dan et moi descendions du bus dans la rue Haute. La boulangerie de Haddon se trouvait à une petite minute de marche. J'allais entrer quand Dan m'a retenu.

– Tobey, t'es sûr de toi sur ce coup-là ?

J'ai acquiescé.

– Et finissons-en avant que je réfléchisse.

Nous sommes entrés. Une odeur de pain frais et de pâtisserie flottait dans l'air. La boutique était lumineuse, gaie et très propre. Derrière le comptoir, il y avait une porte en bois avec une vitre dépolie. Contre le comptoir se dressait un réfrigérateur rempli de sandwichs et de boissons. De l'autre côté, contre le mur, sur un présentoir protégé par une vitre, étaient alignées des pâtisseries de toute sorte. Une pince était posée près de chaque gâteau. Ceux à la crème étaient très appétissants. Je comprenais pourquoi cette boutique avait du succès. Un homme prima et une femme nihil faisaient le service. Dan s'est avancé. Il a regardé les sandwichs et les tartes. Je suis resté près de la porte comme nous l'avions décidé dans le bus. Quand les trois derniers clients ont payé et sont sortis, Dan m'a adressé un signe de tête. J'ai tourné la pancarte accrochée à la poignée pour indiquer que le magasin était maintenant fermé. Au même moment, un Prima essayait d'entrer.

– Désolé ! lui a crié Dan. On est obligés de fermer jusqu'à ce qu'on ait attrapé la souris qui court dans le magasin.

Le client – l'ex-client – a pris un air horrifié et a fait demi-tour. Je me suis placé devant la porte afin que personne ne puisse entrer.

– Qu'est-ce que vous fichez ? nous a interpellés le Prima derrière le comptoir.

J'ai supposé que ce devait être Boris Haddon.

– Vous inquiétez pas, monsieur Haddon, a répondu Dan d'une voix aimable. C'est M. McAuley qui nous envoie.

Haddon a jeté un regard anxieux vers la Nihil qui servait avec lui.

– Sophie, prenez la journée.

– Mais, monsieur Haddon...

– Faites ce que je dis, a insisté Haddon. D'accord ?

Sophie a regardé son patron puis Dan, puis moi et de nouveau Haddon.

– D'accord, monsieur Haddon, a-t-elle lâché nerveusement.

Boris lui a lancé un regard entendu. Sophie a ôté le bandeau qui lui protégeait les cheveux et a dénoué son tablier avant de les jeter sous le comptoir. Elle s'est penchée pour prendre sa veste au même endroit. À cet instant, une alarme s'est déclenchée dans ma tête. Les employés ne mettaient pas leur veste sous le comptoir s'il y avait un endroit où ils pouvaient l'accrocher. À vue de nez, ce genre de boutique disposait d'un vestiaire. Je me suis déplacé légèrement pour essayer de voir derrière la vitre dépolie. Mais Boris s'est imperceptiblement mis devant.

– Pour qui avez-vous dit que vous travaillez ? a demandé Haddon.

– McAuley, a répondu Dan. Vous devez payer ce que vous devez à mon patron et...

– Dan, je pense que nous nous sommes trompés de magasin.

Dan s'est tourné vers moi, sourcils froncés.

– Qu'est-ce que tu racontes ? Bien sûr que non...

J'ai tenté une autre stratégie.

– Dan, ton patron t'a seulement demandé de rappeler à monsieur qu'il avait une dette. Il aimerait qu'elle soit payée dans les trente prochains jours.

Je me suis tourné vers le boulanger.

– Monsieur, nous voulions juste vous demander poliment d'envoyer un chèque à... d'envoyer un chèque quand... bon vous semblera...

– Tobey, qu'est-ce que tu fous ? a crié Dan.

Je l'ai regardé.

– On doit y aller.

– Certainement pas ! Je quitte pas cet endroit avant que ce Primate paye ce qu'il doit à M. McAuley.

Dan avait déjà la main dans la poche de sa veste. Il s'est approché du comptoir.

J'ai couru pour me placer devant lui. Furieux, il m'a violemment repoussé. Les yeux écarquillés, la bouche béante, Haddon a reculé de deux pas. La main de Dan est ressortie de sa poche. Armée du couteau. Alors je l'ai frappé. Pas très fort mais de surprise, il est tombé au sol. Je me suis accroupi à côté de lui et je lui ai tendu la main pendant que mon autre main glissait vers sa poche. Il m'a jeté un regard noir.

– Dan, je suis désolé…

Il m'a poussé et s'est relevé seul.

– Pardon pour le dérangement, monsieur Haddon, ai-je dit. Dan et moi allons partir.

– C'est comme ça que tu me couvres, a grondé Dan, dédaigneux.

Et il m'a poussé à nouveau. Fort.

Il s'approchait de moi quand la porte derrière Haddon s'est ouverte sur les flics.

– AU SOL ! TOUT DE SUITE !

– À TERRE !

Les ordres venaient de toutes les directions. Je me suis jeté au sol. Un flic s'est agenouillé sur mon dos en me mettant les bras en arrière pour me menotter. La tête sur le côté, j'ai regardé Dan. Crétin.

Il n'avait rien compris. J'avais essayé de le prévenir. Boris Haddon savait que nous allions venir et il avait prévu un comité d'accueil. Si Sophie avait laissé sa veste sous le comptoir, c'était juste pour ne pas ouvrir la porte et éviter de nous montrer qui était caché derrière. Si Dan avait, une fois dans sa vie, eu un travail honnête, il aurait compris ça tout seul.

J'ai émis un grognement alors qu'un des flics me remettait debout. Mais ce n'était pas tant les menottes ou la douleur dans mon dos qui me faisaient grimacer. Je retournais au poste de police et Maman allait être folle de rage. Les policiers nous ont fouillés. Hormis deux téléphones portables et quelques pièces, mes poches étaient vides. Dans celles de Dan, il y avait deux couteaux. Un dans chacune de ses poches. Stupéfait, il s'est tourné vers moi. Mais nous n'avons même pas eu le temps d'échanger un regard. Les flics nous ont fait monter dans deux voitures séparées.

5 0 .

J'ai écopé d'une réprimande officielle. Apparemment, je n'avais pas l'âge – à un mois près – de recevoir un avertissement plus formel. J'avais du mal à comprendre à quoi correspondait exactement cette réprimande. D'après ce que j'ai compris, j'étais accusé d'avoir participé à une échauffourée. Ce qui était totalement spécieux, voire complètement bidon. Malgré tout, les flics ont pris mes empreintes et fait un prélèvement de salive pour l'ADN. On m'a informé que le dossier serait détruit au bout de cinq ans si je restais calme durant cette période, mais je n'ai pas vraiment gobé l'histoire. Tout le monde savait que la police montait un fichier de données ADN de tous les habitants de la Prairie, en particulier les Nihils.

Ce n'était qu'une question de temps avant que l'ADN de tous les habitants de ce pays soit répertorié.

Mais je pouvais m'estimer chanceux. Dan était accusé d'attaque à main armée. Pour sortir, il devait avoir un garant. Ça aurait pu être pire. On aurait pu l'accuser de tentative d'extorsion mais apparemment, il n'en avait pas dit assez. C'est pas faute d'avoir essayé, pourtant. Je ne revenais toujours pas de sa lenteur à réagir. Enfin, la police ne pouvait pas faire mieux qu'attaque à main armée. Il avait été mis en cellule jusqu'à l'arrivée de sa mère. Il risquait d'attendre une éternité.

Quant à ma mère, elle crachait du feu en venant me récupérer. Je l'ai regardée et je me suis demandé si je ne préférais pas rester en cellule. Elle n'a pas pris le temps de respirer avant de me tomber dessus :

– Je t'avais pourtant prévenu que je ne voulais pas voir la police sonner à ma porte ! a-t-elle tempêté. Et là, ce n'est pas une fois mais deux dans la même journée ! Tu essaies de battre un record ?

– Je suis désolé, Maman, ai-je marmonné.

– Désolé ? Désolé ?

Elle était encore plus en colère.

– Je me fiche pas mal que tu sois désolé ! Et qu'est-ce que tu fabriquais dans une boulangerie au nord de la Prairie ?

– C'était juste un malentendu, Maman. Dan et moi, on voulait juste rigoler et M. Haddon s'est trompé.

– Qu'est-ce que tu fichais avec Dan, d'abord ?

– On se baladait, c'est tout. On voulait pas faire de mal…

– C'est toujours comme ça que ça commence !

Maman a secoué la tête.

– Tobey, est-ce que Dan travaille pour McAuley ?

– Je... je pense que oui, Maman. Mais pas moi ! Tu dois me croire. McAuley n'a rien que je puisse désirer. Absolument rien.

– Je veux que tu cesses de traîner avec Dan. Il va droit dans le mur et à toute vitesse. Je n'ai aucune envie que tu le suives !

J'ai vérifié que personne ne pouvait nous entendre avant de me pencher vers ma mère :

– Maman, il faut que tu me fasses confiance. S'il te plaît.

Je ne sais pas quoi, peut-être l'expression de mon visage, mais Maman s'est tue et m'a regardé. Attentivement.

– Tobey, qu'est-ce que tu mijotes ?

J'ai de nouveau regardé aux alentours, nerveux comme un chat dans une pièce pleine de rocking-chairs.

– Rien, Maman.

– Pas de ça avec moi, Tobey. Je te connais. Et je sais quand tu as une idée derrière la tête, a répliqué Maman.

– Maman, je...

– Est-ce que ça a quelque chose à voir avec Callie ? a-t-elle demandé lentement. Tobey, s'il te plaît, ne me dis pas...

Je l'ai interrompue.

– Maman, je ne vais rien faire de stupide ! Et puis, tu es là pour me faire marcher droit.

– Tobey, ça n'a rien de drôle.

J'ai soupiré.

– Je sais, je suis désolé.

– Si j'avais le moindre sens commun, je t'interdirais de sortir jusqu'à la fin des vacances.

– Maman, je te promets que je ne m'attirerai plus de problème. Au moins, je te promets d'essayer. Et je voudrais rendre visite à Callie tout à l'heure. S'il te plaît ?

– Hmm.

Maman n'était pas convaincue, mais elle n'a pas réitéré sa menace de me punir jusqu'à la rentrée. Heureusement, je ne lui avais pas encore dit que je ne travaillais plus à MPLS. Je pense que c'est la seule raison pour laquelle elle ne voulait pas me confiner à la maison.

– Quand tu te réveilleras tout à l'heure, si je ne suis pas là, c'est que je serai à l'hôpital, d'accord ? ai-je lancé.

Nous avons avancé de deux pas vers la porte mais je n'ai pas pu aller plus loin. Pourtant, j'en avais vraiment envie.

– Maman, j'ai besoin que tu me rendes un service.

Maman m'a dévisagé comme si l'un d'entre nous était devenu fou et qu'elle essayait de savoir lequel.

– Tobey, j'ai en ce moment même la plus grande des peines à réfréner mon envie de t'expliquer la structure biologique des nerfs et le grand nombre qu'en contient le corps humain.

J'ai haussé un sourcil.

– Pourquoi tu veux me parler des nerfs ?

– Pour que tu comprennes exactement mes propos quand je vais t'annoncer que tu mets les miens à rude épreuve !

Bon sang ! Parfois le métier d'infirmière de Maman lui montait à la tête.

– Maman, ai-je répété, j'ai vraiment besoin de ce service.

– Tobey, tu es plus culotté qu'un bébé en couches ! Tu me fais venir ici ! Deux fois dans la même journée ! Et tu penses que je vais te rendre un service !

– Ce n'est pas pour moi, Maman. C'est pour Dan. Il est toujours en cellule et tu connais sa mère. Elle va le laisser moisir ici.

– Et qu'est-ce que ça a à voir avec moi ? a sèchement demandé Maman.

– Faut qu'on l'aide, M'man. Il a des gros problèmes.

– Il a des gros problèmes de toute façon, m'a-t-elle rembarré.

– Maman, c'est important, s'il te plaît. Il n'a personne d'autre.

– Je me fiche de Dan, pas de toi ! a rétorqué Maman.

McAuley avait donné à Dan une dernière chance et Dan avait merdé. Je ne comprenais pas pourquoi je m'inquiétais pour lui, et pourtant c'était le cas. Il méritait de moisir en cellule mais si je le laissais là, la seule autre personne qui accepterait de se porter garant pour lui serait McAuley. Et quoi que Dan ait fait, je ne pouvais pas le laisser entre les griffes de cet homme. J'en avais déjà assez lourd sur la conscience.

– Faut qu'on sorte Dan d'ici, ai-je insisté.

Sans me quitter des yeux, Maman a froncé les sourcils.

– Est-ce que ça a quelque chose à voir avec Dan et McAuley ?

J'ai acquiescé à contrecœur.

– La police ne relâchera pas Dan pour le laisser partir avec moi. Je ne suis pas sa mère.

– Si, elle le fera. Les prisons et les cellules sont bondées et les flics ne garderont personne dont ils peuvent se débarrasser. Si tu acceptes de prendre sa responsabilité et que tu signes les papiers nécessaires, ils le laisseront partir. Tu n'as qu'à leur dire que s'ils n'acceptent pas, ils l'auront dans les pattes jusqu'à son prochain anniversaire.

– Assieds-toi, a dit Maman après quelques minutes de réflexion. Je reviens tout de suite.

– Je t'accompagne.

– Non, a fermement refusé Maman. Si tu veux que j'aide Dan, tu fais ce que je te dis. Assieds-toi et reste tranquille. Et je ne rigole pas, Tobey.

– D'accord, ai-je fini par accepter.

Je ne l'ai pas suivie mais je ne me suis pas assis. De cette façon, j'apercevais sa tête derrière le comptoir de la réception. La femme de la réception et ma mère ont eu une longue conversation houleuse qui, par moments, ressemblait dangereusement à une dispute. Finalement, la femme policier a demandé à un de ses collègues de la remplacer à l'accueil et elle est partie. Dix minutes plus tard, elle revenait avec Dan. Derrière eux, le détective Boothe suivait. Il m'a à peine regardé. L'expression de Dan quand il m'a vu aurait pu faire tourner du miel. Il a observé Maman qui signait les papiers pour sa relaxe et nous avons ensuite tous quitté le poste de police. Maman marchait quelques pas devant nous.

– T'attends pas à ce que je te dise merci, a commencé Dan sur un ton agressif.

– Je m'y attends pas, ai-je répliqué.

– M. McAuley m'avait prévenu que j'avais pas le droit de merder cette fois, a-t-il repris d'une voix presque aiguë. Il me considère déjà comme un poids. Quand il va entendre parler de ça…

– Tu n'y peux rien si Haddon a appelé la police.

– McAuley l'entendra pas de cette oreille, a déclaré amèrement Dan. Je me retrouve avec McAuley et les flics sur le dos. À cause de toi ! T'es venu me couvrir, oui, juste pour me poignarder dans le dos.

Les mots que je voulais lui dire, que j'avais besoin de lui dire, me brûlaient les lèvres. Mais j'ai décidé de les garder pour moi. Du moins, la plupart. Luttant pour rester calme, j'ai lancé :

– Dan, puisqu'on parle de coups de poignard dans le dos, dis-moi pourquoi tu as trouvé malin de vendre de l'héroïne à ma sœur ?

Choqué, Dan s'est immobilisé. Il a levé les poings pour se défendre. Mais moi, je n'avais pas bougé un muscle.

– Tobey, je te jure que c'est ta sœur qui est venue me voir et pas l'inverse.

– Et du coup, toi t'y es pour rien ?

– Elle m'a dit que si je lui en vendais pas, elle irait voir quelqu'un d'autre, a continué Dan. J'ai pensé que si c'était moi qui la fournissais, au moins je serais sûr qu'elle prendrait pas un truc trop dangereux...

– Parce que fumer de l'héroïne, c'est pas dangereux ?

– Je lui ai dit de pas se mettre à ça, mais elle voulait rien entendre.

– Alors tu t'es dit que si quelqu'un pouvait se faire un peu de fric avec Jessica, ça pouvait aussi bien être toi.

– Non, tu te trompes. Je voulais juste l'aider.

L'aider ? Il déconnait ou quoi ? J'ai plissé les paupières.

– Tobey, écoute. S'il te plaît. C'est Jess qui est venue me voir.

– Quand ?

– Quoi ?

– Quand est-elle venue te voir la première fois ? ai-je répété patiemment. Depuis quand tu lui vends cette merde ?

– Je lui en ai vendu que deux fois. La première, c'était il y a un mois. C'est tout.

J'ai observé Dan. Je me rendais compte que je ne le connaissais pas. Et il ne me connaissait pas non plus. Une fois de plus, tous les mots qui enflammaient mon cerveau devaient rester là où ils étaient. Je ne voulais même pas serrer les poings. La définition de la maturité : apprendre à cacher ses véritables sentiments, réfréner ses envies. À moins d'être McAuley ou un des Dowd. Je commençais à entrevoir l'intérêt de leur façon de fonctionner. C'était évidemment tentant de vivre selon ses propres règles. Très tentant.

– Dan, écoute-moi bien, parce que je ne me répéterai pas.

Je parlais d'une voix très calme.

– Ne t'approche plus de ma sœur.

– D'accord, d'accord, a-t-il acquiescé.

Il ne cessait pas de sautiller d'un pied sur l'autre. J'étais plus immobile qu'une statue. Mon sang se cristallisait dans mes veines. Dan était nerveux. Moi non. Le silence devenait lourd. Nous ne nous quittions pas des yeux. Et à cet instant, j'ai su que je l'avais perdu. Quoi qu'il arrive à présent, nous ne nous retrouverions jamais comme avant. Nous n'aurions plus jamais confiance l'un en l'autre. Je pourrai peut-être lui pardonner ce qu'il avait fait à ma sœur, mais jamais je ne l'oublierai. Il pensait sans doute exactement la même chose. Malgré la chaleur, cette idée m'a glacé.

Nous nous sommes remis à marcher. Maintenant, ma mère était loin devant nous.

– Quand as-tu glissé le couteau dans ma poche ? a demandé Dan.

– Quand je t'aidais à te relever. Je ne voulais pas que la police me trouve avec.

Ma voix était teintée d'une manière d'excuse réticente.

– Et moi oui ? Merci beaucoup.

Je n'avais rien à répondre à ça. Le silence entre nous a continué de détruire notre amitié.

– Dan, je suis désolé.

– Non, tu ne l'es pas, a rétorqué Dan. Si c'était à refaire, tu agirais exactement de la même manière.

Je n'ai pas protesté parce qu'il avait raison. Dan m'a regardé d'une telle façon que je me suis arrêté pour écouter ce qu'il avait à me balancer.

– Ça n'a rien à voir avec ta sœur, n'est-ce pas ? a-t-il lancé d'une voix calme. L'histoire avec Jessica a mis de l'huile sur le feu mais c'est ce qui est arrivé à Callie qui a tout enclenché. Je n'avais jamais compris avant aujourd'hui à quel point tu m'en voulais pour ça.

Il avait toute mon attention.

– Je pensais que tu rejetais la responsabilité sur McAuley ou les Dowd, a-t-il continué, mais tu me tiens également pour responsable. C'est moi qui t'ai demandé de livrer ce paquet à Louise Resnick et les Dowd n'avaient pas l'intention de rester sans réaction alors que leur directeur était torturé.

– Dan, on a déjà parlé de tout ça…

– Oui, mais je commence à comprendre ton petit jeu, a poursuivi Dan. McAuley est mené par l'avidité, l'arrogance et le désir de pouvoir mais toi, c'est différent.

– Qu'est-ce que tu veux dire ?

Dan m'a observé comme s'il venait d'avoir une révélation.

– Tout a commencé le jour où Callie a été blessée. Et peut-être même que tu as réussi à te convaincre que c'est pour elle que tu fais tout ça. Mais ce n'est plus vrai, n'est-ce pas ?

– Je ne sais pas de quoi tu parles, ai-je grondé.

Je n'étais pas sûr de vouloir le savoir.

– Ça n'a plus rien à voir avec Callie. Ça n'a rien à voir avec Jessica. Ça n'a même rien à voir avec moi. Maintenant, il ne s'agit plus que de toi.

– Tu es pathétique, ai-je ricané. Alors, c'est le moyen que tu as trouvé pour continuer à te regarder dans un miroir ? Rejeter la faute sur les autres?

– Pour ta sœur, tu serais venu me casser la gueule bien avant. Pour Callie, tu t'en serais pris à moi tout de suite en sortant de l'hôpital. C'est ce que moi j'aurais fait.

– Peut-être que je ne l'ai pas fait parce que je ne te tiens pas pour responsable, ai-je tenté.

– Mais si, a insisté Dan. Tu m'en veux. Pas seulement à moi, mais à moi aussi. Et tu m'utilises pour parvenir à tes fins. Pour ta vengeance.

Faux. Ça n'avait rien à voir avec moi et tout avec Callie. C'est pour elle que je m'inquiétais. C'est pour elle que je faisais tout ça...

– Alors parce que je n'ai pas réagi comme tu l'aurais fait, ça veut dire que je me fiche de ma sœur ou de Callie ? ai-je lancé en colère. Tu racontes que des conneries, Dan.

Dan a secoué la tête.

– Ça te suffit pas, hein ? Tu retires beaucoup trop de satisfaction de toute cette histoire. Tu commences à apprécier de tirer les ficelles et nous sommes tous... comment dit-on déjà, des jouets entre tes mains. C'est ce qui te rend si dangereux.

Il a eu un rire amer.

– McAuley n'a pas idée de ce qui l'attend !

– Dan, tu te trompes...

Je me suis tu. Je ne savais pas quoi dire.

– Alors, Tobey, on est quittes maintenant ? m'a demandé Dan calmement. Parce que si un autre que toi m'avait fait ça, je serais déjà en train de me préparer à rendre coup pour coup.

– Alors à quoi dois-je m'attendre, Dan ?

Il a ouvert la bouche pour répondre.

– Dites, les garçons, vous pourriez vous dépêcher un peu ! J'aimerais bien dormir cinq minutes avant de retourner au travail. Dan, je te dépose chez toi d'abord.

– C'est pas la peine, a lancé Dan. Je vais rentrer en bus.

– Certainement pas, a déclaré Maman. J'ai promis à la police que je te déposais chez toi.

Dan et moi nous sommes assis à l'arrière de la voiture. Maman n'a démarré qu'après s'être assurée que nous avions bouclé nos ceintures. Et nous sommes partis. Le trajet s'est fait en silence. J'ai regardé par la fenêtre pendant que les mots de Dan tournaient et tournaient dans ma tête comme le refrain d'une chanson.

Je ne faisais pas ça pour moi. Je le faisais pour Callie.

C'était…

– Maman, on peut d'abord s'arrêter à la maison, s'il te plaît ? ai-je demandé alors que nous passions près de notre rue. J'ai un truc à rendre à Dan.

– Quoi ?

– Un truc, ai-je répondu évasivement.

– D'accord, mais tu te dépêches, a-t-elle soupiré.

Maman s'est garée devant la maison. Il ne m'a pas fallu plus de cinq minutes pour entrer et ressortir. Mais je ne pouvais pas donner ce que j'avais à Dan devant ma mère. Je suis remonté dans la voiture et j'ai attaché ma ceinture.

– Maman, tu peux nous laisser tous les deux devant chez Dan ? ai-je demandé. Je te promets que je rentre tout de suite après à la maison.

Maman m'a regardé dans le rétroviseur. Elle n'avait pas besoin de dire un mot, son expression était limpide. Elle me laisserait quinze minutes avant de venir me chercher et si je l'obligeais à se déplacer… message reçu. Moins de cinq minutes plus tard, nous étions devant chez Dan.

– Dan, j'espère que tu vas arrêter de t'attirer des ennuis ! a grogné ma mère.

Dan a esquissé un sourire.

– Je ferais de mon mieux.

Après m'avoir adressé un dernier regard, Maman a fait demi-tour avec la voiture et est partie vers la maison. Dès qu'elle a été hors de vue, j'ai sorti de ma poche l'enveloppe que m'avait donnée Byron. Celle pleine d'argent. Je l'ai placée dans la main de Dan.

– C'est à toi, ai-je dit.

Dan m'a jeté un coup d'œil soupçonneux.

– Qu'est-ce que c'est ?

– McAuley me l'a donnée, mais… c'est à toi.

Les doigts de Dan se sont lentement refermés autour de l'enveloppe.

– D'accord ? ai-je demandé.

– D'accord.

Il a fait volte-face et s'est dirigé à grands pas vers la porte de chez lui.

Qu'allait-il faire maintenant ? Retourner à son local ? Quoi d'autre ?

– Dan, l'ai-je rappelé.

Il s'est arrêté mais ne s'est pas retourné. Après un moment de réflexion, j'ai lancé :

– On est quittes maintenant.

Dan s'est remis à marcher.

51.

Une fois à la maison, j'ai attendu que Maman retourne se coucher avant de me mettre au travail. J'ai connecté la clé USB de McAuley sur mon ordinateur et j'ai regardé ce qu'elle contenait. Et qu'est-ce que j'ai trouvé ? Des lettres de réclamation adressées au gouvernement concernant une cargaison de tapis importée un an plus tôt et toujours retenue par la douane. Un tableau comparatif des prix des tapis dans le monde. D'autres lettres de réclamation et l'inventaire complet des biens qu'avait entassés McAuley dans sa maison. Bon sang ! Ces fichiers contenaient des infos pourries qui ne pouvaient m'être d'aucune utilité ! J'ai continué à chercher mais tout était du même genre. Il ne s'agissait que de détails d'importations et d'exportations de bibelots de luxe et autres. Je commençais à me dire que m'emparer de cette clé avait été une perte de temps. En repensant au risque que j'avais pris, j'en étais malade. Il ne restait que trois fichiers à vérifier et, vu les noms qu'ils portaient, j'avais peu d'espoir.

Celui que j'ai ouvert en premier s'appelait Planning. Le problème, c'est qu'il était complètement vide. Pourquoi McAuley gardait-il un fichier vide ? Il gaspillait de la place sur sa clé. J'ai ouvert les deux autres. Le premier était un nouveau galimatias sur des figurines et des sculptures. Le second contenait les références bancaires de Byron Sweet, le lieutenant de McAuley. Je n'arrivais pas à croire que le nom de famille de Byron, M. Pitbull, était Sweet. Doux. C'était la seule chose intéressante que j'avais découverte. Sinon il y avait le nom de la banque de Byron, l'adresse de son agence et son numéro de compte.

C'était tout.

Je me suis appuyé au dossier de ma chaise. Et maintenant ? Rien d'illégal dans ces fichiers. À moins que quelque chose ne m'échappe. J'ai regardé la liste des noms de fichiers au cas où j'en aurais raté un, mais non. Je les avais déjà tous ouverts. Je les ai relus un à un, mot par mot, mais il n'y avait décidément rien d'utilisable contre McAuley. Et je n'avais aucune chance d'avoir un nouvel accès à son ordinateur. J'ai de nouveau examiné les fichiers, désespéré. Il fallait que je trouve quelque chose.

Quelque chose…

Je me suis penché sur l'écran. Planning. Ce fichier pesait plus de 100 ko. Comment un fichier vide pouvait-il prendre autant de place ? Je l'ai rouvert. Il ne contenait que des pages blanches. Huit. Je les ai fait défiler. Huit pages blanches. Une idée m'a traversé l'esprit. La bouche sèche, le cœur battant, j'ai sélectionné tout le contenu du fichier et j'ai changé sa couleur en noir. Les pages se sont immédiatement remplies de texte et de la grille d'un tableau.

Yes !

– Malin, McAuley, ai-je murmuré pour moi-même.

Après tout, il fallait bien rendre à César. Il avait affiché le texte en blanc. Blanc sur une page blanche, ça faisait une page vide. J'ai essayé de ne pas trop m'exciter mais ça commençait à être prometteur. Je me suis calé dans ma chaise et je me suis plongé dans la lecture. J'ai lu le fichier en entier. Et puis je l'ai relu pour être sûr d'avoir tout bien compris.

D'après le tableau, McAuley avait investi tout son argent dans trois cargaisons prévues pour arriver dans ce pays dans les prochains jours. Les cargaisons étaient référencées par un X et la première devait être livrée après-demain. Les autres étaient prévues chacune à un intervalle de trois jours. Elles étaient toutes adressées à des lieux différents où elles seraient stockées jusqu'à ce que McAuley vienne les chercher. Il ne prenait aucun risque. Apparemment, les Dowd avaient grignoté une grande partie de son marché et il n'était pas aussi bien pourvu qu'on aurait pu le croire.

Il aurait dû quitter les affaires alors qu'il était encore au sommet.

Mais soudain, j'ai compris. McAuley ne pouvait pas lâcher. Ce n'était pas qu'une question d'argent, c'était une question de contrôle et de pouvoir. Il n'était qu'un despote pathétique essayant de préserver son petit royaume, « la moitié de la Prairie ». Et les Dowd faisaient exactement pareil. Ils étaient les deux côtés d'une même pièce. Ils prenaient pour cible les plus faibles et s'assuraient de les lessiver. J'ai songé aux mots de Dan quelques semaines plus tôt : « Au moins, il est des nôtres », je me suis demandé s'il pensait toujours comme ça.

Le fichier contenait les adresses de livraison, les dates, les initiales des gens qui payaient et les montants. De gros montants. Enfin quelque chose dont je pouvais me servir. Mais comment ? Je pouvais tout simplement donner ces infos à la police mais il n'y avait aucun moyen de relier la cargaison à McAuley à moins de le prendre la main dans le sac et il était beaucoup trop malin pour ça. Après le débarquement, il ferait faire tout le sale boulot par ses employés. Et même si un lien était établi, un avocat pourrait parfaitement faire valoir que McAuley ignorait le contenu de ces cargaisons et que quelqu'un d'autre avait pu passer la commande en utilisant son nom. Si j'informais la police, elle confisquerait la cargaison, mais ça ne me suffisait pas. C'était même loin d'être suffisant à mon goût. Je voulais que l'empire de McAuley s'effondre complètement. Et pour ça, je devais trouver un autre moyen.

Il fallait que je passe un coup de fil.

Mon coup de fil passé, je devais protéger mes informations. J'ai imprimé les pages, je les ai glissées dans une enveloppe A5 que j'ai adressée à Callie Rose. J'ai pris un timbre tarif lent dans le sac de Maman et je l'ai collé sur l'enveloppe. Cette lettre représentait ma police d'assurance. Au cas où. Je savais que Sephy n'ouvrirait jamais une lettre adressée à sa fille et, une fois que Callie serait sortie de l'hôpital, je n'aurais plus qu'à aller la chercher chez elle. Du moins, si je m'en sortais vivant.

Ensuite, j'ai réfléchi et j'ai mis au point une espèce de plan. Il n'était pas particulièrement astucieux et certainement pas sans danger mais c'est tout ce que j'avais.

Je suis allé à la bibliothèque de quartier, la clé USB cachée dans la doublure de ma veste. Au cas où McAuley ou la police aient une subite envie de me voir. À la bibliothèque, j'ai demandé un ordinateur pour une heure et j'ai commencé à écrire ma première lettre. Ce serait sans doute la plus importante de ma vie. J'ai décidé d'utiliser une police genre écriture à la main. Je n'en avais pas sur mon ordinateur et je ne voulais prendre aucun risque. Si quelqu'un découvrait que j'étais l'auteur de cette lettre…

> *À l'attention des Dowd,*
> *Cette lettre contient des informations concernant Alex McAuley et ses affaires. Vous les trouverez sans doute très intéressantes. McAuley attend une cargaison qui doit être livrée au 3, rue Londridge, la Prairie, le 14 août à 16 h 30. Elle arrivera dans une camionnette de repas à emporter. J'ignore quel chemin prendra la camionnette. Cette livraison est la plus petite prévue pour ces deux prochaines semaines et elle a une valeur d'un quart de millier de livres. Ce que vous ferez de cette information vous regarde. Si vous choisissez d'agir, je vous donnerai les consignations des deux autres livraisons. Mais ce ne sera que si vous décidez d'agir concernant l'information citée ci-dessus.*

J'étais assez content d'avoir utilisé les mots « consignation » et « citée ci-dessus ». Personne n'utilisait ce genre de vocabulaire dans la vraie vie. J'espérais qu'ils auraient l'impression que la lettre avait été écrite par une personne plus âgée que moi. Et si possible une femme. Après avoir lu, relu et corrigé, j'ai décidé que la lettre était prête. Il ne manquait qu'une chose. Les Dowd ne

croiraient jamais l'info si je ne leur demandais pas une quelconque récompense. Ils ignoraient l'existence même de l'acte gratuit. En particulier de l'acte criminel gratuit. J'ai donc ajouté :

> *Une fois la livraison effectuée, j'exigerai un paie-*
> *ment équivalent à 10 % de la valeur du produit*
> *avant de vous délivrer quelque autre information.*
> *10 % me semble correct. Bien sûr, j'attends d'être*
> *payé en petites coupures. Je vous donnerai de plus*
> *amples instructions sur ce point quand la mar-*
> *chandise de McAuley sera entre vos mains.*

Je n'avais aucune intention de soutirer le moindre sou aux
Dowd, mais il fallait qu'ils croient que j'étais aussi avide qu'eux.
J'ai imprimé la lettre en prenant garde de la tenir avec un mouchoir en papier pour ne pas laisser d'empreintes. Je l'ai pliée et
je l'ai glissée dans l'enveloppe que j'avais apportée. Je ne savais
pas si je devais l'envoyer à Gédéon Dowd à MPLS ou directement à Vanessa Dowd. Grâce à Rebecca, j'avais maintenant son
adresse postale. Mais si je l'envoyais à la mère de Rebecca, ils
auraient peut-être moins de mal à deviner qui était l'expéditeur.
La donner à Owen était hors de question. Il ne devait surtout pas
penser que je savais quelque chose sur une cargaison de McAuley.
Donc, ce serait MPLS. Je n'avais plus qu'à espérer que Gédéon
Dowd serait à MPLS pour réceptionner la lettre. J'aurais pu lui
envoyer un mail mais il n'aurait eu aucun mal à retrouver d'où
il avait été posté, c'est-à-dire dans une bibliothèque de mon quartier. Et puis, il surveillait les environs vingt-quatre heures sur
vingt-quatre et il saurait très vite que j'étais dans la bibliothèque
au moment même où le mail avait été envoyé. Non, le mail n'était
pas une bonne idée. La poste, c'était plus lent, mais plus sûr.

Ma seconde lettre a été beaucoup plus facile à écrire. J'ai utilisé la même police et j'ai pris les mêmes précautions pour ne pas déposer mes empreintes sur la feuille. Pourtant, cette lettre était beaucoup plus simple. Elle donnait le détail de la deuxième cargaison de McAuley. Quant à la troisième, je ne savais pas... Informer la police ? Les Dowd ?

Personne ?

J'ai choisi la dernière option. Avec un bon timing, je pouvais tout simplement faire en sorte que cette cargaison n'arrive pas à destination et termine là où personne sauf moi ne la trouverait jamais.

Pourquoi pas moi, après tout ?

Pourquoi pas ?

Je n'avais pas envie de devenir un gangster ou un autre McAuley. Loin de là. Mais il fallait que je garde un coup d'avance. Je devais penser à moi. Personne d'autre ne le ferait à ma place.

Je n'ai pris aucune décision définitive concernant cette troisième cargaison. La réponse viendrait en son temps. Mais d'une façon ou d'une autre, ce que je préparais allait frapper McAuley là où ça lui ferait le plus mal. Je n'en avais pas fini avec lui.

Pas encore.

52.

Bonjour, Callie Rose.

Je...

Aujourd'hui, je...

Je n'ai rien à te dire.

53

En descendant les marches de l'hôpital, j'avais le sentiment d'avoir le corps fait de plomb. J'étais resté assis près de Callie pendant plus d'une demi-heure, incapable de sortir un mot. Qu'est-ce qui m'arrivait ? Pourquoi ne trouvais-je rien à dire à Callie ? J'ai tiré sur mon T-shirt pour le décoller de ma poitrine en sueur. Le ciel était gris clair et l'atmosphère était moite. Ce temps me portait sur les nerfs. Je devais rentrer à la maison. J'avais posté les lettres et j'avais réussi à aller voir Callie sans me faire prendre. Maman devait être au travail maintenant et Jessica… on ne s'était pas beaucoup vus ces derniers temps. Comme si on s'évitait. Mais Jess n'était pas ma priorité. J'avais d'autres problèmes à régler. D'abord une douche et ensuite un coup de fil à Rebecca pour lui donner rendez-vous. Je n'avais pas eu de ses nouvelles depuis un moment et je devais savoir où on en était depuis que son frère m'avait interdit de la voir.

Pourquoi n'avais-je pas réussi à parler à Callie ?

La tête baissée, j'étais perdu dans mes pensées en quittant l'hôpital. Ils m'ont vu avant que je les voie. Je ne me suis aperçu que j'avais de la compagnie que quand ils sont apparus devant moi. Trois paires de pieds appartenant à trois crétins : Lucas, Drew et Aaron. Après les avoir regardés, j'ai essayé de les contourner. J'avais juste envie qu'on me fiche la paix. Drew s'est placé devant moi.

Bon sang… je n'étais vraiment pas d'humeur.

– Salut Tobey l'intello, a souri Drew.

Ce surnom était si vieux et si fatigué qu'il avait besoin d'une canne pour marcher. Il n'avait rien trouvé de mieux ? J'ai essayé de passer à côté de lui mais il m'a de nouveau bloqué le passage. D'accord, il était officiellement en train de me prendre la tête.

— Callie est pas là pour te protéger aujourd'hui, a ricané Drew.

J'ai esquissé un sourire. Il n'avait rien compris.

— Tu es content maintenant ? a attaqué Lucas en se plaçant juste devant moi.

J'ai haussé un sourcil. De quoi il parlait ? J'ai reculé d'un demi-pas afin de pouvoir continuer à les surveiller.

— À cause de toi et de tes potes néants, Callie se retrouve à l'hôpital, a renchéri Lucas. Je l'avais prévenue qu'il lui arriverait quelque chose si elle continuait de traîner avec toi.

— Elle aurait trouvé mieux dans une porcherie ! a lancé Aaron. Et t'as exactement la même couleur qu'un cochon !

Il s'est tourné vers ses copains, un sourire stupide plaqué sur le visage. Il était sûr d'avoir énoncé un truc super profond.

Lucas ne m'a pas quitté des yeux.

— Je lui avais dit de ne pas te faire confiance, que tu n'étais pas le gentil petit gars que tu veux paraître. Quand elle se réveillera, elle comprendra que j'avais raison et elle te jettera comme un mouchoir usagé et...

Mes poings sont partis. Ils ont tous les deux atteint leur cible. L'estomac de Lucas et son menton quand il s'est plié en deux. Il est tombé comme une pierre. Aaron a foncé sur moi. Je me suis écarté et j'ai tendu ma jambe. Il a heurté le trottoir, la tête la première. Il n'est pas resté longtemps au sol. Pour un type de sa carrure, il était étonnamment leste.

— Sale Néant ! Tu vas me le payer ! a-t-il sifflé.

Il a levé les bras devant lui, les poings serrés. Je lui ai balancé un coup de pied là où ça fait le plus mal. Cette fois, il est tombé et ne s'est pas relevé. Quand Lucas s'est redressé en se tenant le nez – qui saignait –, Aaron était toujours au sol.

– À qui le tour ? ai-je demandé.

Personne n'a ouvert la bouche. J'ai enjambé Aaron et j'ai poursuivi ma route. Peut-être qu'à présent, Drew allait comprendre que je n'avais pas besoin de Callie pour me défendre. Même si Callie l'avait cru elle aussi.

Une fois à la maison, je me suis assis sur mon lit et je me suis massé le front de la paume de la main dans l'espoir de me débarrasser du mal de tête qui commençait à poindre entre mes yeux. Mon téléphone a sonné. Ce n'était pas le moment. J'ai jeté un coup d'œil à l'écran mais il affichait *appel privé*. Au moins, ce n'était pas McAuley. J'avais une petite idée. Est-ce que j'avais envie de lui parler ? Je n'avais pas vraiment le choix. J'ai quand même laissé sonner huit fois avant de décrocher.

– Allô ?

– J'ai cru que tu n'allais pas répondre, a grogné Owen Dowd. C'est trop tard pour avoir des regrets.

– Je n'ai aucun regret, monsieur Dowd. Aucun. J'étais juste dans la salle de bains en train de me laver les cheveux.

– Tu as fait ce que nous avions prévu ?

J'ai soupiré intérieurement. Ce type n'avait aucun sens de l'humour.

– Oui, monsieur. Et je me suis assuré que la lettre serait envoyée à votre frère comme prévu.

– Parfait. Maintenant, laisse-moi m'occuper du reste.

C'est exactement ce que je comptais faire.

– Y a pas quelque chose d'autre que tu veux me dire ? a-t-il soudain demandé.

Comme quoi ?

– Je ne crois pas, ai-je répondu. Tout s'est passé comme prévu.

– Ça ne signifie pas que toi ou moi puissions triompher prématurément.

– Non, monsieur Dowd.

– Tu es sûr que tu n'as rien d'autre à me dire ?

– Rien, monsieur.

J'avais l'intention de garder pour moi ce qui concernait la deuxième lettre. Essayait-il de me faire subtilement comprendre qu'il était déjà au courant ? Mais c'était impossible. Je me suis montré très prudent. Owen Dowd n'était au courant que de la première cargaison. À moins que je n'aie oublié un détail...

Tobey, calme-toi. Il prêche le faux pour savoir le vrai, c'est tout.

J'ai décidé de ne pas mordre à l'hameçon.

– Quelle autre information as-tu découverte ?

– Rien d'intéressant. Des tas de lettres de réclamation adressées aux impôts. Oh, et les références bancaires de Byron Sweet. C'est un des hommes de McAuley, mais il n'y avait pas de code, ni même son solde. C'était juste...

Et tout à coup, ça m'a frappé. Les idées ont afflué l'une après l'autre comme une marée montante.

– Je sais comment nous pouvons utiliser les informations concernant le compte bancaire de Byron à notre avantage, ai-je lancé en essayant de tempérer mon excitation au cas où Owen n'adhérerait pas à mon plan.

– Je t'écoute, a-t-il dit.

– Ça va demander beaucoup d'argent, ai-je prévenu.

– N'est-ce pas toujours le cas ? a-t-il répliqué amèrement.

Je lui ai expliqué ce que j'avais en tête. Quand j'ai eu terminé, le long silence qui a suivi était très significatif.

– Je vais y réfléchir, a fini par lâcher Owen.

J'ai relâché ma respiration que je retenais depuis deux minutes.

– Quoi d'autre ? a-t-il repris.

– Je serais payé quand ?

– Quand j'aurai ce que je veux, tu auras ton argent.

– J'ai hâte, ai-je lancé.

– Tu vas devenir riche, Tobey.

– Oui, monsieur.

– Je t'enverrai un chèque de banque comme nous avons convenu. Ne dépense pas tout d'un coup !

Owen Dowd a raccroché. Son rire a résonné un moment dans mes oreilles.

Heureusement pour lui comme pour moi, il ne pouvait voir mon visage quand j'ai posé mon téléphone. Le seul fait de l'avoir écouté me donnait envie de descendre à la cuisine pour me récurer les oreilles avec un tampon Jex.

Les gens riches sont si prévisibles. Ils imaginent que tout le monde rêve de devenir riche, que tout le monde a son prix. Et pour ces gens-là, la notion de « suffisamment riche » n'existe pas. En tout cas, pas pour les gens comme McAuley ou les Dowd. Trop n'était jamais assez. C'est pour cette raison que j'allais réussir et qu'ils allaient échouer. Et il n'y avait pas assez d'argent dans le monde entier pour m'arrêter maintenant.

54.

Tout le quartier de la Prairie était en effervescence. Une cargaison de McAuley avait été « confisquée par des inconnus ». On racontait que la camionnette de repas à emporter qui contenait le fameux chargement avait été interceptée et vidée de son contenu. Chacun se posait des questions sur la teneur exacte de ce chargement. Certains affirmaient qu'il s'agissait de drogue. D'autres que c'étaient des immigrants clandestins destinés à travailler pour rien dans des ateliers secrets. Ou alors peut-être du matériel électronique volé. Tout le monde imaginait que c'était illégal. Personne ne pensait qu'il s'agissait réellement de plats à emporter. L'opération avait été facile (apparemment) parce que ce n'était pas comme si McAuley pouvait aller porter plainte à la police. Et le mieux, c'est que tout le monde pouvait se payer une bonne tranche de rire à ses dépens.

Rien que pour ça, sans même compter le reste, McAuley était prêt à partir en guerre. Il se posait des tas de questions. Comment les Dowd avaient-ils pu avoir connaissance de cette livraison ? C'étaient forcément les Dowd. Qui d'autre aurait eu le culot de prendre ce qui lui appartenait ? Comment avaient-ils été au courant du trajet de la camionnette ? Même moi, je ne connaissais pas la réponse à cette question. McAuley ne pouvait pas laisser cet acte impuni. Sinon, n'importe quel gang minable tenterait sa chance contre lui. Donc, après avoir bien ri, les habitants de la Prairie retenaient leur souffle, attendant de voir comment McAuley allait réagir. Il allait très certainement déclarer la guerre aux Dowd. Moi, ce n'était pas mon problème. Du moins pas encore. J'avais un dilemme plus urgent.

J'ignorais si McAuley me soupçonnait d'y être pour quelque chose. Je marchais et je respirais encore, je pouvais donc supposer que ce n'était pas le cas. Cela dit, ce n'était sûrement qu'une question de temps. Je m'étais montré prudent et j'avais brouillé les pistes mais comme l'avait souligné Owen Dowd, il était trop tôt pour triompher. Si McAuley me soupçonnait de quoi que ce soit, je ne tarderais pas à subir le même traitement que Ross Resnick.

55

Maman avait une soirée libre. Jessica n'était pas à une fête ni chez une copine et elle n'avait plus de travail. Pour une fois, nous étions tous ensemble. Maman nous avait préparé des spaghettis bolognaise et avait même râpé un petit bol de cheddar pour mettre sur nos pâtes. Elle disait qu'elle n'allait quand même pas acheter du fromage qui pue (c'est comme ça qu'elle appelait tous les fromages étrangers) juste pour en mettre sur des spaghettis. Nous étions assis autour de notre petite table dans un coin du salon. Maman regardait la télé d'un œil. C'étaient les infos. Je ne quittais pas ma sœur des yeux. Et ça l'agaçait.

– Quoi ? a-t-elle articulé silencieusement, tout en me jetant un regard vénéneux.

– Ça va ? ai-je articulé à mon tour.

Jessica a pincé les lèvres et s'est concentrée sur sa nourriture.

– Maman, y a du jus d'orange ? a-t-elle demandé.

Maman s'est tournée vers elle.

– Oh, je ne l'ai pas posé sur la table ?

Il y avait trois verres dépareillés mais pas de jus d'orange.

– Je vais le chercher, a dit Maman.

Elle s'est levée et est partie dans la cuisine.

– Où sont mes trucs ? m'a aussitôt demandé Jessica alors que Maman n'était même pas tout à fait sortie de la pièce.

– Quels trucs ?

– Tobey, arrête tes conneries ! Qu'est-ce que t'en as fait ?

– Je ne sais pas de quoi tu parles !

J'ai englouti une cuillerée de spaghettis.

– Tobey, je te préviens…

– Tu as parlé à Maman ? ai-je demandé calmement.

Jessica s'est raidie.

– Non, pas encore. Mais je vais le faire.

– Quand ?

– Quand je me sentirai prête.

– Tu ne seras jamais prête. Si tu ne lui as rien dit à la fin du week-end, Jess, c'est moi qui m'en chargerai. Je ne plaisante pas, Jessica. Tu as eu assez de temps.

– Tobey, rends-moi mes trucs. J'en ai besoin.

La voix de Jessica était moitié suppliante, moitié exigeante.

– Ah oui ? Je croyais que tu n'en prenais que de temps en temps et que tu pouvais arrêter quand tu voulais ?

– Je n'ai pas besoin d'un sermon de ta part, a grondé Jessica. Rends-moi ce que tu m'as pris.

– Ah, ça, je ne peux pas, ai-je lancé. Je l'ai jeté dans les toilettes.

Elle m'a fixé, le regard vide, puis ses yeux ont jeté des éclairs. Sans prévenir, elle s'est jetée en travers de la table, renversant les verres et envoyant voler son assiette. Ma chaise s'est renversée et je me suis retrouvé les fesses par terre. Jessica était debout et essayait de me cogner autant qu'elle le pouvait. Je ne pouvais rien faire d'autre que me protéger de ses pieds, de ses mains et de ses genoux. Je ne voulais pas risquer de lui faire mal en me défendant pour de bon. Maman est arrivée en courant dans le salon et a essayé de nous séparer mais Jessica s'était transformée en bête sauvage. Elle aurait frappé Maman rien que pour m'atteindre.

Maman a saisi les bras de ma sœur et l'a secouée comme un prunier.

– Jessica ! Qu'est-ce qui t'arrive ? Tu es folle ou quoi ?

– Il… il…

Jessica a soudain retrouvé son calme. Sa respiration s'est ralentie.

– Jessica, a répété Maman. Que se passe-t-il ?

– Oui, Jessica, suis-je intervenu. Pourquoi tu ne racontes pas à Maman ?

Je me suis relevé et j'ai passé un doigt sur mes lèvres. Je saignais. Génial ! Jessica m'a regardé comme si elle me haïssait, ce qui, à cet instant précis, était sans doute le cas.

– J'attends et tu as intérêt à avoir une bonne raison, a repris Maman. Lequel de vous deux commence ?

Silence.

Et tout à coup…

– Tobey travaille pour McAuley. Il livre de la drogue ! s'est exclamée Jessica. C'est un dealer.

Quoi ? J'ai regardé Jessica comme si je ne l'avais jamais vue. Je devais reconnaître que celle-là, je ne l'avais pas vue venir. Pas du tout.

– Maman ! C'est pas vrai ! ai-je protesté.

– C'est vrai, Maman. Tu peux demander à n'importe qui dans le quartier, a insisté Jess. Demande à Dan.

Maman a eu l'air si choquée que j'ai eu envie de disparaître. Elle était déjà presque en train de croire ma sœur.

– C'est pour ça que McAuley t'a parlé l'autre jour au poste de police ? a demandé Maman. Pourquoi la police t'a-t-elle arrêté ?

– La police n'a rien trouvé sur moi, Maman. Tu le sais. Je ne suis pas un dealer. Jessica ment.

– Pourquoi ta sœur prononcerait de telles énormités ?

Je me suis tourné vers Jessica, qui m'a jeté un regard de défi. Nous savions tous les deux que si je racontais maintenant à Maman ce que Jess faisait, ça ressemblerait à une pathétique tentative pour détourner les soupçons de ma personne.

— Tobey, as-tu quelque chose à voir, quoi que ce soit, avec de la vente de drogue ? m'a demandé Maman. J'exige la vérité.

Un paquet. Un seul putain de paquet de drogue. C'est tout ce que j'avais livré. Ça ne faisait pas de moi un baron de la drogue. Mais du coup, je n'avais plus les mains tout à fait propres. Et s'il était arrivé quelque chose à Jess ? Et si le premier paquet que j'avais livré à Adam Eisner contenait de l'héroïne ? Et si c'est avec cette héroïne précisément qu'elle avait fait une overdose ? Peut-être d'ailleurs que c'était arrivé à quelqu'un que je ne connaissais pas. J'ai regardé Maman, puis Jessica, incapable de prononcer un mot.

Maman a éclaté en sanglots.

Je ne sais pas lequel de nous deux entre ma sœur et moi était le plus choqué.

— Tobey, je t'ai expliqué mille fois comment cette chose détruit des vies.

Maman était si déçue. Les mots s'étranglaient dans sa gorge.

— Après tout ce que je t'ai dit, après toutes les discussions que nous avons eues, comment, comment as-tu pu te mettre à vendre de la drogue ?

J'ai essayé de passer le bras autour des épaules de Maman mais elle m'a repoussé et a quitté le salon. Elle est montée d'un pas lent comme si elle pesait cent kilos. Je l'ai écoutée fermer la porte de sa chambre. Le silence s'est abattu sur moi. J'ai regardé ma sœur. Tout ça parce qu'elle n'était pas capable de dire à ma mère qu'elle avait besoin d'aide. Jessica avait l'air honteux, mais et alors ?

— OK, Jess, tu sais quoi ? Tu as gagné, ai-je lâché. Mais rends-moi service, quand tu commenceras à te mettre ton héro de merde dans les veines, fais-le à un endroit où ni Maman ni moi ne pourrons te trouver quand ça tournera mal.

Je suis sorti à mon tour. J'ai pris ma veste et j'ai posé la main sur la poignée de la porte d'entrée. À cet instant, j'avais besoin d'être aussi loin que possible de ma sœur.

56.

Terrible incendie au MPLS

Vers trois heures ce matin, un incendie s'est déclaré dans le célèbre restaurant *Merci pour les souvenirs*. L'alarme incendie ne s'est pas déclenchée et la salle de restaurant ainsi que le club ont subi de sérieux dommages. Le bâtiment ayant été évacué à temps, personne n'a été blessé. Les pompiers sont arrivés dix minutes après le début de l'incendie mais ils ont dû lutter pendant deux heures pour contrôler les flammes. La police est intervenue pour empêcher les badauds de s'approcher.

« Les meubles et la décoration ont été touchés par le feu, l'eau et la fumée, mais le bâtiment est resté intact, a déclaré M. Thomas, le directeur de MPLS. Nos clients pourront bientôt revenir dans un établissement encore plus beau et plus agréable. »

M. Thomas pense que le restaurant rouvrira ses portes dans les deux mois qui viennent. La police mène l'enquête pour comprendre l'origine du feu. Le porte-parole des pompiers déclare qu'étant donné la rapidité de la catastrophe, l'origine criminelle n'est pas exclue.

57.

Il y avait une chose que je devais régler pour Callie tant que je le pouvais. Si j'y arrivais, j'aurais quelque chose à lui raconter lors de ma prochaine visite. De quoi Callie avait-elle le plus peur ? De son oncle. Peut-être qu'elle attendait de se savoir en sécurité avant de se réveiller.

Je ne voulais pas remettre cette question à plus tard. Je suis allé chez elle. Même si la pensée d'être disséqué par le regard pénétrant de Sephy n'était guère plaisante. C'était le moins qu'on puisse dire. Je n'avais pas oublié son visage quand elle m'avait vu embrasser Rebecca. Mais ce n'était pas à la mère de Callie que je désirais m'adresser. J'ai pris une longue inspiration et j'ai appuyé sur la sonnette, espérant contre tout espoir que Sephy serait absente. Surprise ! Pour une fois, la chance était avec moi.

– Bonjour Meggie.

– Bonjour Tobey.

– Je... j'aurais voulu vous parler en privé.

J'ai jeté un regard derrière Meggie dans le couloir et dans l'escalier.

– Sephy est à l'hôpital, m'a informé Meggie, amusée. Si c'est elle que tu cherches.

– Non, pas du tout, me suis-je empressé de préciser. Je voulais vous parler à vous.

Meggie a eu l'air étonnée, mais elle m'a fait entrer dans le salon. Elle a attendu que je m'assoie et s'est installée face à moi. Ça lui a pris un peu de temps. Quand elle a été à son aise, elle m'a fixé.

– Meggie, il faut que je vous pose une question.

– Oui ?

– À propos de votre fils.

Meggie s'est légèrement penchée en avant.

– Lequel ? a-t-elle demandé.

– Jude.

– Que veux-tu savoir ?

Ce n'était pas facile à expliquer. Il fallait que je déballe tout d'un coup.

– Est-ce que Jude est en vie ? A-t-il pris contact avec vous ?

Meggie s'est adossée à son siège et m'a fixé sans sourire pendant un long moment. Le silence passait sur ma peau, plus rêche qu'une râpe à fromage.

– C'est juste… c'est juste que avant que Callie soit blessée, elle pensait que son oncle était mort en même temps que sa grand-mère Jasmine, ai-je tenté d'expliquer, mais quand le journal a annoncé que l'homme retrouvé s'appelait Robert Powers, Callie a été terrifiée à l'idée que son oncle la retrouve.

– C'est Callie qui t'a dit ça ?

– Oui.

J'ai regardé Meggie, attendant une réponse.

– Quand ma petite-fille sortira de l'hôpital, je lui donnerai une réponse à cette question.

– Donc Jude est en vie.

– J'en parlerai avec ma petite-fille, pas avec toi.

Le ton de Meggie n'était pas vraiment sec mais elle me remettait fermement à ma place. Je ne voulais pas me mêler de ses affaires. Je voulais juste avoir quelque chose à raconter à Callie lors de ma prochaine visite. Et tant qu'à faire, je voulais lui apporter une bonne nouvelle. Mais Meggie n'avait pas l'intention d'aborder le sujet de Jude avec moi.

J'étais exclu.

58.

Durant les deux jours qui ont suivi, la tension à la maison a été insupportable. Je n'adressais pas la parole à Jessica. Maman ne m'adressait pas la parole. Nous étions comme des fantômes qui se croisent. J'ai sérieusement songé à dire à Maman de fouiller la chambre de Jessica. Elle s'était sans doute réapprovisionnée. Je pouvais aussi suggérer à ma mère de vérifier sa théière si elle voulait avoir une idée de l'usage qu'en faisait sa fille. Je l'avais nettoyée à fond mais il restait sans doute des résidus chimiques que Maman pouvait faire analyser à l'hôpital. Mais Jessica risquait de prétendre que c'était moi qui consommais de la drogue en plus de la vendre. Et je ne pourrais pas prouver qu'elle mentait. Ça ne ferait qu'empirer la situation. J'avais les mains liées.

La seule note d'espoir était que Rebecca acceptait toujours de me voir. Il m'avait fallu insister pour la persuader que je ne la tenais pas pour responsable de mon renvoi de MPLS.

– C'est pour ça que je ne t'ai pas recontacté, m'a-t-elle expliqué quand je l'ai appelée. J'étais certaine que tu m'en voulais.

– Ne sois pas bête. Pourquoi je t'en voudrais ? Et pour te le prouver, je t'invite à dîner.

Elle avait accepté.

Nous nous sommes retrouvés en ville et nous sommes allés manger une pizza. Rebecca a lu le menu en moins d'une demi-minute, puis a refermé la carte et l'a reposée. Cinq minutes plus tard, j'étais encore en train de choisir.

– Ça va, Tobey ? m'a-t-elle demandé. Tu as l'air préoccupé.

– Quoi ? Oh, pardon. J'ai des tas de choses en tête en ce moment.

– Je suis vraiment désolée que tu aies perdu ton travail par ma faute, a-t-elle débité d'un coup. J'aimerais que tu me laisses t'aider jusqu'à ce que tu en trouves un autre.

J'ai secoué la tête.

– Rebecca. Je vais bien, je t'assure. J'ai économisé et j'attends une rentrée d'argent. De toute façon, je ne pensais pas à mon travail mais à ma sœur Jessica.

– Pourquoi ? Elle a des problèmes ?

– Oui. Et je ne sais pas comment l'aider.

– Je peux faire quelque chose ? s'est enquise Rebecca.

J'ai souri.

– Non, mais merci pour la proposition. J'apprécie.

– Si c'est une question d'argent…

– Non, l'ai-je interrompue. Ce n'est pas ce genre de problème. Et arrête de t'inquiéter. Je trouverai un autre job.

– Gédéon n'avait pas le droit de te virer, a-t-elle grondé.

– Il ne m'a pas viré.

– Il n'avait pas à te forcer à démissionner !

– Rebecca, tout va bien. Et puis tu en valais la peine.

Le sourire de Rebecca était plus éblouissant que la lumière d'un phare. Je suis retourné à mon menu, essayant de me concentrer sur la tâche que je devais accomplir.

– Tobey, promets-moi quelque chose… a commencé Rebecca, hésitante.

– Quoi ?

– Promets-moi que tu ne me mentiras jamais.

Silence.

– Je te le promets, ai-je fini par dire. Pourquoi poses-tu cette question ?

Elle a haussé les épaules.

– J'ai juste besoin de m'assurer que tu es honnête et franc avec moi.

– Normal, ai-je acquiescé en baissant les yeux sur la carte afin qu'elle ne voie pas mon visage.

Rebecca a attendu que je commande et je commençais à grignoter mon pain à l'ail quand elle m'a annoncé la nouvelle. Pendant un instant, j'ai cru qu'elle plaisantait mais son visage sérieux m'en a dissuadé.

– Tu ne plaisantes pas ? Ta mère…

J'ai toussé pour m'éclaircir la gorge.

– Ta mère veut me rencontrer. Pourquoi ?

– Parce que je lui ai parlé de toi.

– Pourquoi ? ai-je répété, ébahi.

– Parce que je t'aime bien, a murmuré Rebecca. Tu es le premier garçon depuis que je suis toute petite à me parler comme à un être humain normal.

– Et tes frères ?

– Ils ne comptent pas. Et puis, ils ne me parlent pas, ils me donnent des ordres.

– Et ton père ?

– Mon père et mon oncle ont été tués quand j'avais neuf ans.

Un nuage est passé dans les yeux de Rebecca. À cet instant, elle m'a fait penser à Callie Rose. J'ai détourné le regard. Je ne voulais pas qu'elle – ou qui que ce soit d'autre – me rappelle Callie. C'était déjà assez difficile comme ça.

Je lui ai présenté mes condoléances. C'était complètement hors de propos, mais que pouvais-je dire d'autre ? La rumeur prétendait que c'était McAuley qui avait descendu le père et l'oncle de Rebecca. Pas étonnant que Vanessa Dowd et sa famille le détestent autant.

– Et tes petits amis ? ai-je repris pour changer de sujet.

– Je suis allée dans une école pour filles. Mes amies étaient ravies que je les invite chez moi mais on m'a très rarement rendu l'invitation. Quant aux frères de mes quelques amies, soit mon nom de famille les tenait à distance, soit c'était la seule raison de leur intérêt pour ma personne.

– Des crétins, ai-je dit.

J'étais sincère. Rebecca n'était pas comme les autres membres de sa famille. N'importe quel imbécile pouvait s'en rendre compte. Je savais que ça s'était mal terminé pour un de ses petits amis mais je ne voulais pas la forcer à me raconter tous ses mauvais souvenirs.

– Rebecca, est-ce que… ? ai-je commencé.

– Tobey ! J'étais sûre que c'était toi ! Tu… tu vas bien ?

Mon cœur s'est transformé en pierre et est tombé au fond d'une mare.

– Tiens, Misty. Salut.

– Tu… tu manges aussi ici ? Mon ami Erik et moi venons juste d'arriver.

J'ai jeté un coup d'œil vers Erik qui me regardait méchamment. C'était un Nihil du même âge que nous mais il n'était pas dans notre classe.

– Misty, je te présente Rebecca. Rebecca, Misty. Misty est dans la même classe que moi au lycée.

Je préférais faire les présentations. Je n'avais pas envie que Rebecca se fasse de fausses idées.

Pourquoi ?

Pourquoi étais-je si inquiet de ce qu'elle pouvait penser ? Misty ne s'est même pas donné la peine de regarder Rebecca. Ses yeux étaient trop occupés à essayer de me déshabiller.

– Si tu aimes les pizzérias, on pourrait peut-être... tu sais... venir manger ici le week-end prochain, a commencé Misty en battant des cils. Tu sais... j'espère toujours... obtenir un rendez-vous avec toi...

– Euh... euh... je... ai-je bafouillé pour toute réponse.

– C'est dingue !

Rebecca n'arrivait pas à en croire ses oreilles ni ses yeux.

– Tu donnes un rendez-vous à Tobey sous mon nez alors que nous sortons ensemble !

Si Rebecca avait pu jeter des poignards avec les yeux, elle aurait tué Misty sur place. Sans avoir besoin de l'aide de ses frères.

– Tobey sort avec toi ? a ricané dédaigneusement Misty.

Puis elle a levé les yeux au ciel avant d'ajouter :

– Ça m'étonnerait. Tobey ne sortirait jamais avec une Primate !

Rebecca s'est levée d'un bond.

– Écoute-moi bien, salope...

J'ai sursauté. Tous les yeux étaient tournés vers nous et c'était la dernière chose que je voulais. Je me suis placé devant Misty avant qu'elles commencent à se crêper le chignon.

– Et si je bottais ton cul maigrichon ! a crié Misty en essayant de me contourner.

Bon sang !

Rebecca était prête à se jeter en travers de la table.

– Je vais mettre un coup de talon aiguille là où le soleil ne brille jamais, a-t-elle lancé en enlevant ses boucles d'oreilles.

Ça devenait sérieux. Quand une fille enlève ses boucles d'oreilles, ça veut dire que la foudre ne va pas tarder à tomber. Il suffisait d'avoir une sœur pour le savoir.

– Tobey, tu peux facilement trouver mieux que cette Primate puante ! m'a craché Misty.

Wouah !

– Misty ! Maintenant ça suffit. Je sors avec Rebecca, ai-je déclaré fermement. Et Erik t'attend là-bas. Je crois que tu devrais aller le rejoindre.

– Mais, Tobey…

– Au revoir, Misty.

Elle a froncé les sourcils avant de foudroyer Rebecca du regard mais elle a fini par s'éloigner.

Je me suis rassis. Après quelques secondes, Rebecca a fait de même.

Le silence a régné entre nous.

– Je suis désolée d'avoir traité ton amie de salope, s'est calmement excusée Rebecca. J'étais en colère. Je suppose que je suis plus susceptible que je le croyais.

J'ai haussé les épaules.

– Aucune importance.

– C'était très impoli de ma part, a-t-elle continué tristement. Je suis vraiment désolée.

– Rebecca, c'est bon. Je te jure.

Je me suis penché vers elle et j'ai effleuré ses lèvres avec les miennes.

– Ne laisse pas Misty gâcher notre dîner. Et puis, tu as raison, c'est une salope !

Rebecca a ri et c'est ce que je voulais. J'ai recommencé à grignoter mon pain à l'ail. Toute cette excitation m'avait ouvert l'appétit. Je n'en revenais pas de l'attitude de Misty. Elle était avec un mec, j'étais avec une fille et ça ne l'avait pas empêchée de venir me proposer de sortir avec elle. Bon sang !

– Tobey, tu allais me demander quelque chose avant que nous soyons interrompus, a souri Rebecca.

J'ai posé mon pain dont il ne restait plus que la moitié.

– Beck, est-ce que tu me fais confiance ?

– Bien sûr.

– Pourquoi ?

Ma question l'a prise de court.

– Je te fais confiance, c'est tout.

– Oui, mais pourquoi ? ai-je insisté.

– Parce que tu ne me poursuis pas. C'est déjà quelque chose. Et puis, tu as l'air content qu'on nous voie ensemble et tu n'essaies pas de me cacher comme un secret honteux. Tu es aussi le seul garçon qui ne me demande pas de payer pour tout. Voilà. Ces raisons te suffisent-elles ?

J'ai souri.

– Oui.

Pauvre Rebecca. Elle n'avait vraiment pas eu de chance avec les garçons qu'elle avait rencontrés jusqu'à présent. D'ailleurs, elle n'en avait toujours pas.

– Alors, tu es d'accord pour rencontrer ma mère ?

– Quand ?

– Demain soir, ça t'irait ?

J'en avais autant envie que d'aller directement en enfer. J'ai avalé la boule qui m'obstruait la gorge.

– Demain soir, c'est parfait.

59.

Bonjour Callie.

Je suis désolé de ne pas être venu te voir ces deux derniers jours. C'est vraiment dur en ce moment à la maison avec Jessica. Tu as bonne mine. On dirait que tu es juste assoupie.

J'ai des nouvelles pour toi. La police a intercepté une des cargaisons de McAuley aujourd'hui. Apparemment, un petit oiseau leur a dit où chercher. Ce petit oiseau n'arrête pas de chanter en ce moment à la Prairie. Alors voilà, McAuley a perdu sa deuxième cargaison. Une fois, c'est pas de chance, deux fois, ça tourne à la mauvaise habitude. Malheureusement, aucun élément ne permettait de relier la marchandise à McAuley mais tout le monde – y compris la police – sait exactement qui est en cause. En ce moment même, McAuley doit s'arracher les cheveux. Ce qui le rend encore plus dangereux qu'avant. Je vais garder profil bas.

J'ai un nouveau rendez-vous avec Rebecca ce soir. Je dois rencontrer sa mère. Gédéon et Owen seront certainement présents. Gédéon m'a déjà menacé et je crois que je vais devoir y aller en armure. Je risque d'en avoir besoin. Rebecca essaie de me faire croire que sa mère a hâte de me rencontrer mais...

– Tobey...

La voix de Callie m'a fait sursauter. Je parlais en regardant sa main dans la mienne et je n'ai pas vu qu'elle était en train de se réveiller. Je suis resté immobile comme une statue, les yeux fixés sur ses paupières qui s'ouvraient doucement. Elle a tourné la tête pour me voir.

– Callie !

Je me suis levé d'un bond et je l'ai prise dans mes bras. Je l'ai serrée aussi fort que je pouvais.

– Hé, a protesté Callie. Tu me serres trop.

J'ai desserré mon étreinte mais il était hors de question que je la lâche. J'avais mal aux joues tellement je souriais. J'avais voulu que la première chose que Callie verrait en s'éveillant soit mon visage et mon vœu avait été exaucé. Je l'ai doucement rallongée contre ses oreillers et je l'ai embrassée. Je n'ai pas bougé quand elle m'a doucement repoussé. Quand j'ai relevé la tête, elle a repris sa respiration.

– Qu'est-ce que... tu es... ? a tenté d'articuler Callie malgré la sécheresse de sa bouche. Tu essaies de m'étouffer ou quoi ?

J'ai secoué la tête. J'étais incapable d'émettre le moindre son.

– Et puis, a repris Callie sans pouvoir faire mieux qu'un murmure, mon haleine est... dégoûtante !

Comme si j'en avais quelque chose à faire.

– De l'eau, s'il te plaît, m'a demandé Callie.

Sa voix était rauque mais c'était le plus beau son que j'avais entendu de ma vie.

Je lui ai rempli un verre d'eau et je l'ai porté à ses lèvres pour l'aider à boire. Callie a bu quelques gorgées avant de se laisser retomber sur ses oreillers comme si le simple fait de boire et de rester assise l'avait épuisée. Elle a pris ma main et l'a serrée dans la sienne.

– Tobey.

Elle a susurré mon nom comme si le prononcer soulageait sa douleur.

Elle me regardait et me donnait l'impression que les dernières semaines n'avaient jamais existé. J'avais enfin ce que j'avais attendu. Elle devait ressentir la même chose. J'étais devant elle, sain et sauf.

– Comment te sens-tu ? lui ai-je demandé.

Je n'arrivais pas à m'arrêter de sourire.

Elle a porté la main à sa tempe.

– J'ai mal à la tête.

On lui avait retiré ses bandages depuis longtemps mais la cicatrice due à la balle était toujours visible. Je me suis penché pour embrasser cette marque.

Elle a froncé les sourcils.

– Tu m'en fais des baisers !

J'ai ri.

– Tout ira bien maintenant, Callie Rose. Laisse-moi aller chercher un médecin.

Callie a serré ma main et a regardé autour d'elle.

– Tobey ? Je suis à l'hôpital ?

J'ai froncé les sourcils à mon tour et j'ai acquiescé.

– P... pourquoi ? a-t-elle demandé. Et qui... qui est Rebecca ?

60.

Je n'avais aucune envie d'être là. Je voulais retourner à l'hôpital auprès de Callie. Quand je lui ai tout raconté, MPLS et Rebecca Dowd, elle est devenue très agitée. J'ai fait machine arrière et je lui ai parlé de la fusillade. Mais elle ne se rappelait rien. Elle ne se souvenait même pas être allée au terrain vague ce jour-là. Elle ne se rappelait aucun événement des jours précédant la fusillade. Tout avait disparu de sa mémoire. Quand elle a découvert combien de temps elle était restée inconsciente, elle s'est mise à paniquer. Il a fallu deux infirmières et un médecin pour la calmer et lui administrer un sédatif. Elle s'est rendormie et le médecin a essayé de me rassurer en m'expliquant qu'il était tout à fait naturel qu'une personne émergeant d'un coma soit désorientée pendant quelque temps. Mais j'ai regardé

Callie et j'ai eu le sentiment d'avoir tout fichu en l'air. Une fois de plus.

Je n'avais vraiment aucune envie d'être là avec Rebecca. Mais je devais aller jusqu'au bout. Elle était venue me chercher chez moi à six heures et, à sept heures moins dix, nous nous arrêtions devant le portail électronique, observés par deux caméras de surveillance. Rebecca a pris une petite télécommande entre nos deux sièges et l'a pointée vers le portail, qui s'est ouvert. On aurait dit un oiseau déployant ses ailes, prêt à l'envol. Nous avons remonté une allée pavée et nous nous sommes garés devant la maison. J'étais impressionné malgré moi. Elle était un peu plus petite que la vieille bâtisse de Jasmine Hadley mais c'était également le cas de la plupart des musées en ville. Elle avait un immense fronton, de nombreuses fenêtres et trois étages. Elle devait mesurer la moitié de ma rue.

Je suis sorti de la voiture, sans lâcher la maison des yeux.

– Tu es prêt ? m'a demandé Rebecca.

– Autant que je puisse l'être, ai-je répondu.

Elle m'a pris la main.

– Ne t'inquiète pas. Tout va bien se passer.

Oui, enfin, on verrait. La porte s'est ouverte alors que nous arrivions tout juste devant. Une femme prima minuscule, vêtue d'une robe mauve fleurie se tenait dans l'encadrement. J'ai dû me forcer à garder ma main dans celle de Rebecca.

– Coucou Maman, a lancé Rebecca. Je te présente Tobey.

C'était donc Vanessa Dowd. Je ne l'avais pas du tout imaginée comme ça. Sauf ses yeux peut-être. Ils étaient bruns, froids et calculateurs. Elle m'a examiné de haut en bas comme si elle évaluait un bijou ou un meuble.

T'inquiète, tu vas finir par me connaître, ai-je songé. Mais j'ai pris soin de garder une expression neutre.

– Maman, arrête, a soupiré Rebecca.

Vanessa Dowd a soudain souri.

– Eh bien, jusqu'à présent, il a tenu plus longtemps que la plupart, a-t-elle ajouté.

– Tu vois ! Et il ne s'est pas non plus laissé intimider par Gédéon !

Je commençais à être un peu agacé de les entendre parler de moi comme si je n'étais pas là. J'ai fait un pas en avant.

– Bonsoir madame Dowd. Ravi de vous rencontrer.

Elle m'a serré la main avant de se déplacer pour me laisser entrer.

Approche, approche, disait l'araignée à la mouche.

Rebecca et moi avons attendu que sa mère referme la porte et passe devant nous.

– Allons au petit salon, a-t-elle lancé.

Chez moi, on aurait dit la pièce principale ! Ce petit salon était aussi grand que le rez-de-chaussée complet de ma maison. Il était magnifique avec une cheminée si grande qu'on aurait pu y tenir debout et, de chaque côté de l'âtre, deux canapés, les plus immenses que j'avais jamais vus.

– C'est une très belle pièce, ai-je déclaré, sincère.

– C'est vrai, a acquiescé Vanessa Dowd.

Tu parles !

Elle m'a fait signe de m'asseoir. J'ai obéi et Rebecca s'est installée près de moi. Sa mère en face de nous.

– Tobey, combien…

Elle n'a pas terminé sa phrase. Gédéon et Owen venaient d'entrer. Gédéon avait un verre rempli d'un liquide ambré à la main. Owen était au téléphone.

– Qu'est-ce qu'il fait là ? a grondé Gédéon en me montrant du doigt. Je ne veux pas de lui chez moi !

– Chez qui ? a calmement demandé Mme Dowd.

Gédéon a serré les dents.

– Il n'a rien à faire ici !

– Pour une fois, je suis d'accord avec mon frère, a renchéri Owen, sa main libre plaquée sur son téléphone.

– Je me fiche totalement de ce que tu penses, Owen, a déclaré Vanessa Dowd en se tournant vers son fils.

– Dis-moi un truc que je ne sais pas, M'man, a rétorqué ce dernier, sarcastique.

Owen était plus jeune que Gédéon mais plus grand et plus svelte. Personne n'aurait pu deviner que nous nous étions déjà rencontrés. Je devais lui reconnaître au moins ça.

– Owen, Gédéon, vous m'avez tous les deux promis de bien vous tenir. Moi aussi, je vis ici, et Tobey est mon invité, est intervenue Rebecca. Vous devriez vous montrer un peu plus polis.

À ma grande surprise, les deux frères ont pris une mine presque penaude. Manifestement, ils adoraient leur petite sœur.

– Je suis parfaitement d'accord, a ajouté Mme Dowd. Tobey, je te prie d'excuser le manque de tenue de mes fils.

J'ai haussé les épaules.

– Veux-tu boire quelque chose ? a-t-elle continué. Café ? Une boisson sans alcool ? Un verre de vin ou une bière peut-être ?

– Non, merci, ai-je refusé. Je ne veux rien.

Owen s'est placé près de la fenêtre afin de terminer sa conversation téléphonique dans une relative intimité. Gédéon s'est assis sur le même canapé que sa mère mais à l'autre bout.

– Où en étais-je ? a souri Vanessa Dowd. Ah oui, Tobey, combien McAuley vous a-t-il payé pour livrer le petit doigt de Ross Resnick à sa femme ?

Jeu, set et match pour Vanessa Dowd. Et je n'avais même pas touché la balle.

À côté de moi, Rebecca s'est étranglée.

– Maman, qu'est-ce que… ?

Mon sang n'a fait qu'un tour. Vanessa Dowd était un redoutable adversaire. J'ai regardé Rebecca et j'ai secoué la tête avant de me concentrer à nouveau sur sa mère.

– Madame Dowd, j'ai livré ce colis pour un ami, pas pour McAuley. J'ignorais ce que le paquet contenait et c'est la seule livraison que j'aie jamais faite. Ensuite, McAuley m'a payé trois cents livres dont j'ai donné chaque penny.

Je sentais les yeux de Rebecca posés sur moi. Son regard me brûlait la peau. Je me suis tourné pour lui faire face. C'était un des mouvements les plus difficiles que j'aie jamais faits.

– Tu… tu travailles pour McAuley ? a-t-elle balbutié. Ross… Ross était un de mes amis et tu travailles pour McAuley ? Comment as-tu pu ?

Ne fais pas ça, Rebecca. Ne me mets pas dans le même panier que tous ceux qui t'ont menti et utilisée. Je ne suis pas comme eux…

Mais si, je le suis…

– Non, je ne travaille pas pour lui. Je n'ai fait que cette livraison, c'est tout, ai-je tenté d'expliquer. Après l'histoire avec Ross Resnick et surtout ce qu'il a fait à ma sœur, j'ai bien fait comprendre à McAuley que je ne voulais rien avoir à faire avec lui et j'ai cherché un autre moyen de gagner de l'argent. C'est pour ça que j'ai commencé à travailler à MPLS.

Les événements étaient vrais. Les motivations n'étaient juste pas tout à fait exactes. Rebecca s'est éloignée de moi. À peine. Mais c'était suffisant. J'ai regardé Mme Dowd puis de nouveau

Rebecca. J'ai brièvement hoché la tête et je me suis levé. Merci et au revoir.

– Je suis désolé que tu ne me croies pas, Rebecca. Je t'ai dit la vérité mais tu n'as aucun moyen de le vérifier.

Mᵐᵉ Dowd m'observait avec un petit sourire satisfait. Elle était plus habile que Gédéon, sans aucun doute. Là où il avait utilisé une masse, elle n'avait eu besoin que d'une lame de rasoir. D'une certaine façon, je l'admirais. Elle venait de me donner une magnifique leçon.

– Qu'est-ce que... qu'est-ce que McAuley a fait à ta sœur ? a demandé Rebecca.

– Grâce à McAuley et un de mes soi-disant amis, ma sœur consomme de l'héroïne, ai-je répondu avant d'ajouter : Je dois beaucoup à McAuley.

J'ai regardé autour de moi. Owen avait raccroché et j'avais l'attention de tout le monde.

– Tobey, je ne sais pas encore à quoi tu joues, a sifflé Gédéon, mais je le saurai, ce n'est qu'une question de temps.

– Je ne joue à rien, je ne prépare aucun plan et je n'ai aucune carte dans ma manche, ai-je dit.

Gédéon Dowd pouvait aller se faire foutre. J'ai pris une longue inspiration.

– J'ai été ravi de tous vous rencontrer, ai-je lancé d'un ton qui laissait entendre exactement l'inverse. Si ça ne vous ennuie pas, je vais appeler un taxi et attendre dehors.

Je me suis dirigé vers la porte.

– Tobey, assieds-toi, m'a ordonné Vanessa Dowd.

Comme McAuley, elle n'avait pas besoin d'élever la voix. Je suis resté debout un moment, songeant sérieusement à ne pas obéir. Mais je suis retourné m'asseoir près de Rebecca qui n'a pas fait un mouvement. Qu'allait-il se passer à présent ?

– Rebecca, a lancé sa mère. Ton ami reste-t-il dîner ?

J'ai fixé Rebecca. Éviter son regard m'aurait donné un air coupable.

– Tu veux rester ? a-t-elle fini par murmurer.

– Seulement si c'est ce que tu veux, toi.

– Alors reste.

– Très touchant, a craché Gédéon, mais on ne peut pas faire confiance à ce Néant ! Et bon sang, il travaille pour McAuley. D'après ce que nous savons, il n'a jamais cessé de travailler pour lui. Est-ce que je suis le seul dans cette pièce à ne pas être complètement stupide ?

– J'ai travaillé pour McAuley mais c'est du passé, ai-je corrigé. Une fois et une seule.

– C'est ce que tu dis, a ricané Gédéon.

– C'est la vérité.

– Tu oses me contredire ? a-t-il grondé, les yeux plissés.

– Oui, ai-je répliqué.

À ma grande surprise, Vanessa Dowd a éclaté de rire.

– Bien joué, Tobey, a-t-elle approuvé.

C'est la dernière réaction à laquelle je m'attendais de sa part. Qu'est-ce que… J'ai jeté un regard à Gédéon. Son expression était éloquente. S'il avait pu m'arracher le cœur, il l'aurait fait sans sourciller.

– Madame Dowd, le dîner est servi, a annoncé un Prima en livrée noire qui a semblé apparaître de nulle part.

Qui était ce type ? Ce n'était quand même pas un majordome ! Qui avait un majordome à notre époque ? Eh bien, les Dowd !

– Maman, je voudrais aller me rafraîchir, a lancé Rebecca.

À mon goût, elle était parfaite.

– Très bonne idée, je viens avec toi, s'est exclamée Vanessa. Morton, nous arrivons dans une minute.

– Oui, madame Dowd.

Le majordome est sorti de la pièce, suivi par Rebecca et sa mère.

Après m'avoir jeté un regard hargneux, Gédéon leur a emboîté le pas. Ne sachant pas très bien quoi faire de ma carcasse, je l'ai imité, espérant arriver à la salle à manger avant l'heure du petit déjeuner mais Owen m'a barré le passage.

– Tobey, il faut qu'on parle.

Il a vérifié les alentours pour s'assurer que nous étions vraiment seuls, puis il m'a tendu une feuille pliée en deux. J'ai froncé les sourcils et je l'ai ouverte. Il ne m'a fallu que quelques secondes pour la lire. Je l'ai fixé, sous le choc.

– C'est vrai ?

Owen a acquiescé.

– Comme tu me l'avais suggéré, j'ai déposé cet argent sur le compte de Byron. J'espère pour toi que ça va marcher. C'est une putain de grosse somme sur le compte de ce Néant !

Owen Dowd était vraiment un pauvre type. Il s'adressait à un Nihil et ça ne lui faisait rien d'en traiter un autre de Néant. J'ai relu le relevé de compte qu'il m'avait donné. Owen avait transféré un montant incroyable sur le compte de Byron. Beaucoup plus que je ne lui avais suggéré.

– Ça va marcher, lui ai-je assuré. Et puis, de toute façon, vous avez la première cargaison de McAuley, non ? Vous avez déjà récupéré cet investissement avec les intérêts.

– Ce n'est pas moi qui ai eu la cargaison, a précisé Owen. C'est mon frère.

– Mais vous êtes bien placé pour foutre en l'air toute l'opération de McAuley. Pensez à combien ça va vous rapporter.

– J'aimerais bien ne plus être sous la coupe de Gédéon, a réfléchi Owen à voix haute. J'ai quelques ambitions personnelles…

Voilà une information qui ne m'étonnait pas outre mesure.

Owen a émergé de sa rêverie.

– J'avoue que quand tu es venu me proposer ce plan, j'ai pensé que tu étais soit un frimeur, soit un génie.

– Le jury est encore en train de délibérer sur la question, ai-je lancé en lui rendant le relevé de compte.

Owen a souri.

– Oh, et pendant que j'y suis, il me faudrait le nom d'un flic. Pas un type à la circulation mais pas non plus un trop haut placé qui voudrait profiter de la situation.

Il connaissait certainement plus de flics que moi à la Prairie. Pourquoi me demandait-il ça ?

– Ça ne peut pas être quelqu'un qui ait un lien avec moi, m'a expliqué Owen en regardant à nouveau autour de lui. Même vague. Il faut que je la joue fine. Gédéon va tomber et si M'man se rend compte que j'ai participé à descendre son fils préféré, je suis mort.

Quelle heureuse famille !

– Je pense que le détective Boothe est OK, ai-je tenté.

– Tu es sûr ?

– Aussi sûr qu'on peut l'être mais je ne garantis rien.

– Détective Boothe, hein ? Jamais entendu parler de lui. Ça ira.

Que préparait Owen ? À cet instant, j'ai remercié le ciel de ne pas être son frère.

– Je t'aime bien, Tobey, a-t-il souri. Je savais que toi et moi on pouvait faire affaire.

– Et comment vous le saviez ? n'ai-je pas pu m'empêcher de demander.

– Parce que j'ai tout de suite vu à qui j'avais affaire, a-t-il répliqué.

– C'est-à-dire ?

– Un autre moi-même.

Chaque goutte de mon sang est devenue plus gelée que la banquise tout entière. C'était un mensonge. Je n'avais rien à voir avec un type comme Owen Dowd.

– J'ai entendu dire qu'une autre cargaison de McAuley avait été, disons… interceptée, a repris Owen.

– Oui, je l'ai entendu moi aussi, ai-je acquiescé. Par la police cette fois.

– Dommage que je n'en ai pas été informé le premier, a regretté Owen sans me quitter des yeux.

– Oui, dommage, ai-je approuvé.

– Le fichier en ta possession ne parlait que d'une seule cargaison ?

– Oui. Je vous ai donné toutes les informations que j'avais. Peut-être que la police a mis des micros chez McAuley.

– Peut-être.

Silence.

– Puis-je vous demander quelque chose ? ai-je repris.

– Vas-y.

– Comment votre famille a-t-elle appris que j'avais livré le paquet à Louise Resnick ?

Owen s'est autorisé un petit sourire.

– Tout ce que fait McAuley finit par nous revenir aux oreilles.

– Oh, je vois.

Quelqu'un chez McAuley travaillait pour les Dowd. Cette question était réglée. Y avait-il une seule personne de confiance dans ce milieu pourri ?

– C'est comme ça que vous avez su où et quand envoyer vos hommes le jour de la fusillade sur le terrain vague, ai-je poursuivi. Un des hommes de McAuley vous avait prévenu de ce qui se tramait.

– Possible, a déclaré Owen Dowd. Tobey, je n'aime pas les questions.

Il m'a fallu me mordre la langue pour ne pas riposter.

– OK. De quoi parlions-nous alors ?

Owen a eu l'air perplexe.

– Vous m'avez manifestement retenu pour me parler de quelque chose de précis, ai-je repris. Votre mère et Rebecca voudront savoir de quoi.

Owen m'a observé attentivement.

– Dis-leur que je t'ai prévenu que si tu mens et que tu travailles pour McAuley, je te tuerai moi-même.

Silence.

Un sourire a brusquement éclairé le visage d'Owen et mon sang s'est figé dans mes veines.

– Et maintenant, allons manger, a-t-il lancé.

61.

Dîner avec les Dowd a été une épreuve. Owen m'a totalement ignoré. Rebecca était très silencieuse, n'ouvrant la bouche que si quelqu'un lui adressait la parole. Gédéon a passé tout son temps soit à parler dans son portable, soit à me lancer des remarques désagréables. Seule Vanessa Dowd semblait parfaitement à l'aise. Elle avait même l'air de se divertir franchement. La nourriture était à l'image de l'ambiance. Soupe de requin en entrée, suivie d'un steak si peu cuit que je m'attendais presque à l'entendre meugler. Personne ne s'était donné la peine de me demander si je ne le préférais pas un peu plus cuit. Et moi, je ne mangeais la viande qu'archicuite. Mais bon, je n'allais quand même pas me plaindre.

La mère de Rebecca me regardait avec amusement avaler mes bouchées saignantes.

— Tobey, je crains que ce ne soit une des rares choses sur lesquelles je me montre intransigeante : le steak doit être saignant, sinon, il n'est bon qu'à mettre à la poubelle.

— Toi aussi, tu aimes la viande saignante, Rebecca ? a lancé Gédéon en nous regardant tour à tour.

Crétin.

— Je suis végétarienne et tu le sais très bien, a riposté Rebecca.

J'ai avalé une autre bouchée. La viande était accompagnée de fines frites et de légumes. J'ai vidé mon assiette. Le dessert était une tarte au citron servie avec de la glace au citron vert. C'était étouffant, acide et dégueulasse. Mais j'ai tout mangé aussi.

Après le dîner, Rebecca m'a à peine adressé cinq phrases. Je lui ai donné une demi-heure et, voyant qu'elle ne se décoinçait pas, j'ai décidé que j'avais déjà plus qu'abusé de son hospitalité. J'ai demandé à appeler un taxi mais Rebecca a insisté pour me ramener elle-même. Durant le trajet de retour, elle s'est contentée de répondre quand je lui parlais et nous avons fini par nous plonger dans un silence embarrassant. Le doute avait montré sa vilaine tête et Rebecca prenait ses distances.

Elle s'est arrêtée devant chez moi et j'ai essayé une fois de plus de la dérider.

— Rebecca, tu veux entrer, que je te présente ma mère et ma sœur ? ai-je proposé.

Elle a eu l'air surprise, puis contente, mais la lumière dans ses yeux n'a pas tardé à s'éteindre.

– Non, je… Non, merci. Je ne préfère pas.

J'ai soupiré.

– Écoute, Rebecca, je ne t'ai jamais menti.

– Tu ne m'as jamais vraiment dit la vérité non plus, a-t-elle rétorqué. Et pourtant tu me l'avais promis, Tobey. Il faut que je rentre à la maison. Ce sont les ordres de Maman.

– On peut se voir demain ? On doit parler.

Rebecca a secoué la tête.

– S'il te plaît, ai-je insisté. Il faut que je te parle.

– D'accord, a-t-elle accepté à contrecœur. Où et quand ?

– Demain, devant *Los Amigos* à sept heures.

– Je ne suis pas sûre de vouloir dîner.

Avec moi.

– On peut se retrouver là et aller boire un café dans le coin.

– D'accord, à sept heures.

Au moins, ce n'était pas non. J'avais à peine mis le pied hors de la voiture que Rebecca est partie. Elle me battait froid et, pour être honnête, je ne pouvais pas lui en vouloir. J'aurais dû lui parler tout de suite de McAuley. J'avais failli. Vraiment failli. Mais je m'étais dit qu'elle penserait forcément que j'essayais de la manipuler. Erreur.

Je suis entré chez moi et je suis allé directement dans ma chambre. Assis sur mon lit, j'ai réfléchi à tout ce qui s'était passé depuis que Callie avait été blessée. Avant ça, ma vie était nette et sans bavure. Depuis, elle était tombée en morceaux.

Quelqu'un a frappé à ma porte. Avant que j'aie le temps de répondre, Jessica est entrée. Ses cheveux étaient comme d'habitude dressés sur sa tête grâce à un gel ultrabéton.

Pour une fois, elle n'était pas maquillée. Elle m'a adressé un sourire hésitant. Je me suis aussitôt mis sur mes gardes.

– Tu as réussi à m'attirer encore plus d'ennuis avec Maman ? ai-je lancé agressivement.

– S'il te plaît, Tobey, dis pas ça…

Elle plaisantait là ou quoi ?

– Qu'est-ce que tu veux ? lui ai-je demandé.

– Que tout redevienne comme avant entre nous.

– Tu n'as qu'à dire la vérité à Maman.

Jessica m'a regardé dans les yeux.

– C'est ce que j'ai fait. Du moins en partie.

– Jess, ce n'est pas moi qui consomme de la drogue dans cette maison !

– Non, toi, t'es juste accro au fric ! Et tout va bien pour toi, parce que tu es si intelligent. Toi, tu as une véritable chance de te tirer un jour d'ici. Et nous, on est censés faire quoi, Tobey ?

– Je ne sais pas, mais tu ne trouveras pas la réponse dans tes petits paquets de papiers.

– Je ne cherche pas de réponse.

– Tu cherches quoi alors ?

– Le moyen de ne pas trop penser à tout ça.

– Jessica, cette merde va t'empêcher de penser à quoi que ce soit. Tu n'auras plus qu'une idée en tête : trouver ta drogue encore et encore.

– Je sais.

– Alors s'il te plaît, arrête.

– Tu crois que c'est si facile ?

– Non, mais Maman et moi sommes là pour t'aider.

– J'y penserai.

C'est ça.

– Tu veux que j'en parle à Maman pour toi ?

Jessica s'est fermée.

– C'est une menace ?

– Non, ai-je grogné, exaspéré. J'essaie de t'aider !

– Tu essaies de m'aider à ta façon. Tu n'essaies pas de te mettre à ma place.

De quoi parlait-elle ? Je n'étais pas vraiment d'humeur pour une grande discussion, alors j'ai laissé tomber.

J'ai soupiré.

– Jessica, tu en prends toujours ?

J'ai cru qu'elle allait me répondre et puis…

– Tobey, je ne suis pas un de tes problèmes de maths, d'accord ?

– Ce qui veut dire ?

– Ce qui veut dire qu'on ne peut pas trouver une solution à tout.

– Je sais ça.

– Non, tu ne le sais pas. C'est ça le souci. Dans ton monde, A + B = C. Ça marche pour les maths et tu imagines que ça marche aussi pour les gens.

– C'est faux.

– Ah oui ? a lancé Jessica. Tu crois avoir tout compris en ce qui me concerne, hein ? Je parie que tu as même une idée sur la raison pour laquelle j'ai commencé à prendre de l'héroïne ?

– J'ai supposé qu'il y avait un rapport avec ton école de coiffure, ai-je reconnu.

– Et tu penses que j'ai raté mes examens?

J'ai haussé les épaules. Ça me semblait logique.

– Tobey, j'ai passé mon examen et j'ai répondu à suffisamment de questions pour l'avoir de justesse. Mes notes n'ont

certainement pas atteint des records, mais j'ai eu mon examen !
Qu'est-ce que tu dis de ça maintenant ?

– Tant mieux pour toi ! Mais alors dis-moi pourquoi tu as
commencé à prendre cette merde ? l'ai-je défiée.

Elle a secoué la tête tristement.

– Tobey, je viens de te le dire.

– Je ne comprends pas.

– Je sais, a dit Jessica. Et tu ne comprendras pas tant que tu
n'auras pas ressenti ce que tous les alcooliques et tous les dro-
gués du monde partagent.

– Et c'est quoi ?

– Trouve tout seul !

Et elle est sortie.

62. Callie

Comment ai-je pu dormir si longtemps ? J'ai eu l'impression
de ne pas m'être assoupie plus de quelques heures. Au pire, un
jour ou deux. Je me suis arrêtée. Le monde a continué de tourner. Le temps est passé sans moi.

Tobey a continué de vivre sans moi.

Qui est Rebecca ?

Juste une fille ? Une amie ? Sa petite amie ? Je pensais… que
Tobey et moi… je croyais que… mais je me suis trompée. Il a quelqu'un d'autre maintenant. Rebecca. Et moi, il me reste quoi ? Oncle
Jude et ce lit d'hôpital. J'essaie de toutes mes forces d'être contente
pour Tobey. J'essaie de ne pas avoir de peine. Mais je déteste
cette Rebecca que je n'ai jamais rencontrée. Je la déteste de m'avoir
pris Tobey. D'avoir été là quand il a eu besoin de quelqu'un.

Je me suis réveillée pour me rendre compte que toutes les mauvaises choses de ma vie m'avaient patiemment attendue et que toutes les bonnes avaient disparu. Oncle Jude est dehors et attend son heure. Je suis étonnée qu'il ne soit pas venu me voir pendant que j'étais inconsciente. Il aurait tranquillement pu finir le travail. À moins qu'il ne me veuille totalement réveillée et capable d'apprécier sa vengeance. Je dois toujours vivre avec l'idée qu'un homme innocent est mort par ma faute. Ça aussi, c'est toujours là. Et c'est encore plus douloureux qu'avant, parce que je suis toujours en vie. J'ai survécu. Et Robert Powers est mort. Est-ce une histoire de destin ? Un simple va-et-vient dans l'ordre des choses ? Peut-être que je n'ai que ce que je mérite. Je voudrais seulement que quelqu'un me dise quand ça cessera de me faire si mal.

Tout ce que je veux, c'est que Tobey me serre dans ses bras et me dise que tout va bien aller entre nous. Mais qui suis-je en train d'essayer de tromper ? Tout ce que je veux, c'est Tobey.

Mais il est parti.

Et moi, je suis coincée ici.

Je ne me suis jamais sentie aussi seule.

63.

Le lendemain matin, Maman, Jess et moi nous sommes une nouvelle fois retrouvés tous ensemble pour le petit déjeuner. Maman buvait son jus d'orange et Jessica picorait ses céréales. Moi, je tournais ma cuiller dans mon café. Pour une fois, je n'avais pas beaucoup d'appétit. Dès que je levais les yeux vers

Jessica, je la surprenais à m'observer. Devais-je parler à Maman ? Devais-je au moins tenter de le faire ? Je n'avais toujours pas compris ce que ma sœur m'avait dit la veille au soir. Et j'avais une peur bleue d'empirer la situation.

– Maman, je t'ai menti à propos de Tobey, a soudain déclaré Jess.

Maman a froncé les sourcils.

– Pardon ?

– Tobey ne vend pas de la drogue. Je ne t'ai dit ça que pour l'empêcher de te… de… de te dire… que… j'avais… fumé de l'héroïne.

– Jessica, je t'en supplie, dis-moi que c'est une blague, a prononcé Maman lentement.

Jessica a penché la tête, incapable de prononcer un mot de plus.

– Tu as pris de la drogue ? a murmuré Maman. Oh, Jessica !

Une larme s'est écrasée sur la table, suivie par tout un tas d'autres.

J'ai regardé ma mère puis ma sœur, retenant ma respiration.

– Oh, Jessica…

Maman s'est levée et a pris Jess dans ses bras. Ma sœur s'est laissée aller et s'est mise à sangloter.

– Tobey, tu peux nous laisser seules, s'il te plaît ? m'a demandé Maman.

Je me suis dirigé vers la porte, me demandant ce qui avait décidé Jess à changer d'avis et à tout raconter à Maman. Peut-être qu'elle avait réellement envie que tout redevienne comme avant. Dieu sait que je n'en demandais pas plus. Mais au fond de moi, j'avais le sentiment que les vieux jours étaient finis et bien finis.

Jessica et Maman sont restées presque deux heures dans le salon, la porte fermée. Je suis allé dans ma chambre et j'ai écrit un mail à Callie. Un mail que je n'enverrai jamais, mais j'avais trop de choses sur le cœur. Ça m'a aidé. Un peu.

Je ne pouvais attendre plus longtemps. Je devais envoyer une nouvelle lettre. Je n'avais pas le temps d'aller à la bibliothèque. Mon propre ordinateur ferait l'affaire. C'était exactement le genre de négligence qui risquait de me faire prendre mais je ne pouvais plus attendre.

J'ai enfilé des gants de caoutchouc appartenant à ma mère pour éviter les empreintes digitales et j'ai commencé ma troisième et dernière lettre. Mon cerveau avait dû être momentanément endommagé par un rayon cosmique quand j'ai cru pouvoir utiliser la dernière cargaison de McAuley à mes propres fins. Ou alors j'étais embrouillé par la cupidité. Mais c'est terminé.

Je ne veux rien de tout ça.

Ma lettre à la police était courte et directe. Je leur disais tout ce que je savais sur la dernière livraison de McAuley. Ce dernier serait lessivé mais ça n'était pas assez. Je commençais à comprendre que rien ne serait suffisant. J'ai glissé la lettre dans une enveloppe au nom du détective Boothe. À présent, je devais sortir de la maison. De toute façon, je ne supportais plus ce silence. J'ai pris ma veste sur la rampe et je me suis apprêté à partir sans prévenir Maman. Mais je ne pouvais pas lui faire ça. C'était ce que mon père faisait.

– Maman, je vais voir Callie à l'hôpital, ai-je crié à travers la porte fermée du salon.

Au bout de quelques secondes, la porte s'est ouverte. Maman était devant moi, les yeux légèrement rouges. Elle avait pleuré. D'où j'étais dans l'entrée, je ne pouvais pas voir ma sœur.

– Ça va, Maman ? ai-je demandé.

Elle a acquiescé.

– Si tu veux que je reste, y a pas de problème.

– Non, ça va. Dis bonjour à Callie de ma part.

– Jess va bien ?

J'avais baissé la voix pour poser la question.

– Non. Mais ça va s'arranger, a répondu Maman avec une certaine détermination.

Elle m'a regardé dans les yeux et a passé sa main sur ma joue.

– Je t'aime, Tobey. Tu le sais, n'est-ce pas ?

À chaque fois que Maman me disait qu'elle m'aimait, je répondais invariablement : « Je sais. » Aujourd'hui, ce n'était pas différent. Mais ma réponse habituelle me semblait… inadéquate. Pas assez forte.

– Maman, je… il faut que j'y aille.

Elle a souri et m'a de nouveau caressé la joue.

– Embrasse Callie pour moi.

– Oui, Maman.

Je suis pratiquement sorti en courant.

J'aurais voulu prononcer les mots. Vraiment voulu. Mais je ne les avais jamais dits à personne et c'était trop difficile de commencer maintenant. Maman savait. J'étais certain qu'elle savait. Et maintenant que Jess lui avait tout raconté, tout allait bien se passer. Oui, sûrement, maintenant les choses allaient s'arranger.

À présent, il fallait que je retrouve Callie comme avant.

64.

J'ai glissé mon enveloppe dans une boîte près de l'hôpital et je suis entré dans le bâtiment. Cinq minutes plus tard, je prenais une longue inspiration et je pénétrais dans la chambre de Callie. Chaque cellule de mon corps me prévenait que c'était une mauvaise idée, mais je devais la voir. Elle avait la tête tournée vers la fenêtre qui donnait sur le parc. Je suis resté dans l'encadrement, à la regarder, à me repaître de son calme. À part un clignement d'yeux de temps à autre, elle ne bougeait pas.

– Bonjour Callie, l'ai-je saluée doucement.

– Bonjour Tobey, a répondu Callie sans me regarder.

Ça m'a fait mal. J'ai dégluti avant de pouvoir parler à nouveau.

– Je peux entrer ?

Elle a acquiescé.

Je me suis assis sur une chaise près de son lit. Elle ne me regardait toujours pas.

– Comment te sens-tu ? lui ai-je demandé. Tu as retrouvé tes souvenirs ?

Tu te rappelles la nuit que nous avons passée ensemble ?

S'il te plaît, Callie, rappelle-toi que nous sommes ensemble. Sinon, je vais douter de mes propres souvenirs. Je commence déjà à douter. Peut-être que j'ai rêvé, que ce moment passé dans tes bras n'était qu'un souhait, le fruit de mon imagination.

Callie a haussé les épaules. J'aurais fait n'importe quoi pour qu'elle me regarde.

– Comment va Rebecca ? a-t-elle murmuré.

Mon esprit a passé en revue tout un tas d'explications. Mais je les ai laissées là.

– Elle va bien, ai-je répondu. On dîne ensemble ce soir.

Bon sang ! Pourquoi ai-je dit ça ? Pour obtenir une réaction ? Parce que je ne sais pas tenir ma langue ? Oh Dieu, aide-moi ! Aide Callie à se rappeler notre nuit ensemble.

Callie s'est enfin tournée vers moi. J'ai dû me forcer à ne pas détourner les yeux.

– Tu me la présenteras ?

J'ai haussé les épaules. Nous nous sommes dévisagés.

– Le médecin dit que je peux rentrer à la maison aujourd'hui, a repris Callie. Quand j'aurai retrouvé mes forces, peut-être que Rebecca, toi et moi pourrions aller boire un café ensemble.

– D'accord, ai-je acquiescé, sachant que jamais ça n'arriverait.

Rebecca n'était pas stupide. Il lui suffirait de regarder Callie une fois pour comprendre dans quel sens soufflait le vent. La tête baissée, Callie tripotait son drap. Elle n'était pas la seule à être nerveuse.

– J'ai retrouvé presque tous mes souvenirs maintenant, a-t-elle dit en me regardant à nouveau. Je ne me rappelle pas avant la fusillade mais tout le reste est revenu.

– Oh.

Que voulait-elle dire par avant la fusillade ? Deux heures avant ? Deux minutes ? Ou deux semaines ?

– C'est tout ? a-t-elle lancé. C'est tout ce que tu as à dire ?

– Que veux-tu que je dise ? ai-je rétorqué.

Silence.

La tension entre nous grossissait comme un ballon de baudruche. Le ballon allait finir par exploser. Il suffisait d'attendre...

– Tobey, m'a soudain appelé Callie. Pourquoi as-tu... ?

Sephy et Meggie ont choisi ce moment précis pour entrer. Le plus mauvais moment. La frustration de Callie s'est inscrite sur son visage. Sephy a embrassé sa fille sur le front avant de s'asseoir. Meggie l'a imitée.

Sephy m'a jeté un regard noir. On aurait dit qu'elle était prête à me mordre.

– Bonjour Tobey, m'a salué Meggie.

– Bonjour.

Je ne savais pas très bien quoi dire.

J'aurais sans doute dû partir mais je ne voulais pas. Pas maintenant. Pas encore. Le regard de Meggie est allé de moi à Callie pour revenir sur moi. Elle a soupiré.

– Callie, je... j'ai quelque chose à te dire, a-t-elle commencé. Et je ne veux pas le remettre à plus tard.

Elle a échangé un coup d'œil avec Sephy avant de poursuivre :

– C'est à propos de Jude.

Callie a tressailli comme si ces mots l'avaient physiquement frappée.

– Tobey m'a dit que tu t'inquiétais que... mon fils soit toujours en vie et... qu'il te fasse encore du mal.

Callie n'a pas répondu, mais elle concentrait toute son attention sur sa grand-mère. Je l'observais avidement.

– Tobey, tu peux attendre dehors, s'il te plaît, a dit Sephy.

Ce n'était pas une requête mais un ordre.

– Non, Maman. Je veux que Tobey reste.

– C'est une affaire de famille, a protesté Sephy.

– Je n'ai aucun secret pour Tobey, a riposté Callie en me regardant d'un air sombre.

Elle avait prononcé ces paroles d'un ton monocorde, mais elle avait réussi à les faire sonner comme une accusation. Puis elle a soupiré.

– Alors, Tobey, tu restes ?

J'ai acquiescé. Je n'irai nulle part. Pas tant que Callie aurait besoin de moi.

Meggie a pris une longue inspiration, a fermé les yeux et s'est lancée :

– Callie, ma chérie, Jude est mort. Il est mort à l'hôtel *Isis* avec Jasmine.

Callie a secoué la tête.

– Non, il n'est pas mort. Les journaux mentionnaient un certain Robert Powers…

– Robert Powers était un des noms de Jude. Un nom tristement célèbre dont il était fier.

L'amertume durcissait la voix de Meggie.

– Il savait qu'il ne mourrait pas âgé et dans son lit. Il s'était fabriqué une identité complète avec empreinte dentaire, dossier médical, permis de conduire, emploi et tout le reste.

– Mais comment avait-il pu obtenir une carte d'identité et un permis de conduire ? s'est exclamée Sephy. Il faut produire un certificat de naissance pour ces papiers.

– Le véritable Robert Powers était né la même année que lui. Il est mort il y a quinze ans dans un accident de la route. Apparemment, c'est une tactique éprouvée de la Milice de libération : utiliser le certificat de naissance d'une personne décédée afin de se procurer toutes sortes de documents officiels. C'est donc ainsi que Jude est devenu Robert Powers et je lui avais juré de ne jamais le révéler. Il m'avait expliqué que si quelque chose lui arrivait, sa fausse identité m'éviterait d'être harcelée par la police et la presse.

– Mais la police devait avoir les empreintes digitales de Jude !

C'était comme si Callie craignait de croire à la mort de son oncle.

– Ils devaient avoir un dossier quelque part.

– Callie, l'explosion a détruit tout l'étage supérieur de l'hôtel. Le corps de Jude était trop endommagé pour qu'on relève une quelconque empreinte. La police a dû se contenter de comparer quelques dents au dossier dentaire, a poursuivi Meggie. Je t'en prie, Callie, tu dois me croire. Mon fils et Robert Powers étaient le même homme. J'ai acheté une stèle pour sa tombe. De façon anonyme. J'y vais même de temps en temps et j'y dépose des fleurs. Jude est mort.

Meggie a penché la tête. Sephy a passé un bras autour de ses épaules et lui a murmuré quelques mots de réconfort à l'oreille. J'ai regardé Callie. Les larmes coulaient sur ses joues, en cascade. Je me suis levé pour aller vers elle mais elle a secoué la tête impatiemment.

– Je vais bien, a-t-elle dit, mais il y a une chose que je dois faire pour clore ce chapitre.

Je savais ce qui allait suivre. Je me suis placé près du lit de Callie. Sephy nous a regardés tous les deux, sa fille et moi, les yeux pleins de soupçon.

– Callie ? a-t-elle lancé d'une voix interrogative.

– Grand-mère Meggie, il faut que tu saches quelque chose, a commencé Callie, de nouvelles larmes apparaissant dans ses yeux. La bombe qui a tué oncle Jude et grand-mère Jasmine… c'est… c'est moi qui l'ai fabriquée.

Meggie s'est levée très lentement et s'est penchée pour embrasser Callie sur le front.

– Je sais, a-t-elle dit.

Callie a écarquillé les yeux.

– Tu sais ? Comment ?

– J'ai toujours su.

Callie a secoué la tête.

– Je ne comprends pas. C'est Maman qui te l'a dit ? Pourquoi n'en as-tu jamais parlé ?

– Ta mère ne m'a rien raconté, s'est hâtée de préciser Meggie.

– Et puis, qu'aurais-je pu dire ? a ajouté Sephy en s'approchant de Meggie. Quand j'ai compris ce que Maman avait l'intention de faire, il était trop tard. J'ai pensé... peu importe ce que j'ai pensé.

– Mais grand-mère Meggie, comment as-tu su alors ? a demandé Callie.

– Jasmine m'a raconté ce que mon fils te faisait faire, a expliqué Meggie. Elle a pris contact avec moi et... elle m'a tout dit.

Callie était tendue comme la corde d'un arc.

– Tu sais ce qui s'est passé ce jour-là ? Grand-mère Jasmine avait décidé de parler à Jude. La bombe a explosé par accident ?

Callie s'est tournée vers moi, le doute inscrit sur le visage. Elle n'a pas vu le rapide coup d'œil échangé entre sa mère et sa grand-mère. Moi oui. Sephy et Meggie cachaient un secret.

– Maman ? a lancé Callie.

– Je n'y étais pas, ma chérie, a murmuré Sephy d'une voix douce. J'étais avec toi, tu te souviens ? Mais oui, c'est sans doute ce qui s'est passé. Callie, tu ne dois pas t'en vouloir.

– C'était un accident, ma chérie, a ajouté Meggie.

– Tu le penses vraiment ? a murmuré Callie. Tu penses vraiment que c'était un accident ?

Sephy et Meggie ont de nouveau échangé un regard. Elles avaient tant partagé qu'elles n'avaient pas besoin de plus pour se mettre d'accord.

– Callie, nous t'aimons vraiment beaucoup, a repris Meggie. Et Jasmine aussi t'adorait. Elle a voulu rencontrer mon fils et la bombe a explosé. Tu ne dois t'en vouloir de rien. Je sais comment était Jude. Jasmine le savait également. Il est responsable de ce qui est arrivé, pas toi.

— Mais deux personnes sont mortes… a commencé Callie.

— C'était un accident, a insisté Sephy. Un accident tragique. Tu n'y es pour rien.

Callie a regardé sa mère.

— Maman, est-ce que tu savais où grand-mère Jasmine avait l'intention de se rendre le jour de mon anniversaire ?

— Bien sûr que non. Je l'en aurais empêchée.

Callie était trop absorbée par sa mère pour remarquer le visage de Meggie à cet instant. J'ai soudain compris que Sephy ne mentait pas mais que Meggie, elle, avait été au courant des projets de Jasmine. Meggie m'a jeté un regard bref. Elle a su que j'avais compris. Mais jamais je ne trahirai son secret.

— Maman, tu me détestes ? a demandé Callie dans un souffle.

— Ma chérie ! Bien sûr que non, je ne te déteste pas.

Sephy a enlacé sa fille.

— Je te l'ai déjà dit, rien sur cette Terre ni au-delà ne pourra m'éloigner de toi.

Callie et Sephy sont restées un long moment dans les bras l'une de l'autre. Quand enfin Callie a desserré son étreinte, elle s'est tournée vers Meggie.

— Grand-mère Meggie, je suis désolée. Je n'ai jamais voulu qu'oncle Jude ou grand-mère Jasmine soient tués. J'étais blessée et perdue, je ne savais pas ce que je faisais.

— Je comprends, ma chérie, a souri Meggie. Tout ce que je désire à présent, c'est que tu cesses de te sentir coupable.

— C'est plus facile à dire qu'à faire, a soupiré Callie.

Meggie lui a pris la main.

– Mais tu dois essayer. Jude est mort, ne le laisse pas gâcher le reste de ta vie. Tu dois faire comme moi, le laisser partir.

Meggie regardait le lit mais son esprit était ailleurs, dans le passé. Un passé fait de malheurs. Deux secondes plus tard, elle est revenue parmi nous, mais son regard portait encore les stigmates d'un chagrin profond que je commençais tout juste à comprendre. Sephy a caressé les cheveux de sa fille. Meggie s'est forcée à sourire. Callie a essayé elle aussi, mais ses lèvres tremblaient.

Elle s'est tournée vers moi et ma gorge s'est serrée si fort que j'ai soudain eu du mal à respirer.

– Tobey, tu vas être en retard pour ton dîner, a-t-elle dit calmement.

– Ce n'est pas grave.

– Ça va, ça va. Je vais bien. Tu devrais partir.

Je savais reconnaître quand j'étais de trop. Malgré ça, je n'ai pas pu m'empêcher de lui demander :

– Tu es sûre ?

Callie a acquiescé.

– On se verra… quand on se verra.

Et elle m'a délibérément tourné le dos. Sephy m'a regardé, un air de satisfaction sur le visage.

J'ai quitté la chambre. Sephy m'a suivi. Elle a refermé la porte derrière elle et a avancé de quelques pas dans le couloir de façon à ce que Callie ne puisse pas nous apercevoir par la fenêtre de la porte.

– Comme tu peux le voir, ma fille est à présent réveillée, a-t-elle tout de suite attaqué. Ne te sens plus obligé de lui rendre visite. Les infirmières m'ont informée que tu étais venu presque chaque jour malgré ce que je t'avais dit.

– Comment aurais-je pu faire autrement ? Callie est ma meilleure amie…

– Oh, s'il te plaît… a lâché Sephy avec dédain.

– C'est vrai ! Je ferais n'importe quoi pour elle.

Le regard que Sephy m'a lancé aurait pu me désintégrer sur place.

– C'est vrai, ai-je répété.

– Tobey, tu me prends pour une imbécile ! Tu crois vraiment que je vais rester là, les bras ballants, à te regarder faire du mal à ma fille ?

– Je ne lui ferai jamais de mal…

– Mais tu lui en as déjà fait, Tobey. Et tu continues. N'oublie pas que je t'ai vu avec ta petite amie.

– Et vous l'avez dit à Callie ?

Sephy a plissé les paupières.

– Je n'ai rien dit à ma fille. Tu t'es assez vanté tout seul.

– Rebecca n'est pas ma petite amie.

– Dis ça à ta langue et à ses amygdales, a répliqué Sephy avec sarcasme. C'est donc comme ça que tu agis ? Tu te débarrasses de l'ancienne pour la nouvelle et puis tu reprends l'ancienne au cas où ? Pas avec ma fille en tout cas !

– Si vous me laissiez expliquer…

– Vas-y ! Je t'écoute !

Sephy a croisé les bras sur sa poitrine dans une position d'attente. Mais je n'avais rien à dire. Du moins, je ne pouvais rien dire sans nous mettre en danger, elle et moi. Pas d'explications. Pas d'excuses. Pas de raisons. Rien.

– C'est bien ce que je pensais !

La voix de Sephy dégoulinait de mépris.

– Tobey, tu ne ressens manifestement pas pour ma fille ce qu'elle ressent pour toi. Alors rends-nous service et fiche-nous la paix.

– C'est faux, ai-je protesté. Je… je ne… je ne me fiche pas de Callie.

– Oh, épargne-moi tes indignations tiédasses, m'a interrompu Sephy, les paumes en avant comme pour me repousser. Tu sais quoi, Tobey ? Je n'ai pas l'intention de discuter avec toi. Callie n'a pas besoin de tes visites qui ne servent qu'à racheter ta petite conscience. Je crois d'ailleurs qu'elle s'est montrée claire sur le sujet. Et quoi qu'il en soit, moi je suis très claire.

J'ai brièvement fermé les yeux. Plus je courais vers Callie, plus elle s'éloignait. Peut-être devais-je seulement arrêter de courir ?

– Mademoiselle Hadley, pourquoi faites-vous ça ?

– Parce que les actes en disent plus long que les mots. Quand ma fille a eu besoin de ton aide, quand elle a eu besoin que tu racontes à la police ce qui s'était réellement passé, tu lui as tourné le dos. Tu as laissé les responsables s'en tirer sans dommages !

Dis-lui, Tobey. Dis-lui la vérité.

– Tu as fui, Tobey. Alors continue de fuir. Tu n'es bon qu'à ça. Meggie et moi sommes venues chercher Callie pour la ramener à la maison. À partir de maintenant, laisse-la tranquille.

Et avec un dernier regard de pur mépris, Sephy est retournée auprès de sa fille.

65.

Le ciel était gris et la pluie menaçait, mais je suis quand même allé à pied jusqu'au terrain vague. Je n'avais nulle part ailleurs où aller. J'ai levé les yeux vers les nuages. Ils emplissaient le ciel. Je me suis assis sur un banc et j'ai regardé le monde avancer autour de moi. J'étais si près du but et pourtant je ne m'étais jamais senti aussi loin de tout ce en quoi je croyais. Ce n'était pas censé se passer de cette manière.

Je suis resté assis pendant longtemps. Je ne sais pas combien de temps. Les premières gouttes de pluie sur mon front m'ont éveillé. J'ai jeté un coup d'œil à ma montre. Il était temps de me rendre à mon rendez-vous avec Rebecca. Il était également temps de tirer un trait sur notre relation. Peut-être pourrions-nous rester amis. Sans doute ses frères et sa mère feraient tout pour rendre cette éventualité impossible. Mais était-ce trop espérer que nous nous séparions sans nous détester ?

Alors que je marchais vers *Los Amigos*, le téléphone que McAuley m'avait donné a vibré dans ma poche. Bon sang ! Je n'avais qu'une envie : jeter ce foutu portable dans la poubelle la plus proche. Mais je ne pouvais pas. Au lieu de ça, n'écoutant pas mon instinct, j'ai décroché.

– Bonjour, monsieur McAuley.

– Tobey, tu me déçois beaucoup.

Oui, merci, je vais bien et vous ? Avait-il fini par découvrir que j'étais responsable de la disparition de ses cargaisons ?

– Je ne sais pas de quoi vous parlez, monsieur, ai-je répondu prudemment.

– Tobey, n'empire pas ton cas en me prenant pour un imbécile. Tu étais censé me donner des informations. Où sont-elles ?

Il m'a fallu une seconde pour comprendre. Il parlait du flic à la solde des Dowd. Il ne m'avait pas percé à jour. Pas encore.

– Je ne travaille plus à MPLS, monsieur. Gédéon m'a viré.

– Tes excuses ne m'intéressent pas, Tobey. Je suis déçu. Très déçu. À présent, si tu veux remonter dans mon estime, il ne te reste plus qu'à m'amener Rebecca Dowd à mon entrepôt dans la zone industrielle à dix heures ce soir sans faute. Je l'utiliserai comme monnaie d'échange pour récupérer ma cargaison. C'est clair ?

Silence.

– C'est bien compris, Tobey ?

– Je suis désolé, monsieur McAuley, mais je ne peux pas faire ça, me suis-je entendu répondre.

– Tobey, quand on est au fond du trou, on ne continue pas de creuser, a susurré McAuley de sa voix doucereuse. Tu vas faire ce que je te dis ou je serai obligé de te montrer quel sort je réserve à ceux qui me lâchent.

– Je suis désolé, monsieur McAuley, mais Rebecca n'a rien à voir dans cette histoire et je pense que vous devez la laisser tranquille. Donc je ne vous l'amènerai pas.

J'ai raccroché avant que McAuley ait le temps de préciser ses menaces. Je devais être fou. Je venais de me peindre une cible sur le cœur. J'ai laissé tomber le téléphone de McAuley sur le trottoir et je l'ai écrasé du talon, écoutant avec plaisir le bruit du plastique broyé. Plus de coups de téléphone. Plus d'ordres. McAuley était fini et je ne voulais plus rien avoir à faire avec lui ou qui que ce soit de son entourage.

Je savais ce que j'avais besoin de savoir. À présent, je devais agir vite.

Le temps m'était compté.

66.

Au café, Rebecca et moi avons pris place près de la vitre. Dehors, la pluie commençait à tomber à verse. Habituellement, j'adorais la pluie. Elle avait le pouvoir de me calmer. Mais pas aujourd'hui. Mon cerveau était chauffé à blanc. Je ne touchais pas à mon café. Rebecca sirotait un crème. Elle portait un jean, un chemisier rouge et une veste en jean. Elle en jetait. Elle avait noué ses tresses en queue-de-cheval mais elle ne semblait pas consciente de ce qu'elle dégageait. La conversation était laborieuse. Aucun de nous deux n'osait aborder le sujet pour lequel nous avions décidé de nous voir. Rebecca a bu une nouvelle gorgée de son café puis a lentement reposé la tasse sur la table.

– Tobey, est-ce que tu… m'apprécies ? Et s'il te plaît, sois honnête, a-t-elle ajouté.

– Je t'aime beaucoup, ai-je aussitôt répondu.

– Est-ce que tu… m'aimes ?

J'ai pensé à Callie.

– Non.

– Est-ce que tu crois qu'un jour tu pourras m'aimer ?

Des tas de réponses du genre « personne ne connaît l'avenir » et « qui peut dire » m'ont traversé l'esprit. Mais je ne voulais pas lui mentir. Ça n'aurait pas été juste.

– Je ne crois pas, ai-je dit.

J'ai inspiré profondément et j'ai pris mon courage à deux mains pour lui donner une véritable réponse.

– Non.

Rebecca a hoché la tête.

– C'est ce que je pensais. J'ai été celle qui t'a permis de faire le deuil.

– Quoi ?

– Tu t'es séparé de ta petite amie et je suis arrivée juste au moment où tu en avais assez de te sentir seul, m'a-t-elle expliqué.

– C'est faux, ai-je protesté. Je veux dire : tu as été plus importante que ça pour moi.

– Soyons honnêtes, Tobey, a repris Rebecca. Tu m'aimes bien, mais ce ne sera jamais plus que ça. Et nous le savons tous les deux. Je pense que tu ne tombes pas amoureux facilement mais également que quand tu es amoureux, tu le restes. Ton ex-petite amie ne sait pas ce qu'elle a perdu.

– Rebecca, je n'ai pas cherché à t'utiliser, ai-je fini par articuler. Je veux que tu le croies.

– Mais je n'en doute pas, a-t-elle souri. En réalité, je voudrais te remercier pour m'avoir aidée à comprendre que je n'étais pas seulement la fille de ma mère.

– Tu te sous-estimes, ai-je renchéri. Tu peux faire ce que tu veux, être ce que tu désires. La seule qui t'en empêche, c'est toi-même.

– Tu le penses vraiment ? C'est aussi simple que ça ?

– Bien sûr, ai-je affirmé. Quand on va droit au but, c'est aussi simple que ça. Et tu es dans une position plus aisée que la plupart des gens. Tu n'as pas de problème de statut, de niveau social ou d'argent qui te retient. Il te reste juste à trouver ton propre chemin. Bon sang ! Je parle comme ma sœur !

Rebecca a ri. Je lui avais raconté la période « méditation et paix intérieure » de Jessica. Je n'avais juste pas précisé à quel point cette période me manquait par rapport à celle d'aujourd'hui.

– J'aime la foi que tu as en moi, a dit Rebecca.

– Comment pourrais-je ne pas croire en toi ?

– À vrai dire, j'ai commencé à regarder comment m'inscrire à la faculté pour devenir enseignante, a-t-elle murmuré presque timidement. Je n'en ai pas encore parlé à ma famille.

– C'est génial ! me suis-je exclamé. Tu seras une excellente professeur. Tu as beaucoup de patience.

– Sauf avec certaines filles comme Misty, a ri Rebecca.

– Oui, mais pour ça, tu n'es pas la seule.

Nous avons terminé nos cafés.

– Je ne travaille pas pour McAuley, Rebecca. Je veux que tu le saches. Je déteste cet homme.

– Je sais. Et je suis désolée pour ta sœur.

J'ai serré les dents tout en réfléchissant à la manière de formuler ma phrase.

– J'ai entendu dire que McAuley pense que ta famille est responsable de la perte d'un certain nombre de ses cargaisons. Je veux que tu restes sur tes gardes, Rebecca. McAuley est une pourriture, il ferait rouler un tank sur sa mère si elle se mettait en travers de sa route. Et en ce moment, il a le dos au mur, ce qui le rend encore plus dangereux.

– Ne t'inquiète pas, a lancé Rebecca avec un sourire assuré. Maman et moi partons en vacances demain. McAuley ne pourra pas s'approcher de moi.

J'ai poussé un soupir de soulagement. Tout allait bien. À ma surprise, Rebecca s'est penchée par-dessus la table et m'a embrassée. Un baiser bref mais doux.

– Alors, nous sommes toujours amis ? lui ai-je demandé.

Bien sûr, je voulais le beurre et l'argent du beurre, mais je l'appréciais réellement. Rebecca a posé sa main sur la mienne.

– Bien sûr que nous sommes amis. Rien ne pourra changer ça.

– Je suis content, ai-je souri. Tu veux un autre café ?

Elle a réfléchi.

– D'accord. Mais je ne peux pas rester très longtemps.

– D'accord.

Je me suis levé.

– Tu veux un gâteau pour accompagner le café ?

– Tobey, tu as une très mauvaise influence sur moi, a-t-elle grondé en souriant.

Je lui ai rendu son sourire.

– Je sais.

Durant la demi-heure suivante, je lui ai parlé de Jess et je lui ai raconté dans quel état je l'avais trouvée dans la salle de bains. Rebecca m'a parlé de la guerre permanente entre ses frères. Apparemment, ils se détestaient depuis tout petits. En lisant entre les lignes, j'ai compris que cette haine était alimentée par leur mère, mais je n'avais pas très envie de plomber la discussion et j'ai gardé cette pensée pour moi.

Rebecca a jeté un coup d'œil à sa montre.

– Tobey, il faut que j'y aille, m'a-t-elle annoncé à contrecœur. Maman m'attend à la maison. Je dois préparer mes bagages.

Dommage parce qu'on passait vraiment un bon moment ensemble.

– Envoie-moi une carte, ai-je lancé.

– Tous les jours.

– Une suffira, ai-je répliqué mais, en voyant ses yeux pétiller, j'ai compris qu'elle me taquinait.

J'ai payé les cafés. Devant la porte, nous nous sommes serrés dans les bras l'un de l'autre.

– Tu veux que je t'accompagne à ta voiture ? lui ai-je proposé.

– Non, ce n'est pas la peine. J'ai trouvé à me garer juste à côté. Ça doit être mon jour de chance. On reboit un café ensemble un de ces jours ?

– J'aimerais bien. Vraiment, ai-je répondu sincèrement.

Nous sommes sortis. Rebecca a fouillé dans son sac et en a tiré un parapluie orange et jaune. Elle l'a déplié en moins de deux secondes. Ma sœur non plus n'aimait pas que la pluie lui mouille les cheveux. Nous nous sommes à nouveau serrés dans les bras l'un de l'autre, avec un peu plus de difficulté à cause du parapluie, puis nous nous sommes fait signe et nous nous sommes éloignés, chacun dans une direction opposée. La pluie tombait toujours, mais à présent, je la trouvais agréable. J'avais toujours aimé la pluie. Je marchais et je souriais. Ce rendez-vous avec Rebecca s'était mieux déroulé que je le méritais. Quand elle reviendrait de vacances, je l'inviterais à dîner.

Une camionnette noire est passée devant moi. Ce n'est qu'après quelques pas que je me suis rappelé l'avoir déjà vue. Devant chez McAuley. McAuley me suivait-il ? Je me suis retourné. La camionnette partait dans l'autre direction. J'étais certain que c'était celle de McAuley mais, dans ce cas, pourquoi ne s'était-elle pas arrêtée ? Même avec mes cheveux plaqués sur mon crâne par la pluie, il avait dû me reconnaître.

Rebecca…

Non…

J'ai couru jusqu'au café et je l'ai vue. Avec son parapluie. Elle était à vingt mètres devant moi. Elle se dirigeait vers sa voiture.

– REBECCA ! ai-je crié, essayant de couvrir le bruit de la pluie et de la circulation.

– REBECCA, ATTENDS…

J'ai couru vers elle comme un dératé. Elle s'est tournée pour me faire face juste au moment où McAuley descendait du côté passager de la camionnette.

– BECK ! ATTENTION !

Mais j'étais encore à plus de cinq mètres d'elle. Et McAuley était juste derrière. Il lui a suffi d'un geste imperceptible. Rebecca n'a même pas eu le temps d'avoir l'air surpris avant de s'écrouler sur le trottoir. Son parapluie a roulé plus loin. Elle est restée immobile sur le sol. McAuley se tenait derrière elle, un couteau ensanglanté dans la main droite. Je me suis arrêté à deux mètres de lui, soudain incapable de faire un pas de plus. La pluie me tombait dans les yeux mais, je le jure et je le jurerai jusqu'au jour de ma mort, McAuley m'a souri. Un bref sourire satisfait.

– Tu m'as laissé tomber, Tobey, a-t-il dit. Sois à l'entrepôt ce soir à dix heures, sinon c'est moi qui viens chez toi. Rencontrer ta famille.

Il est remonté dans la camionnette qui s'est éloignée sans hâte. Des passants se sont approchés de Rebecca pour lui porter secours. Son parapluie abandonné semblait indiquer qu'il s'était passé quelque chose de grave. Et je ne pouvais toujours pas bouger. Rebecca était allongée sur le sol, une joue contre les pavés. Des gouttes de pluie tombaient dans ses yeux ouverts mais elle ne cillait pas. Elle fixait le trottoir et le caniveau. Le monde entier est devenu immobile et silencieux. Un instant seulement mais c'était suffisant. De la sueur froide et des larmes chaudes coulaient sur moi. Mon estomac s'est contracté. J'ai essayé de respirer mais mon corps ne se rappelait pas comment faire. Ce n'est que quand le manque d'air a brûlé mes poumons que j'ai haleté. Horrifié. Et puis, tous les bruits autour de moi se sont amplifiés jusqu'à devenir assourdissants.

La pluie battante. Les cris au secours. Une ambulance. Des témoins, y avait-il des témoins ? L'attroupement grossissait. La plupart des gens essayaient de comprendre ce qui s'était passé. Un homme prima a retourné Rebecca et lui a fait du bouche-à-bouche et un massage cardiaque. Ses gestes étaient saccadés, il était proche de la pure panique. Son visage... ses lunettes... il m'était familier... je l'avais vu dans le café. Nous avait-il suivis ? Et j'ai compris. Le garde du corps de Rebecca, employé par Gédéon. Il devait garder ses distances mais la protéger. Il avait trop gardé ses distances.

Il avait échoué.

J'avais échoué.

Mes erreurs. Des erreurs qui coûtaient cher. Horriblement cher. Un prix bien au-dessus de mes moyens. Alors Rebecca avait payé pour moi. Elle ne bougeait pas. Il n'y avait pas de sang. Pourquoi n'y avait-il pas de sang ? La pluie l'avait déjà emporté. J'ai regardé Rebecca. Il faisait froid. J'ai entendu une sirène et mon sang a de nouveau coulé dans mes veines.

Tremblant, j'ai fait demi-tour et je suis parti.

J'étais très fort pour ça.

Je n'avais pas fait plus de quelques pas quand mon estomac s'est révolté. J'ai vomi sur mes chaussures et sur le trottoir. J'avais envie de me rouler en boule et d'attendre que l'image de Rebecca, les yeux ouverts, sorte de ma tête. Je voulais m'allonger les bras en croix jusqu'à ce que la pluie me nettoie. Mais il n'y avait pas assez d'eau sur toute la planète.

D'abord Callie Rose. Maintenant Rebecca.

Oh, mon Dieu...

Rebecca.

Plus jamais. Par pitié, plus jamais.

Ne laissez plus jamais quelqu'un être blessé par ma faute.

67.

Mon téléphone a sonné. J'ai répondu en pilotage automatique, les mains hésitantes. Je tremblais des pieds à la tête. Inspire, expire, inspire, expire. Calme-toi, Tobey.

Rebecca...

Inspire, expire.

Tobey, reprends-toi.

Rebecca.

La pluie dégoulinait sur mes mains et mon téléphone. Je ne cessais pas de trembler. Marche, Tobey. Quoi qu'il arrive, marche.

– Tobey ? Ici l'inspecteur détective Boothe.

– Oui, inspecteur, ai-je répondu d'une voix faible.

– J'ai de bonnes nouvelles pour toi.

Bonnes nouvelles ? Pour qui ? Avait-il coincé McAuley ?

– Des bonnes nouvelles ?

– Nous savons qui est le flic corrompu. Il a été arrêté en même temps que Gédéon Dowd.

– Je ne comprends pas.

– Avec l'aide de policiers d'autres départements, nous avons réussi à mettre sur écoute Gédéon Dowd. Il a été enregistré en train de discuter paiements avec la détective chef Reid. En contrepartie, elle lui donnait les détails d'un raid prévu dans ses locaux et elle lui permettait d'accéder à certains lieux sécurisés pour qu'il mène ses petites affaires.

Détective chef Reid. Où avais-je entendu ce nom ?

– La femme qui m'a interrogé le jour où vous m'avez fait venir au poste ?

– Exactement, a acquiescé Boothe. J'ai réfléchi à ce que tu m'as dit ce jour-là. C'est elle qui avait eu l'idée de t'amener. Je lui ai tendu un piège. Et elle est tombée dedans.

J'ai secoué la tête. J'avais l'impression qu'elle était bourrée de coton.

– Je ne comprends pas. Vous avez utilisé un indicateur ?

– Oui. Un citoyen conscient de son devoir nous a fourni toutes les informations nécessaires. Nous savons tout sur Gédéon Dowd et l'implication de Reid. On nous a envoyé les fichiers, les dates de rencontre, les comptes en banque à l'étranger, tous les détails. Nous avons aussi reçu une information concernant une cargaison de drogue de Gédéon. Cet imbécile la gardait dans la cave de sa maison dans le centre. Grâce à toutes ces données et à notre surveillance, Reid et son amoureux vont dîner en prison pendant au moins vingt ans !

– Je vois.

– Je me demandais si je devais te remercier pour ces fichiers ? s'est ingénument enquis Boothe.

– Rien à voir avec moi, ai-je répondu avec lenteur.

Non, Boothe devrait plutôt remercier Owen Dowd.

Il s'était débarrassé de son frère. McAuley était fini. Owen avait tout le territoire pour lui tout seul. La Prairie échappait aux griffes du tigre pour se retrouver dans la gueule du lion.

Bien joué, Tobey.

C'était quoi mon mantra, déjà ? Quel que soit le prix à payer ?

Je n'avais plus qu'à monter tout en haut du plus haut immeuble du quartier et attendre que le peuple me remercie. Après avoir placé un cinglé comme Owen Dowd aux commandes du quartier, pas de doute, j'allais être ovationné.

– Tu acceptes de me parler maintenant ? a demandé Boothe. Tu es prêt à témoigner contre McAuley ?

– Pourquoi je ferais ça ?

– Parce que nous savons tous les deux qu'il est responsable de ce qui est arrivé à ta petite amie. Témoigne contre lui et je te garantis une protection pour toi et ta famille. Nous pouvons même vous faire déménager s'il le faut.

– C'est trop tard, ai-je répondu.

– Qu'est-ce que tu veux dire ?

J'entendais l'incompréhension résonner dans la voix du policier.

– Je veux dire qu'il est trop tard pour aujourd'hui. Rappelez-moi demain.

Et j'ai raccroché.

68.

J'ai essayé de joindre Dan, mais son téléphone sonnait dans le vide. Il ne me restait qu'une chose à faire. Je suis allé à son local. Après deux tentatives, je me suis rappelé le code de son cadenas. Je suis entré. L'odeur de renfermé, d'espoirs déçus et de rêves avortés m'a fait tousser. L'unique ampoule n'était pas assez forte pour éclairer entièrement la petite pièce. Peu importait. Je savais ce que je cherchais. Je l'ai trouvé dans une boîte posée dans un coin. Un P99 semi-automatique. La version 9 mm. Il était vert. Écolo, me suis-je dit. J'ai vérifié la chambre. Il était chargé. Je me suis assuré que la sécurité était bloquée et je l'ai glissé dans la poche de ma veste. Je me suis retourné et immobilisé. Dan était dans l'encadrement de la porte et me regardait.

– Dan, j'ai besoin de ton aide, ai-je lancé. McAuley a tué Rebecca Dowd, et maintenant il est après moi.

– Et tu comptes faire quoi ?

– C'est lui ou moi.

– Tu te décides enfin à te salir les mains.

– Dan, s'il te plaît. Aide-moi.

Le sourire de Dan était tout sauf amical.

– Pourquoi t'appelles pas la police tout simplement ?

– Parce que si je fais ça, McAuley trouvera un moyen de faire également du mal à ma famille.

– Et qu'est-ce que j'en ai à foutre de ce qui peut t'arriver ? a lâché Dan.

– Il ne s'agit pas de moi, Dan. Ma mère et ma sœur ne méritent pas le sort que McAuley leur réserve.

– Se lamente celui par qui tout est arrivé, a amèrement ricané Dan. Tu nous as tous manipulés comme des marionnettes et maintenant tu te plains parce qu'on ne danse pas comme tu voudrais ?

Je n'avais rien à répondre à ça.

– Dan, s'il te plaît. McAuley est à l'entrepôt, mais il aura ses hommes avec lui. Je ne peux pas m'en tirer tout seul.

Dan a haussé les épaules.

– Pourtant, tu vas être obligé. C'est pas mon problème.

– Mais les hommes de McAuley vont être armés jusqu'aux dents.

– C'est pas mon problème, a rétorqué Dan. Et maintenant, on est quittes.

OK. La faible étincelle d'espoir que j'avais entrevue à l'arrivée de Dan s'est éteinte. Seul le désespoir avait pu me faire croire qu'il m'aiderait. Il ne restait rien entre nous.

– Je peux prendre ton P99 ?

J'ai sorti l'arme de ma poche pour la lui montrer.

– Tu le rapporteras ? a-t-il lancé ironiquement.

Probablement pas.

– Si je peux.

– Alors prends-le. Et prends des munitions tant que tu y es.

On aurait pu être en train de discuter de BD ou de saucisses. J'ai pris un chargeur dans la boîte et je me suis dirigé vers la sortie.

– Tu ne changeras pas d'avis ? ai-je tenté une dernière fois.

Dan a secoué la tête.

– Tu sais que tu n'arriveras jamais à t'approcher de McAuley avec un flingue. Pas avec Byron et les autres.

J'ai regardé l'arme dans mes mains et j'ai haussé les épaules. Qu'est-ce que je m'imaginais ? Je n'avais jamais tiré de ma vie. Hormis à la fête foraine ou avec le fusil à plomb de mon père. Qu'est-ce que je croyais qui allait se passer ? J'allais arriver en tirant de tous les côtés comme un cow-boy prima au cinéma et sauver le monde ? Oui, bien sûr.

J'ai posé le P99 sur la table. Et les munitions.

– Ah ! Tu comptes utiliser une nouvelle technique contre McAuley et ses hommes, c'est ça ? s'est exclamé Dan. Tu vas leur enfoncer les doigts dans les yeux ? Ou les insulter, peut-être ? Ou leur jeter une chaussure à la figure ?

Dan avait raison. Et je lui en voulais.

Je n'avais aucune chance avec un flingue.

Je n'avais aucune chance sans flingue.

– Bienvenue dans la danse, Tobey, a déclaré Dan, en même temps amer et satisfait. La chorégraphie s'appelle « survivre » !

J'allais me faire écraser. Je suis sorti du local et j'ai pris la direction de l'entrepôt.

69.

Je marchais en essayant de ne pas penser. Et de ne rien ressentir. L'entrepôt n'était pas loin. Environ trente minutes à pied du local de Dan et au moins la pluie s'était calmée. J'ai regardé le ciel et j'ai su que plus jamais je n'aimerais la pluie. Je regrettais juste de ne pas avoir pu parler une dernière fois à Callie. La manière dont les choses s'étaient terminées entre nous me rendait malheureux mais je ne pouvais m'en prendre qu'à moi-même. Si je ne savais plus qui j'étais, comment Callie aurait-elle pu le deviner ?

Je suis arrivé à l'entrepôt. La zone industrielle était composée de sept ou huit immenses bâtiments dont la plupart étaient vides et barricadés. À cette heure de la nuit, l'endroit était désert. Le pont ferroviaire un peu plus loin fournissait par intermittence l'unique signe de vie. Seuls quatre ou cinq pauvres lampadaires essayaient en vain d'éclairer les rues. Deux vigiles en uniforme sombre montaient la garde devant l'entrée de l'entrepôt de McAuley. Ils discutaient. L'un d'entre eux avait un bonnet enfoncé sur les yeux, le second fumait une cigarette. Celui au bonnet était en train de montrer à l'autre quelque chose sur son téléphone portable. J'ai pris une longue inspiration et l'odeur de goudron, de poubelles et de gaz d'échappement a pénétré mes poumons. Puis je me suis dirigé vers eux.

– Je dois voir M. McAuley. Pouvez-vous le prévenir que Tobey Durbridge est là ?

Les vigiles ont échangé un regard. Le fumeur a jeté sa cigarette avant de l'écraser sous son talon. Il m'a examiné sous toutes les coutures tout en sortant son talkie-walkie. Il m'a tourné le dos et a parlé dans son appareil, d'une voix basse et monocorde. Trente secondes plus tard, il coupait la communication et se tournait de nouveau vers moi.

– Tu rentres, tu tournes à gauche et tu vas tout au bout de l'entrepôt. Le bureau est sur ta droite. McAuley t'attend, a-t-il conclu d'une voix menaçante.

– Merci.

Je me demandais pour quoi je le remerciais. Il m'a ouvert un des battants de la porte et je suis entré. J'ai suivi ses instructions et j'ai marché entre d'énormes caisses empilées les unes sur les autres. L'entrepôt était mal éclairé et il y régnait un silence étrange, un silence si profond qu'il semblait faire écho en moi. Les autres hommes de McAuley devaient déjà être dans son bureau. J'ai sorti mon téléphone et j'ai trouvé le détective Boothe dans mes contacts. Mais dans l'entrepôt, je n'avais pas de réseau. Chaque parcelle de mon corps me hurlait de faire demi-tour. Je n'avais aucun moyen d'avoir le dessus sur un type comme McAuley. C'était stupide même de vouloir essayer.

Ne pense pas à ça, Tobey. Continue d'avancer.

Quel qu'en soit le prix.

J'ai frappé à la porte du bureau sans me laisser le temps de réfléchir.

– Monsieur McAuley, c'est moi, Tobey, ai-je appelé. J'ai des nouvelles pour vous.

La porte s'est ouverte lentement. Byron se tenait dans l'encadrement, une arme à la main. Il a rapidement jeté un regard alentour pour s'assurer que j'étais seul avant de s'écarter pour me laisser entrer. McAuley était assis derrière son bureau. Mon regard a parcouru la pièce à la vitesse d'une boule de flipper. Byron s'est placé près de moi, juste à côté de la porte. Trevor, le type que j'avais vu chez Dowd, et deux autres gros bras étaient stratégiquement positionnés dans la pièce.

– Comme ça, tu es venu, a lancé McAuley.

Il s'est tourné vers Byron.

– Je t'avais dit qu'il viendrait. Fouille-le.

Il s'est levé et s'est nonchalamment approché de moi pendant que Byron me palpait des pieds à la tête sans oublier un centimètre carré.

– Monsieur McAuley, j'ai quelque chose à...

McAuley a utilisé tout son poids et toutes ses forces pour me projeter son poing dans l'estomac. J'ai eu l'impression qu'une boule de démolition était entrée en collision avec mes tripes. Je suis tombé à genoux, les mains crispées sur le ventre, toussant tout ce que je savais. Un autre coup de poing au visage et toutes les étoiles du système solaire ont scintillé devant mes yeux ; mes joues étaient en feu ; le goût du sang emplissait ma bouche. McAuley est tranquillement retourné s'asseoir derrière son bureau.

– Byron, débarrasse-toi de lui, l'ai-je entendu ordonner par-dessus le bourdonnement de mes oreilles.

– N... non, attendez, s'il... vous... plaît... attendez.

Ma respiration était hachée et douloureuse. J'étais en sueur.

Je suis mort, ai-je pensé. J'ai essayé de déglutir mais ma gorge était en béton armé.

C'est fini. Les jeux sont faits.

Byron m'a attrapé par le bras et m'a remis sur mes pieds. J'ai eu du mal à ne pas m'écrouler de nouveau. Je tenais toujours mon estomac déchiré de douleur. J'avais l'impression qu'il était ouvert en deux.

– Monsieur McAuley... j'... j'ai découvert... quelque chose...

J'arrivais à peine à parler mais c'était ma dernière chance. Au moins un sursis.

— Quelque ch… ose que… vous… devez savoir.

Il fallait que je tente le coup.

— Si tu veux me révéler l'identité du flic pourri, je la connais déjà. On ne parle que de ça aux infos, a lancé McAuley. Et cette information, c'est toi qui devais me la donner, Tobey, pas les journaux. Tu m'as laissé tomber aussi sur ce coup-là. Et tu as osé ignorer mes instructions concernant Rebecca Dowd. Ce n'était pas très malin de ta part. Pas malin du tout.

— Je… je suis désolé pour Rebecca, monsieur. Je n'aurais pas dû vous désobéir. Ça n'arrivera plus.

— C'est vrai, a répliqué McAuley d'une voix calme. Ça n'arrivera plus.

— Mais l'information que j'ai à vous donner est beaucoup plus intéressante que l'identité d'un flic pourri, monsieur, me suis-je empressé de lui assurer.

Je réussissais à me tenir presque droit devant lui. Quelque chose m'a chatouillé la joue. J'ai porté la main à mon visage. Du sang. Son coup de poing m'avait transpercé la joue de part en part. J'ai laissé retomber mon bras.

Silence.

— Je t'écoute, a brusquement lancé McAuley.

— C'est privé, ai-je déclaré en regardant ostensiblement chacun de ses gros bras.

— Je n'ai pas de secrets pour mes hommes. Je leur fais confiance comme à moi-même.

— Vous êtes sûr ? ai-je demandé prudemment.

McAuley était beaucoup de choses mais il n'était certainement pas lent d'esprit. Il a jeté un coup d'œil vers Byron qui a secoué la tête ; je n'étais pas armé, je ne représentais aucun danger. Ce n'est pas par hasard que j'avais décidé de laisser l'arme de Dan au local mais par instinct de conservation.

– Peut-être que vous devriez mettre trois de vos hommes pour garder l'entrée de l'entrepôt, ai-je suggéré. Un des hommes des Dowd vous a vu... a vu ce que vous avez fait à Rebecca. Ils vont sans doute rappliquer.

McAuley s'est levé, ses yeux bleu glacier plus froids que la banquise me transperçaient.

– Trevor, Dave et Scott, faites ce qu'il dit. Et quand vous serez dehors, appelez des renforts.

Les trois hommes ont quitté la pièce de mauvaise grâce. Parfait. Je n'avais rien eu à faire pour que Byron reste.

– Alors ? a demandé McAuley.

On y était. Le moment de vérité, de demi-mensonges et de mensonges entiers.

– Un de vos hommes travaille pour les Dowd.

– Conneries !

McAuley ne me croyait pas une seconde. Je me rappelais ce qu'il avait dit au sujet de la loyauté qu'il exigeait de ses employés. Il était comme Rebecca sur ce point. La loyauté était la chose qui comptait le plus à ses yeux.

– J'en ai la preuve, ai-je repris.

– T'as intérêt à ce qu'elle soit convaincante, a susurré McAuley de sa voix à la fois mielleuse et menaçante.

– Est-ce que vous avez accès au Net avec votre ordinateur ? ai-je demandé.

McAuley a plissé les yeux.

– Évidemment.

– Demandez à Byron de se connecter et de vous montrer son compte en banque.

– Qu'est-ce que… ? est intervenu Byron. Qu'est-ce que c'est que ce bordel ?

– Byron travaille pour les Dowd, ai-je expliqué. La preuve est sur son compte en banque. Dès demain, il s'apprêtait à vous larguer.

– Je n'en crois pas un mot, a déclaré McAuley.

– Vérifiez son compte. Si je me trompe, Byron pourra prendre soin de moi.

Byron a approché son visage du mien.

– Je vais adorer te briser le cou, a-t-il sifflé en me postillonnant à la figure.

J'ai reculé d'un pas et je me suis essuyé du dos de la main.

– Vérifiez, monsieur McAuley. À moins que vous ne vouliez que Byron s'en tire sans problème.

Byron s'est tourné vers son patron.

– Alex, tu crois quand même pas ces conneries ?

– Bien sûr que non, a répondu McAuley.

Mon cœur s'est arrêté. J'étais foutu.

– Mais ça ne fera aucun mal de vérifier, a ajouté McAuley. Ouvre ton compte.

Byron a fixé son patron. Il n'en croyait pas ses oreilles.

– Et dès que tu m'auras prouvé que Durbridge ment, je te le laisse, a poursuivi McAuley.

Byron m'a jeté un regard comme je n'en avais jamais vu et comme je ne veux jamais revoir de ma vie. Si Owen m'avait menti, j'étais plus mort qu'un rôti du dimanche. Byron s'est dirigé vers le bureau et a commencé à taper sur le clavier de l'ordinateur. Je me suis approché pour voir l'écran.

Byron a rentré les numéros de son code et son mot de passe. Ils se sont inscrits sous forme d'étoiles. Impossible de deviner ce que c'était. De toute façon, ça ne faisait aucune différence maintenant. Une nouvelle page s'est affichée avec la somme qui se trouvait sur le compte de Byron. Un numéro à six chiffres. Owen n'avait pas menti, Dieu merci.

Derrière Byron, McAuley s'est raidi.

– C'est… c'est pas possible, a bafouillé Byron.

Il a cliqué sur l'icône de rafraîchissement de la page. Le numéro n'a pas changé. Il a eu un mouvement de recul.

– Alex, je ne sais pas ce que c'est, je n'ai aucune idée de la manière dont ce fric est arrivé sur mon compte.

Je me suis éloigné du bureau. Si les choses tournaient mal, je n'avais aucune envie de me trouver entre les deux.

– C'est beaucoup d'argent, Byron, a remarqué McAuley de sa voix douce.

– Il est pas à moi ! Tu dois me croire, Alex ! a protesté Byron.

Il a regardé autour de lui comme pour trouver un appui mais il n'y avait que lui et McAuley. Et moi. Il a tendu le doigt vers moi.

– C'est Tobey qui a fait ça ! C'est lui qui a mis ce fric sur mon compte !

– Et où est-ce que j'aurais trouvé une telle somme ! me suis-je permis de ricaner.

– Patron, je…

La détonation m'a fait sursauter. Byron a porté la main à son cou, du sang a jailli entre ses doigts comme une fontaine. Il a éclaboussé le costume de McAuley et ses cheveux. Byron est tombé en arrière, comme un arbre que l'on vient de couper. Il était mort avant d'atteindre le sol. McAuley l'a fixé avec des yeux de fou. Dans ma tête, je hurlais. Je ne m'attendais pas… j'ai serré les dents pour qu'aucun son ne sorte de ma bouche.

Mon Dieu !

Maintenant, c'était mon tour. Je l'ai vu dans les yeux de McAuley quand il m'a regardé, le pistolet toujours à la main.

– Je suis désolé, monsieur McAuley, mais j'ai pensé que vous deviez savoir, ai-je réussi à articuler. J'ai entendu Gédéon parler à un de vos hommes au téléphone quand je travaillais à MPLS. Gédéon l'appelait par son nom de famille, Sweet. Mais je ne savais pas que c'était le nom de Byron. Je ne l'ai découvert qu'aujourd'hui. Je suis vraiment désolé, monsieur McAuley.

Trevor, Scott et Dave ont soudain fait irruption dans la pièce. McAuley était couvert de sang mais le corps de Byron était derrière le bureau et ils ne pouvaient pas le voir. Les trois hommes m'ont regardé, se demandant pourquoi j'étais toujours debout et d'où venait le sang dont leur patron était couvert. McAuley a posé l'arme sur le bureau et a reboutonné sa veste, comme s'il pensait que ça améliorerait son apparence.

– Débarrassez-vous du corps, a-t-il ordonné à ses hommes.

Les trois gros bras ont fait le tour et, choqués, ont découvert le corps de Byron. Deux d'entre eux se sont penchés pour le soulever. J'ai regardé sur le bureau. Mon unique et dernière chance. J'ai saisi le Glock 23 de McAuley avant qu'aucun d'entre eux ait eu le temps de faire un mouvement. Je n'avais rien planifié mais l'arme était à portée de ma main. Je préférais être du côté de la crosse que du côté du canon.

– Ne bougez pas ! Et laissez vos mains bien en vue.

Je visais McAuley et ses hommes qui se tenaient côte à côte pour la première fois depuis que j'étais entré dans l'entrepôt. D'après ce que je savais, il n'y avait qu'eux et les deux vigiles à l'entrée. Mais pour combien de temps ? McAuley avait fait appeler des renforts. Quand arriveraient-ils ? Je n'avais pas beaucoup de temps devant moi.

Nous étions tous immobiles comme des personnages dans un tableau.

Et maintenant ?

– Un par un, je veux que vous posiez vos armes sur le bureau. Dave, tu commences !

J'ai observé Dave pendant qu'il sortait un flingue de sous sa veste.

– Toi avec les cheveux roux, c'est quoi ton nom, déjà ? Scott ? À ton tour.

Il a dégagé son pistolet qu'il avait glissé à l'arrière de son pantalon. Pour ma part, j'aurais eu peur de le mettre là, au cas où un coup parte tout seul, mais après tout, je n'y connaissais pas grand-chose.

– À toi, Trevor.

Trevor a pris son arme dans sa veste et l'a posée sur le bureau.

– Trevor, tu ferais bien de te tirer tout de suite, avant que McAuley comprenne que c'est toi qui bosses pour les Dowd et pas Byron.

– Qu'est-ce que… ? s'est étranglé McAuley.

– Oh, je ne vous l'ai pas dit, me suis-je exclamé. Byron n'a jamais travaillé pour les Dowd. Cet argent a été déposé sur son compte en banque par Owen Dowd pour vous faire croire qu'il vous trahissait. Mais quand je travaillais à MPLS, j'ai vu Trevor sortir du bureau de Gédéon. Lorsque Owen m'a dit qu'un de vos hommes leur passait des infos, j'ai compris que c'était lui.

Le regard de Trevor allait de moi à McAuley. Le pauvre gars ne savait pas quoi faire.

– Tu pars ou tu restes ? ai-je lancé impatiemment.

Trevor a filé comme s'il avait le feu aux fesses. C'était donc ça, l'honneur des gangsters !

Cinq contre un. C'était déjà mieux. Je pouvais presque respirer normalement maintenant !

J'ai jeté un coup d'œil au cadavre de Byron. Une petite mare de sang s'élargissait autour de sa tête et de son cou. Une balle et la vie de Byron était finie. Un coup de couteau et Rebecca était morte. La vie est trop précieuse pour être si fragile. À moins qu'elle ne soit précieuse parce qu'elle est fragile.

– Vous tous !

J'ai agité la main comme pour disperser des poulets dans une basse-cour.

– Allez vers la porte.

McAuley a retenu ses hommes d'un geste.

– Et si on refuse ? Et si tu n'avais pas assez de balles pour descendre tout le monde ?

Il s'est penché pour prendre un des flingues sur la table. J'ai visé et tiré. L'arme que McAuley avait convoitée est tombée par terre, propulsée par ma balle. Des éclats de bois ont volé dans toutes les directions. McAuley et ses hommes se sont écartés.

– Et si je te balançais la prochaine en plein cœur ? ai-je lancé à McAuley. Je n'ai encore jamais tiré sur une cible vivante, mais ça ne veut pas dire que je ne sais pas viser. Mon père a veillé à ça. Et maintenant, bougez-vous !

Du bras, j'ai poussé toutes les armes du bureau par terre. Je n'avais certainement pas besoin qu'un des hommes de McAuley ait une idée idiote. Si nous sortions tous de l'entrepôt, je pourrais appeler la police et je n'aurais plus qu'à attendre qu'elle arrive. Et peut-être, peut-être que je me sortirais de ce guêpier en un seul morceau. Scott et Dave sont passés devant, suivis par McAuley. Je fermais la marche. Dès que Dave et Scott ont franchi la porte du bureau, ils se sont mis à courir, dans deux directions opposées. Je n'avais aucun moyen de les en empêcher. Je me suis précipité devant McAuley et j'ai claqué la porte du bureau avant qu'il ne déguerpisse lui aussi. Sans le quitter des yeux, j'ai fermé à clé.

Les hommes de McAuley étaient quelque part dans l'entrepôt, attendant de me sauter dessus. Ils ne pouvaient pas entrer, on ne pouvait pas sortir.

Et maintenant ?

– Un demi-million de livres à celui qui tue Tobey Durbridge, a crié McAuley.

Salopard ! Il avait bien choisi son moment pour élever la voix.

Presque aussitôt, les autres ont commencé à essayer de défoncer la porte.

– Assieds-toi par terre, ai-je ordonné à McAuley en pointant mon arme sur son visage.

Il a obéi, une expression d'intense satisfaction sur le visage.

– Tu es mort, Durbridge. Tu devrais commencer à te faire à l'idée. Et quand je sortirai d'ici, je m'occuperai de ta petite copine.

– Vous vous êtes déjà occupé de Rebecca, ai-je lâché amèrement.

– Les Dowd avaient besoin d'une leçon.

– Rebecca n'avait rien à voir avec les affaires de sa famille. Elle était innocente…

– C'était une Dowd, m'a interrompu McAuley. J'espérais l'échanger contre ma marchandise mais tu as refusé de coopérer, alors je suis passé au plan B. Moi, ça m'allait très bien. Et tu m'as beaucoup facilité la tâche. Merci, Tobey. Je n'aurais jamais réussi sans toi.

Mon index a caressé la détente du pistolet. Tuer McAuley serait un service rendu à la nation.

– Mais nous savons tous les deux que Rebecca n'était pas ta petite amie, a repris McAuley.

Devant mon air perplexe, son sourire s'est élargi.

– Non, je parle de Callie Rose Hadley. C'est toi que je visais ce jour-là sur le terrain vague, mais elle s'est mise en travers. La prochaine fois...

J'ai levé le poing et je l'ai abattu sur le visage de McAuley. J'avais oublié que je tenais le flingue. Son nez s'est aussitôt mis à saigner. McAuley a poussé un cri de douleur. Les coups sur la porte se sont intensifiés. Peu importait que les hommes de McAuley essaient de le sauver ou de gagner un demi-million de livres, le résultat était le même : j'étais un homme mort. J'ai regardé le pistolet. Le Glock 23 était lourd dans ma main. Bien calé. La crosse nacrée, blottie dans la chaleur de ma paume. Ce semi-automatique avait été fait sur mesure pour McAuley.

Un vrai flingue. Dans ma main.

Une machine à tuer.

Ou était-ce moi la machine à tuer ?

– Tu es mort, Durbridge. Quoi que tu fasses, tu es mort.

70.

J'ai sorti le paquet de poudre d'Eisner de ma poche et je l'ai balancé sous le nez de McAuley.

– Tu sais ce que c'est ?

C'était une question purement rhétorique. Bien sûr que McAuley savait de quoi il s'agissait. Cette merde avait payé son costume et le sang qui le maculait. Elle avait payé les repaires qu'il possédait partout dans la Prairie, la vie de Ross

Resnick et la douleur de ma sœur. McAuley se nourrissait de cette merde. Il s'en repaissait. Plus la vie était dure à la Prairie, plus McAuley gagnait de fric. Principe économique simple.

McAuley a plissé les paupières. Il a craché du sang et s'est essuyé avec le revers de sa manche.

– Tu veux ta part ? a-t-il lancé. C'est ça ton problème ? Tu veux monter ton propre business ?

Je n'ai pas répondu. McAuley a pris mon silence pour de l'attention.

– Tu es intelligent, Tobey. J'ai besoin de types comme toi. Je pourrais t'apprendre les ficelles. Dans cinq ans, tu serais plus riche que tu ne l'as jamais imaginé.

La voix de McAuley coulait comme du miel.

– Et puis, que tu le veuilles ou non, tu as besoin de moi. Rebecca est morte juste après t'avoir rencontré. Tu crois que les Dowd vont rester sans réagir ? Je suis le seul capable de te protéger.

Il pensait vraiment que j'allais accepter sa proposition. J'ai fait le tour pour me placer derrière lui et j'ai posé le canon de mon arme sur sa tête. Les coups sur la porte se faisaient de plus en plus insistants. Il me restait moins d'une minute avant qu'elle cède. McAuley a essayé de se tourner pour me voir. Mon flingue contre sa tempe l'a rapidement persuadé que c'était une mauvaise idée. Mais ça ne l'a pas empêché de parler.

– Toi et moi, Tobey, on vit dans le vrai monde. Nous savons comment les choses fonctionnent. Ceux qui ne savent pas ne veulent pas savoir. C'est trop dur pour eux. À la Prairie, ils ne font que subir leur vie, rien de plus. Mais nous on agit !

Debout derrière McAuley, j'ai déchiré le haut du sachet de plastique. Il s'est ouvert comme une bouche transparente.

– Et c'est parce que je sais ça que je suis devenu riche, a continué McAuley. Et tu deviendras encore plus riche que moi, parce que t'es intelligent, Tobey.

– T'as rien compris, hein, McAuley ? J'en ai rien à foutre de l'argent. Pourquoi tu crois que j'ai fait tout ça ? Je sais que tu as essayé de me descendre et que tu as juste réussi à blesser Callie. Tout ce que je veux, c'est te réduire en miettes.

– Pourquoi tu t'es pas contenté d'aller voir la police ?

– La police était ma dernière solution. Je ne savais pas combien étaient corrompus. Et puis, c'est pas comme ça que ça marche à la Prairie, pas vrai ?

– Je crois pas que ça t'aurait empêché de parler aux flics.

– T'as raison. Si j'avais pas réussi à te mettre à terre, je serais allé voir les flics.

– Mais tu vois pas qu'on est pareils, toi et moi, Tobey ! On sait ce qu'on veut et on est prêts à tout pour l'obtenir.

– Dans tes rêves, McAuley ! J'ai rien à voir avec un type comme toi !

– Tu es sûr ? a-t-il souri. Mais regarde-toi. Dis-moi que ce flingue dans ta main ne te donne pas un sentiment de toute-puissance. Dis-moi que la situation ne te procure pas la plus forte montée d'adrénaline de toute ta vie ? Dis-le-moi et je ne te croirai pas.

Je ne voulais pas en entendre plus. Ses mots m'empoisonnaient le cerveau. Il était temps de le faire taire.

– Ouvre la bouche, ai-je ordonné.

McAuley a levé la tête.

– Quoi ?

– Ouvre la bouche !

Il a lentement obéi. J'ai versé le contenu entier de poudre blanche dans sa bouche. Il s'est tortillé sur le sol, essayant de cracher tout ce qu'il pouvait, mais j'ai plaqué ma main sur ses lèvres pour le forcer à avaler.

– Cette merde est importante pour toi, ai-je craché. Étouffe-toi avec !

Ses yeux envoyaient des éclairs, mais j'étais devenu parfaitement insensible. J'ai gardé la main sur sa bouche et l'arme contre sa tête. Il avait essayé de me descendre et il avait touché Callie. Il avait décidé que je représentais un danger pour lui parce que j'avais livré sans le savoir le petit doigt de Resnick à sa femme. S'il m'avait laissé tranquille, rien de tout ça ne serait arrivé.

La porte commençait à craquer. C'était fini.

Une détonation a soudain retenti dans l'entrepôt. Puis une autre et une autre encore. Des coups de feu. Chacun, plus fort que le vacarme des enfers, résonnait dans ma poitrine. Est-ce que les hommes de McAuley étaient en train de tirer à l'aveuglette ? Peut-être qu'ils en avaient assez d'essayer de forcer la porte et qu'ils tiraient sur le verrou ? Une autre détonation, plus forte encore... plus proche... J'ai appuyé le canon du revolver sur la tempe de McAuley, mon doigt crispé sur la détente. Il toussait et crachait. Il voulait bien vendre sa merde à quiconque avait assez d'argent pour payer mais il ne voulait pas mettre le nez dedans. La porte s'est ouverte. J'étais prêt. J'allais tomber mais pas tout seul.

Dans l'encadrement de la porte... se tenait Dan.

Il avait le P99 à la main et deux cadavres à ses pieds.

– Sors de là, Tobey, a-t-il dit d'un air grave. La police va arriver dans une minute. Les vigiles devant la porte doivent commencer à reprendre leurs esprits.

– Dan...

Je l'ai fixé.

– Je pensais...

– Je sais ce que tu pensais. Dégage avant que je change d'avis.

– Mais je ne peux pas partir et te...

– Si ! Dégage ! a aboyé Dan.

– McAuley a appelé des renforts.

– Les flics seront là avant eux.

– Dan, je ne comprends pas. Qu'est-ce qui t'a fait changer d'avis ?

Je n'avais pas pu m'empêcher de poser la question.

– J'en sais foutre rien ! Tu m'as tiré d'affaire, je t'ai tiré d'affaire. On sait plus où on en est ! Et y a des moments comme maintenant où je te déteste !

– Alors pourquoi ?

– Tous les McAuley du monde peuvent pas toujours gagner. Pas à chaque fois, a répondu Dan. Et toi et moi, on était amis avant.

– On était amis, ai-je acquiescé. Avant.

Dan s'est approché de McAuley et l'a regardé dédaigneusement cracher. Le « patron » avait la bouche couverte de poudre blanche qui moussait à la commissure de ses lèvres.

Dan a secoué la tête avant d'ajouter avec une mine de vaincu :

– Ma place est ici. Mais t'inquiète pas pour moi, Tobey. McAuley et moi avons un truc à régler ensemble et après ce sera chacun pour soi.

Je voulais le dissuader mais ça aurait été inutile. J'ai regardé McAuley qui crachait toujours. Je ne savais pas si Dan avait tout manigancé et je ne voulais pas le savoir. Je voulais juste foutre le camp. M'éloigner d'eux. D'eux tous, même de Dan. Ils me donnaient envie de vomir.

– Donne-moi le flingue de McAuley, a repris Dan.

Nous nous sommes dévisagés. J'ai posé l'arme dans la main ouverte de Dan et je suis parti. Allais-je d'abord sentir la balle pénétrer dans mon dos ou entendre la détonation ? Je regardais droit devant moi. Je ne voyais plus rien. Juste les yeux bruns de Callie qui me souriaient. Je me suis accroché à cette image. Si Dan me tuait, au moins, je mourrais heureux.

J'ai eu McAuley, Callie. Pour toi. Pour toi.

J'avais tenu ma promesse. Celle que je lui avais faite quand elle était inconsciente dans mes bras sur le terrain vague.

Et tout ça à cause d'une livraison et d'un colis, de Ross Resnick et d'argent. Tout ça à cause de mon impatience et de ma cupidité. Je m'étais laissé prendre. Et à cause de ma naïveté, Callie Rose avait été embarquée dans cette sale histoire. Et Rebecca.

Pardonne-moi...

À qui est-ce que je m'adressais ? Que pouvais-je encore espérer ? Je cherchais l'absolution dans un entrepôt plein de sang. Je suis sorti à la lumière de la lune et j'ai cligné des yeux. Je tenais debout mais à peine. Derrière moi, un coup de feu a résonné. Un seul. J'ai tressailli. Le son venait de l'intérieur de l'entrepôt, du bureau de McAuley. Je ne me suis pas retourné. J'ai continué de marcher aussi vite que je pouvais. Au loin, j'entendais les sirènes de police. Je me suis caché derrière des poubelles. Je suis resté là jusqu'à ce que les voitures de flics soient passées.

Je suis rentré à pied à la maison, la tête baissée, le regard tourné en moi-même. J'ai remonté ma rue. Mon corps entier était douloureux. Je ne me suis pas arrêté chez moi. Je suis allé jusque chez Callie. Je voulais la revoir. Mais je n'ai pas frappé ni sonné. Je suis resté devant la porte fermée.

Je l'ai fait pour toi, Callie.

Mais je me suis perdu en cours de route. Je ne suis plus la même personne et je ne pouvais supporter l'idée que Callie tournerait le dos à celui que j'étais devenu. Mais elle le ferait. Tôt ou tard.

Lentement, j'ai traversé ma pelouse et je suis entré chez moi.

Dénouement

71

– Tobey, Callie est là ! m'a appelé Maman du bas de l'escalier.

Cinq jours avaient passé depuis que McAuley avait été tué par balle. Mon ami, Dan Jeavons, était recherché pour son meurtre et celui des deux hommes de main de McAuley. Mais il était en cavale et la police n'avait pas encore mis la main sur lui. Pas encore. Le détective en chef chargé de l'enquête avait bien insisté. La question n'était pas de savoir si Dan serait retrouvé mais quand. Je ne pouvais qu'espérer qu'il garderait profil bas et n'arrêterait jamais de bouger. Et je ne pouvais que souhaiter qu'il arrêterait de fuir pour se rendre à la police.

Mon ami Dan.

Gédéon Dowd et la détective en chef Reid avaient tous les deux été arrêtés et accusés de différents délits. Je pensais que Reid s'en tirerait avec un avertissement et une mutation, mais apparemment, je m'étais trompé. Les autorités avaient décidé d'avoir sa peau et de se faire un collier avec ses organes. Le chef de la police des polices s'est donné le plus grand mal à la télé pour assurer que si les charges contre Reid étaient prouvées, elle irait en prison. La police était sur les dents. Vanessa Dowd s'était même fait inculper pour fraude fiscale. Bien sûr, ça ne lui avait fait ni chaud ni froid. Elle portait toujours le deuil de sa fille. De façon ostentatoire. L'assassinat au couteau avait fait la une de tous les journaux. Tout le monde a jugé les circonstances de la mort de Rebecca à l'aune de la mauvaise réputation de sa famille. Elle ne méritait pas ça. La presse n'avait de cesse d'établir un lien entre sa mort et celle de McAuley car personne n'ignorait la guerre sans pitié que les deux concurrents dans le crime se livraient. Certains journalistes allaient même jusqu'à supposer que Dan travaillait pour les Dowd.

Mon nom n'avait été mentionné nulle part.

McAuley n'était plus dans le paysage et Owen Dowd occupait tout l'espace. Deux jours plus tôt, j'avais reçu un chèque de banque d'un montant très élevé. Owen ne m'avait pas envoyé un chèque avec son nom marqué dessus, évidemment, mais il m'avait payé comme il l'avait promis. L'argent était arrivé dans une enveloppe ordinaire avec un timbre banal. Et si le chèque s'était égaré ? Owen avait beaucoup d'argent. Largement assez pour me refaire un chèque si nécessaire. Le simple fait de toucher ce bout de papier m'a dégoûté de moi-même, mais je ne l'ai pas jeté. Je suis allé marcher longuement pour essayer de m'éclaircir les idées. J'ai déposé le chèque dans la boîte de la première association caritative que j'ai croisée. Mais je me sentais toujours aussi sale.

Owen Dowd.

Je n'avais pas prévu qu'il récupérerait tout. D'ailleurs, rien ne s'était passé comme je l'avais prévu. J'avais lu une histoire, il y a longtemps, à propos d'un roi tellement cupide qu'il avait émis le souhait que tout ce qu'il touche se transforme en or. Moi, à cause de mon désir de vengeance, tout ce que j'avais touché s'était transformé en merde. Je ne voulais plus jamais approcher une personne que j'aime ; Dan avait raison. Sephy aussi. Et Lucas. Tout le monde avait vu chez moi ce que je n'avais pas été capable de déceler.

Je me suis levé de mon lit pour descendre. Trop tard. Ma porte s'est ouverte et Callie est entrée. Elle avait les cheveux détachés. Ils tombaient en vagues noires autour de son visage jusque sur ses épaules et dissimulaient la cicatrice sur sa tempe.

Mais sa cicatrice finirait par disparaître. Callie avait maigri et ça ne l'empêchait pas d'être toujours la plus belle fille que j'aie jamais vue. Elle portait une robe blanche et des sandales assorties. Mon cœur s'est serré. Je me suis rappelé la dernière fois que Callie était entrée dans ma chambre. Ça avait été la première et la dernière fois de ma vie où je m'étais senti parfaitement et cent pour cent heureux. Mais c'était dans une autre vie.

Callie s'est approchée de moi. Je me suis immobilisé. Elle a tendu la main et a caressé la cicatrice sur ma joue, souvenir de McAuley. La chaleur de ses doigts m'a fait tressaillir.

— Ton œil est gonflé et un peu jaune, a-t-elle dit d'une voix douce. Ça te fait mal ?

J'ai reculé.

— Je survivrai.

Callie a laissé retomber sa main.

— Qui t'a fait ça ? a-t-elle demandé.

— Callie, je n'ai vraiment pas le temps de te parler. J'étais sur le point de sortir.

— Je peux venir ?

— Non, ai-je lancé en enfilant mes tennis. J'ai un rendez-vous.

— Avec qui ?

— Misty.

— Je vois, a murmuré Callie.

Elle a fixé mon tapis comme si elle ne l'avait jamais vu. Je me suis levé.

— Pourquoi tu voulais me voir ?

Il fallait que je sorte de ma chambre. La voir comme ça me rendait fou.

– Je suis venue te dire que Maman t'invitait à nous accompagner chez Bharadia et Hammond demain.

J'ai froncé les sourcils.

– Chez qui ?

– Bharadia et Hammond. Ce sont les notaires de grand-mère Jasmine, m'a expliqué Callie. Nous allons écouter la lecture de son testament. Maman a dit que tu pouvais profiter de notre voiture. Ce sera demain après-midi.

– Pourquoi il faudrait que je vienne ?

– Tu es mentionné dans les volontés de Grand-Mère.

– Pourquoi ?

Callie a haussé les épaules.

– Aucune idée.

Silence.

– Tobey, j'ai été désolée d'apprendre ce qui est arrivé à ton amie Rebecca.

J'ai haussé les épaules à mon tour.

– La police a découvert qui avait fait ça ?

J'ai secoué la tête.

– Ils ne trouveront jamais.

– Tu ne dois pas perdre espoir, a tenté Callie.

Espoir ? Je ne connaissais plus la signification de ce mot. Chaque journée ressemblait à un long chemin vers l'enfer. Le couteau que McAuley avait utilisé pour tuer Rebecca n'avait pas été retrouvé. McAuley l'avait probablement jeté avant de se rendre à l'entrepôt. On ne le retrouverait jamais maintenant. La mort de Rebecca resterait un mystère. Officiellement, du moins.

– Callie… tes souvenirs sont revenus… le jour de la… fusillade ? ai-je voulu savoir.

Elle a secoué la tête. J'ai attendu qu'elle en dise plus mais elle est restée silencieuse. Elle ne se rappelait sans doute toujours pas la nuit qui avait précédé. Elle ne se rappelait pas nous deux. J'ai eu un sourire amer. Je ne pouvais même pas partager ce moment avec elle. Ce souvenir n'existait que dans ma tête à moi.

— Dis-moi quelque chose, ai-je commencé, si tu découvrais qui t'a tiré dessus, que ferais-tu ?

Callie a tressailli et son regard s'est durci.

— Tobey, tu sais qui c'est ?

— C'est seulement une question hypothétique, ai-je menti.

— Alors ma réponse hypothétique est je ne sais pas, a répliqué Callie. J'irais sans doute le dénoncer à la police, pour qu'il soit arrêté et jeté en prison.

— Et s'il était au-dessus de la loi ?

— Personne n'est au-dessus de la loi, a déclaré Callie.

Je lui ai jeté un regard triste.

— D'accord, s'est-elle corrigée, personne ne devrait être au-dessus de la loi.

— Il y a une grande différence entre ce qui est et ce qui devrait être, ai-je murmuré. Le décret d'égalité devrait être en vigueur depuis des dizaines d'années. Et la police n'aurait pas dû attendre qu'un flic corrompu soit découvert en son sein pour agir contre les malfrats qui dirigeaient la Prairie.

— Bien sûr, la loi est faite par les hommes, a acquiescé Callie. Et par le fait, elle est faillible. Mais la justice existe. Et elle ne se confond pas toujours avec la loi.

— Alors que ferais-tu si tu savais que la personne qui t'a tiré dessus était au-dessus de la loi ? ai-je insisté.

Callie a haussé les épaules. Devant mon regard impatient, elle a fini par répondre :

— Je n'en ai aucune idée, Tobey. Je voudrais me venger bien sûr, je suis humaine. Mais le désir de vengeance est comme la haine ou la colère, il peut te dévorer. Et je suis bien placée pour le savoir.

– Et si la victime était ta mère ou Meggie?

Pourquoi est-ce que je faisais ça ? Peut-être avais-je juste besoin de l'entendre dire que j'avais mal agi. Pourtant, elle avait raison, la justice n'était pas forcément la loi et elle aurait réfléchi comme moi.

– Franchement, Tobey, je ne sais pas, a-t-elle soupiré. Pourquoi ?

J'ai haussé les épaules.

– Je me demandais, c'est tout. C'est sans importance.

J'ai essayé de passer pour atteindre la porte mais elle s'est mise devant moi.

– Tobey ? Toi et Misty, c'est sérieux ?

– Très, ai-je aussitôt répondu.

– Je vois.

Cette fois, elle s'est écartée. J'ai ouvert la porte de ma chambre pour qu'elle sorte la première. Discrètement, je l'ai respirée. Elle ne sentait plus le parfum à la cannelle que je lui avais offert.

– Je serai chez toi à quatorze heures, ai-je confirmé.

Callie est redescendue. Je l'ai suivie. J'ai tendu la main vers ses cheveux. Étaient-ils aussi doux que dans mon souvenir ? J'ai dû forcer mon bras à revenir à sa place.

– Oh, avant que j'oublie, a dit Callie en bas de l'escalier. Je suppose que ça t'appartient.

Elle a sorti d'une poche de sa robe la lettre que je lui avais envoyée. Celle avec les informations sur les cargaisons de McAuley.

– Je ne me trompe pas ? a-t-elle poursuivi. C'est bien à toi ?

J'ai acquiescé, me demandant si elle avait lu les informations contenues dans l'enveloppe. Pensait-elle que j'avais travaillé pour McAuley ? Je n'avais pas l'intention de le lui demander.

– Je l'ai ouverte parce qu'elle m'était adressée, a repris Callie, mais j'ai arrêté de lire quand j'ai compris ce que c'était. J'imagine que tu me l'as envoyée pour la mettre en sécurité ?

Je n'ai pas répondu.

– Tu veux que je la garde ?

– Non, je vais la prendre.

– Tobey, que s'est-il passé pendant que j'étais à l'hôpital ?

– La Terre a continué de tourner autour du soleil. La mer est montée et redescendue. La vie a suivi son cours.

Callie a baissé les yeux un instant.

– Je ferais mieux de rentrer.

– À plus tard, Callie.

– Au revoir, Tobey.

Callie est retournée chez elle, je suis parti dans la direction opposée. J'ai repensé à cette conversation que j'avais eue avec ma sœur quelque temps auparavant. Jess m'avait dit que je ne la comprendrais pas tant que je n'aurais pas vécu l'expérience partagée par tous les gens seuls et malheureux. Je ne comprenais que maintenant ce qu'elle avait voulu dire. J'étais un échec. Je n'arrivais même plus à me regarder dans un miroir. Je ne me reconnaissais pas. J'avais cru pouvoir me venger de McAuley et sortir de là blanc comme neige. J'avais échoué.

J'ai songé à la poudre que j'avais versée dans la bouche de McAuley et à l'arme que j'avais collée sur sa tempe. J'avais désiré lui faire mal. Non, c'est faux. J'avais eu envie de le tuer. Et si quelqu'un d'autre que Dan était entré dans le bureau, je serais à présent un meurtrier. Qui essayais-je de tromper ? Rebecca avait perdu la vie à cause de moi. Byron aussi.

McAuley aurait dû mourir à cause de moi. La drogue que je l'avais obligé à ingurgiter aurait fait son effet, tôt ou tard. Dan avait seulement mis un terme à ses souffrances.

Cinq personnes étaient mortes par ma faute. Rebecca. Byron. McAuley. Les deux hommes de main que Dan avait tués...

J'étais un meurtrier. À présent, je savais enfin qui j'étais. Personne ne sait vraiment de quoi il est capable avant d'être confronté à ses démons. Et quand ça arrivait, il ne pouvait plus se cacher.

J'ai fait le tour du pâté de maisons et je suis rentré chez moi.

72.

La salle de réunion de maître Bharadia était majestueuse. L'immense table d'ébène ovale était en bois massif. Enfin, c'est l'impression qu'elle donnait. J'étais loin d'être un expert en la matière. Les pieds de la table étaient sculptés en forme de serres d'aigles. Les dix chaises autour de la table étaient coordonnées. À l'arrière, les pieds formaient une façade et le dossier était également incroyablement sculpté.

Tobey, qu'est-ce que tu fais ?

J'ai mentalement secoué la tête. Je savais exactement ce que je faisais. J'essayais de me concentrer sur n'importe quel détail de la pièce pour ne pas penser à Callie. Elle était assise près de moi et me regardait avec un air perplexe. Elle tentait toujours de savoir ce qui n'allait pas chez moi.

Nous nous sommes tous assis et nous avons attendu l'arrivée de maître Bharadia. Minerva et Sephy étaient en pleine discussion à propos de la préparation du mariage de Sephy avec

Nathan. Il était question du meilleur endroit pour acheter la robe de mariée. J'aurais aimé que Callie se joigne à leur conversation. Comme ça, je n'aurais pas été obligé de lui parler. J'avais décidé de me faire tout petit en attendant le notaire. J'ai voulu me lever mais la main de Callie sur mon bras m'en a empêché.

– Tobey, il faut qu'on parle.

Justement ce que je ne voulais pas.

– Comment se fait-il qu'on se soit à peine vus depuis que je suis sortie de l'hôpital ?

Callie murmurait. Elle essayait de ne pas être entendue. À la différence de Misty, elle n'était pas du genre à faire une scène.

– J'étais occupé.

– Trop occupé pour venir dire bonjour ?

– J'étais occupé.

Callie m'a observé, des nuages dans les yeux.

– J'ai fait quelque chose de mal ?

– Bien sûr que non.

– Alors pourquoi est-ce que tu fuis mon regard ?

Je me suis tourné pour la fixer droit dans les yeux. Mon visage était fermé à double tour.

Elle s'est raidie.

– Tobey, qu'est-ce que je t'ai fait ? Pourquoi me traites-tu de cette manière ?

– Bon sang, Callie ! On ne peut pas juste écouter les dernières volontés de ta grand-mère sans faire un drame ?

– Tobey…

– Laisse-moi tranquille, Callie. Bon sang ! Laisse-moi tranquille !

La pièce est soudain devenue silencieuse. J'ai bondi sur mes pieds et je suis sorti avant de faire quelque chose de complètement idiot du genre prendre Callie dans mes bras et lui dire toute la vérité. Je me suis caché dans les toilettes des hommes en attendant que la réunion commence vraiment. C'était la seule façon d'éviter d'avoir à nouveau cette conversation avec Callie. Quand je suis revenu, j'ai vu avec plaisir que le notaire était arrivé et que tout le monde m'attendait.

Je me suis assis et j'ai tiré ma chaise loin de celle de Callie. Elle ne me quittait pas des yeux et je faisais semblant de ne pas la voir. Le notaire a commencé en énonçant des fadaises légales. J'ai décroché au bout de quelques secondes. Je ne savais même pas pourquoi j'étais présent ; Jasmine Hadley m'avait mentionné dans son testament. Et alors ? Elle avait sans doute saisi l'occasion pour prévenir Callie et lui dire de se méfier de moi. Je perdais mon temps.

– Maître Bharadia, pourriez-vous passer le jargon légal, s'il vous plaît ? a demandé Sephy, interrompant l'homme de loi. Je suis sûre que tout le monde peut s'en passer.

Maître Bharadia s'est contenté de pincer légèrement les lèvres, mais il était beaucoup trop professionnel pour afficher ouvertement la moindre contrariété.

– Très bien, mademoiselle Hadley. Je vais aller directement à l'essentiel.

– Combien de temps avant de mourir Maman a-t-elle fait ce testament ? a demandé Minerva, la tante de Callie.

– Euh… trois… attendez…

Maître Bharadia a vérifié en haut de sa feuille et sur un autre document dans sa pile.

– Oui, trois semaines.

Le notaire n'était manifestement pas du genre à donner une information avant de l'avoir vérifiée au moins deux fois.

– Trois semaines ! s'est exclamée Minerva. Quand elle a fait rédiger ce document, elle savait qu'elle était en phase terminale de son cancer ?

Maître Bharadia a froncé les sourcils.

– Je suppose, oui.

– Quelle différence ça fait, Minerva ? a demandé Sephy.

– Je me posais la question, c'est tout.

Le notaire s'est tourné vers Minerva pour lui déclarer que Jasmine Hadley leur avait laissé à elle et son mari une somme substantielle à six chiffres et que la moitié de cette somme était laissée en dépôt pour leur fils Taj qui ne pourrait la toucher qu'à l'âge de vingt-cinq ans. Le mari de Minerva était déjà un homme riche, mais à présent il l'était encore plus. Taj avait de la chance. Ça devait être agréable de grandir en se disant qu'une telle somme vous attendait. Je n'arrivais pas à imaginer ce que ça faisait. En fait, si, je pouvais. Je savais rêver comme tout le monde. Minerva a hoché la tête, le visage sombre.

Maître Bharadia s'est ensuite adressé à Meggie.

– Mme Hadley a écrit cette lettre pour vous une semaine avant sa mort. Elle a demandé que je vous la lise avant de vous annoncer ce qu'elle vous laissait.

Chère Meggie,

Vous et moi étions amies il y a bien longtemps et renier notre amitié a été une des plus grandes erreurs de ma vie. J'ai commis cette erreur et j'ai vécu dans le déni pendant de longues années. J'ai rejeté sur vous la faute de tous mes malheurs au lieu de me regarder dans le miroir et de chercher

la véritable responsable. J'ai aujourd'hui le senti-
ment que nous avons repris notre relation là où
nous l'avions laissée quand nos enfants étaient
petits. Je l'espère. Sachez que je vous considère
comme l'amie la plus sincère que j'aie jamais eue.
Aucune somme d'argent ne pourra réparer les
souffrances dont vous avez souffert. Aucune
somme d'argent ne vous rendra ce que vous avez
perdu, mais j'espère de tout mon cœur que le pré-
sent que je tiens à vous offrir vous permettra de
passer confortablement les dernières années de
votre vie.

Votre amie pour toujours,
Jasmine

Maître Bharadia a cessé sa lecture pour reprendre le testament. Quand il a annoncé la somme d'argent dont Meggie héritait, tout le monde s'est étranglé. Jasmine lui léguait la même somme qu'à sa fille Minerva. Il y avait assez pour acheter une nouvelle maison loin de la Prairie et continuer de vivre plus que tranquillement. J'ai regardé Meggie mais elle restait impassible. Était-ce plus ou moins que ce à quoi elle s'était attendue ? Peut-être qu'elle n'en était plus au stade d'attendre quoi que ce soit.

Maître Bharadia a posé les yeux sur Sephy.

– *À ma fille Sephy, je laisse mes deux maisons et ce qu'elles contiennent ainsi que les terres qui les entourent afin qu'elle en jouisse comme elle l'entend. J'espère de tout mon cœur que Sephy utilisera cet héritage pour se faciliter la vie, ce pour quoi elle n'a jamais été très douée dans le passé.*

Sephy a esquissé un sourire.

Je savais que la maison près de la plage de Jasmine valait énormément d'argent. Je n'avais jamais entendu parler de la seconde maison, mais quoi qu'il en soit, Sephy était à présent une femme riche.

– Sephy, a demandé Meggie d'une voix douce. Tu vas emménager dans la maison de Jasmine ?

Sephy a regardé Meggie et a souri.

– Pas sans vous, Meggie, a-t-elle répondu. Je ne pars nulle part sans vous.

Le soulagement sur le visage de Meggie a été flagrant. Elle semblait beaucoup plus heureuse qu'en entendant la somme d'argent énoncée un peu plus tôt par le notaire.

Ce dernier se tournait maintenant vers Sarah Pike, la secrétaire personnelle de Jasmine Hadley et la seule autre personne ne faisant pas partie de la famille à être présente.

– *À ma loyale assistante, Sarah Pike, je laisse la somme de deux cent cinquante mille livres ainsi que ma voiture noire qu'elle a toujours tant admirée.*

Sarah a souri jusqu'aux oreilles avant de pousser un petit soupir.

Il ne restait plus que Callie et moi. La grand-mère de Callie lui avait-elle laissé quelque chose ? Nous n'allions pas tarder à le savoir. Maître Bharadia a repris sa lecture.

– *À ma très chère petite-fille Callie Rose Hadley, je laisse mes actions, mes bons et autres titres. Le portefeuille sera géré par un professionnel jusqu'à ce qu'elle atteigne l'âge de vingt-cinq ans, ce qui ne saurait tarder. Mon plus grand espoir est qu'elle ne laisse pas cet argent gâcher sa vie et qu'elle l'utilise au mieux. Cela dit, le choix lui appartient.*

Maître Bharadia a levé la tête. Tous les yeux étaient fixés sur lui mais personne n'a ouvert la bouche.

– Oh, excusez-moi !

Il a feuilleté ses papiers en marmonnant.

– Ah ! Le voilà ! Au prix du marché aujourd'hui, le porte-feuille est d'une valeur de... deux millions, c'est ça. Deux millions de livres, à mille livres près, disons.

Bien sûr, qu'est-ce que c'était mille livres entre amis ? J'ai regardé Callie. Deux millions... elle était super riche. Elle s'est tournée vers moi, choquée.

– Félicitations, ai-je soufflé.

Quelqu'un était en train de me brûler les entrailles avec une torche à acétylène. Callie était riche. J'étais pauvre. Voilà. J'ai courbé la nuque. Je perdais la personne qui comptait le plus pour moi au monde. Mais bon, ça ne changeait rien. Je l'avais perdue bien avant aujourd'hui et ça n'avait pas été une question d'argent.

– À *Tobey Durbridge, je veux dire ceci,* a repris maître Bharadia.

J'ai relevé la tête. Jasmine m'avait laissé un message ?

– *Tobey, je sais que tu vas penser que je suis une vieille femme qui se mêle de ce qui ne la regarde pas, mais l'âge offre certains privilèges. D'ailleurs, c'est le seul avantage de la vieillesse. J'ai donc décidé de mettre mon nez dans tes affaires pour des raisons égoïstes et qui m'appartiennent. Il y a bien longtemps, j'ai eu l'occasion d'aider quelqu'un mais je ne l'ai pas fait. Je refuse de recommencer la même erreur. Tobey, je veux que tu finisses le lycée et que tu ailles à l'université. Je veux que tu fasses quelque chose de ta vie. Ne pars jamais perdant. Ne laisse jamais personne te claquer une porte au nez. Continue toujours d'avancer. Saisis la vie à bras le corps et ne laisse passer aucune occasion. Je t'ai observé durant toutes ces années et je sais combien ma petite-fille est importante pour toi. Alors, je te propose un marché. J'ai ouvert un compte épargne à ton nom. Tu seras autorisé à retirer vingt-cinq mille livres chaque année tant que tu feras tes études. À la fin de ton cursus, tu pourras garder ce qui reste sur le compte et l'utiliser comme bon te semblera.*

Je fixais maître Bharadia, persuadé que le ton monotone de sa voix m'avait endormi et que j'étais en train de rêver.

– Voulez-vous connaître le montant total de ce compte épargne ? m'a demandé le notaire.

J'ai acquiescé, toujours sous le choc. Maître Bharadia a tourné quelques pages.

– Voyons voir. Trois cent mille livres, plus les intérêts.

– Maman a laissé trois cent mille livres à Tobey ?

Minerva n'en croyait pas ses oreilles. Elle n'était pas la seule.

– Plus les intérêts, a répété maître Bharadia.

Jasmine Hadley m'avait légué autant d'argent ? Tout ce que j'avais vécu ces dernières semaines, tout ce que j'avais fait... alors que j'avais cet argent qui attendait pour moi...

– Je n'en veux pas. Je ne veux rien ! ai-je crié. Donnez tout à Callie. Partagez-le entre vous ! Faites ce que vous voulez ! Je ne veux pas un penny !

– Ne sois pas idiot, Tobey. C'est ton argent, a protesté Callie. Grand-mère Jasmine voulait que tu l'acceptes.

– Je ne suis pas intéressé. Excusez-moi.

Je me suis levé et je me suis dirigé vers la porte avant que quiconque essaie de m'arrêter.

Une fois hors de la pièce, j'ai suivi le couloir jusqu'à l'ascenseur. J'ai appuyé sur le bouton.

– Tobey... Tobey, attends !

Callie est arrivée en courant derrière moi. Que faisait ce putain d'ascenseur ?

— Tobey, que se passe-t-il ? m'a demandé Callie en posant sa main sur mon bras.

La chaleur de sa paume a fait frémir ma peau. Je me suis éloigné d'elle.

— Tu devrais retourner là-bas.

— Pas sans toi.

— Tu dois être avec ta famille.

— Tu es ma famille, toi aussi.

Je n'avais rien à répondre à ça. L'ascenseur n'arrivait pas.

— Callie, retourne auprès des tiens, ai-je marmonné en me dirigeant vers l'escalier et sans la regarder.

Nous étions au quinzième étage mais je voulais absolument sortir d'ici. J'avais envie de courir et de fuir loin de moi-même.

— Tobey, attends ! a crié Callie en me suivant dans l'escalier.

— Bon sang, Callie ! T'es bouchée ou quoi ? Je ne veux pas de toi !

— Je ne te crois pas.

Je lui ai pris les bras et je l'ai violemment tirée vers moi. Son visage n'était plus qu'à quelques centimètres du mien.

— J'ai eu ce que je voulais de toi et de ta famille ! ai-je sifflé méchamment. Tu étais bonne au lit et ta grand-mère m'a laissé plein de fric. Je n'ai plus besoin de toi, ni de personne. Alors rends-moi service et casse-toi ! Ou mieux, retourne auprès de ta mère et de ta tante et demande-leur de contester ce testament !

Je l'ai lâchée et elle a failli tomber en arrière. Elle a frotté son bras là où je l'avais serré. Ses yeux étaient pleins de larmes mais aucune n'a coulé. Je me suis forcé à la regarder en face. J'ai serré les poings, je me méprisais de lui faire du mal. Je me méprisais tout court. Et même si mes entrailles étaient à l'envers, et même si ma gorge se serrait et que je pouvais à peine respirer, même si mon cœur était écrasé par une main sans pitié, à l'extérieur je n'en montrais rien.

Callie a fait un pas vers moi. Puis un autre. Mon corps s'est transformé en statue. Que faisait-elle ?

– Tu essaies de m'obliger à te détester, a-t-elle dit d'une voix douce. Mais tu n'y arriveras pas, Tobey. Je pense que tu te détestes suffisamment pour nous deux.

– Va-t'en, Callie.

– C'est vraiment ce que tu veux ?

– Oui.

– Tu veux vraiment que je m'en aille pour de bon ?

– Oui ! ai-je crié.

J'ai recommencé à descendre l'escalier.

– Tu aurais préféré que je sois tuée ? m'a rappelé Callie. C'est ça que tu essaies de me dire ?

Ses mots m'ont frappé si violemment que j'ai dû me tenir à la rampe pour ne pas tomber en avant. Ma respiration s'est bloquée dans ma poitrine. Je ne pouvais plus bouger. Mon cerveau ordonnait à mes pieds de continuer d'avancer. Descends les marches, une à la fois. Cours. Mais tous ces signes s'arrêtaient au niveau de mon cœur. J'ai entendu Callie me rejoindre. Elle s'est placée sur la marche en dessous de moi pour me regarder dans les yeux.

– Si tu me détestes autant, pourquoi es-tu venu me voir chaque jour à l'hôpital, même si ce n'était parfois que pour quelques minutes ?

– Comment le sais-tu ?

– Tu viens seulement de confirmer ce que m'a dit Maman, a répondu Callie.

Je suis resté silencieux. Je l'ai regardée, incapable de détacher mes yeux de son visage.

– Tobey, tu es peut-être mon réparateur de choses cassées, mais aujourd'hui, c'est mon tour.

– Callie Rose, tu ne sais pas qui je suis aujourd'hui, ai-je murmuré. Tu ne sais rien de ce que j'ai fait depuis que tu as été blessée.

– Alors raconte-moi.

– Tu vas me détester.

– C'est impossible.

Mais je ne pouvais pas courir ce risque. Un jour peut-être, mais pas aujourd'hui. J'ai secoué la tête.

– Tobey, raconte-moi, a répété Callie. Toutes ces choses pour lesquelles tu crois que je vais te mépriser, tu les as faites pour moi, n'est-ce pas ?

Je n'ai pas répondu. Je me suis assis sur la marche de ciment dur et froid, trop fatigué pour rester debout plus longtemps. Callie s'est assise à côté de moi, aussi près qu'elle le pouvait.

– C'était comment, ton rendez-vous hier soir ?

– Bien.

– Menteur. Tu as fait le tour du quartier et tu es rentré chez toi.

– Comment tu le sais ?

– J'étais dans la chambre de Maman, m'a expliqué Callie. Je regardais les étoiles et je faisais un vœu. Quand j'ai baissé les yeux, je t'ai vu rentrer chez toi. Mon vœu s'était réalisé.

J'ai fermé les yeux. Ça ne changeait rien. Je devais la convaincre que ça ne changeait rien. Je me suis forcé à la regarder en face et je me suis raidi pour me préparer à sa réaction.

– Callie, par ma faute, cinq personnes sont mortes. Dan va devoir passer sa vie en fuite ou en prison et tu as failli mourir.

– Mais je suis en vie.

Callie a pris mon visage dans ses mains, son expression était sombre à présent. Mais elle ne s'est pas détournée. Pas une fois.

– Tobey, je ne suis pas morte. Je suis là, à côté de toi, et je vais y rester. Nous affronterons tout ensemble.

– Non. Je suis en enfer et il est hors de question que je t'y entraîne avec moi. Je dois rester seul.

– Non, tu ne…

– Cinq personnes, Callie Rose ! Cinq personnes sont mortes par ma faute.

Je me suis écarté d'elle.

– Comment pourrais-je vivre normalement après ça ? Comment pourrais-je même essayer de vivre normalement ?

– Tobey, regarde-moi.

Mais je ne voulais pas. Je ne pouvais pas.

– À cause de moi, a repris Callie, grand-mère Jasmine et oncle Jude sont morts. Tu me détestes pour ça ?

J'ai relevé la tête. Bien sûr que non. Il m'était impossible de détester Callie. Il me semblait plus probable qu'un jour des ailes me poussent. Nous nous sommes regardés, partageant quelque chose de plus profond et de plus fort que le silence qui nous entourait. Elle s'est penchée vers moi et m'a embrassé. Ses lèvres étaient douces et tièdes, mais je ne lui ai pas rendu son baiser.

– Si tu me demandes de partir, je t'obéirai, a-t-elle murmuré. Si vraiment tu ne veux plus de moi, je te laisserai. Mais je passerai le reste de ma vie à regretter d'être sortie du coma.

Les mots de Callie m'ont fait l'effet d'une gifle.

– Ne dis pas ça ! ai-je lancé furieusement. Ne dis plus jamais ça !

– C'est la vérité. Je ne pourrai pas supporter de penser que nous ne serons plus jamais ensemble, a-t-elle renchéri avec une pointe de taquinerie dans la voix. Et puis, tu es mon esclave sexuel, celui de personne d'autre. C'est moi qui t'ai vu la première.

Je l'ai fixée.

– Tu te rappelles ? Toi et moi, tu te rappelles ?

– Je m'en suis souvenue un jour après m'être réveillée. Je n'ai toujours aucun souvenir de la fusillade. Le médecin dit que ça ne reviendra peut-être jamais. Mais la nuit précédente est là. Chaque détail. Je ne t'ai pas oublié.

Il y a quelque temps, j'avais rêvé qu'elle prononce ces mots.

– Ça ne suffit pas. C'est trop tard.

J'ai tourné la tête mais Callie m'a forcé à la regarder.

– Tobey, dis-moi la vérité. Tu veux vraiment que je m'en aille ?

Doucement, j'ai hoché la tête.

– Pourquoi ? a-t-elle demandé.

Mes mains, je ne sais pas comment, ont trouvé son visage. Mes doigts ont caressé ses joues.

– Parce que je t'aime, ai-je murmuré.

À cet instant, toute ma vie s'est désagrégée devant moi. Sauf ça. Mon amour pour Callie. C'était la seule chose qui ne changerait jamais. Callie s'est serrée contre moi et m'a serré contre elle comme si elle voulait que nous restions collés l'un à l'autre pour l'éternité.

Elle a soufflé à mon oreille :

– Toi et moi, Tobey, contre le monde entier.

Mon front sur son épaule, j'ai fait quelque chose que je n'avais pas fait depuis des années. La seule que je pensais ne plus jamais faire.

J'ai pleuré.

Épilogue

BULLETIN DU LYCÉE DE HEATHCROFT
Félicitations aux étudiants reçus dans les universités suivantes :

ÉTUDIANTS	MATIÈRES
Omar Ade	Histoire
Solomon Ajuki	Médecine
Ella Cheshie	Sociologie
Alex Donaldson	Lettres modernes
Tobey Durbridge	Droit
Jennifer Dyer	Géographie
Samantha Eccles	Thérapie sportive
Connor Freeman	Littérature
Callie Rose Hadley	Droit
Rachelle Holloway	Lettres modernes
Misty Jackman	Musique et spectacle
Bliss Lwammi	Technologie des communications
Gennipher Mardela	Sciences économiques
Maxine Mbunte	Physique
David McVitie	Commerce

Suite page 4

Autres nouvelles

Notre lycée est particulièrement fier d'annoncer l'ouverture du Foyer de la Prairie, fondé et en partie financé par un de nos élèves, Tobey Durbridge. Le but de ce foyer est de fournir soutien, aide et informations à tous les étudiants souffrant d'addiction à l'alcool et/ou la drogue.

DANS LA MÊME SÉRIE

MILAN

Entre chiens et loups
de Malorie Blackman

Traduit de l'anglais
par Amélie Sarn

Imaginez un monde. Un monde où tout est noir ou blanc. Où ce qui est noir est riche, puissant et dominant. Où ce qui est blanc est pauvre, opprimé et méprisé. Un monde où les communautés s'affrontent à coups de lois racistes et de bombes.

C'est un monde où Callum et Sephy n'ont pas le droit de s'aimer. Car elle est noire et fille de ministre. Et lui blanc et fils d'un rebelle clandestin…

Et s'ils changeaient ce monde ?

Extrait :

Callum m'a regardée. Je ne savais pas, avant cela, à quel point un regard pouvait être physique. Callum m'a caressé les joues, puis sa main a touché mes lèvres et mon nez et mon front. J'ai fermé les yeux et je l'ai senti effleurer mes paupières. Puis ses lèvres ont pris le relais et ont à leur tour exploré mon visage. Nous allions faire durer ce moment. Le faire durer une éternité. Callum avait raison : nous étions ici et maintenant. C'était tout ce qui comptait. Je me suis laissée aller, prête à suivre Callum partout où il voudrait m'emmener. Au paradis. Ou en enfer.

La couleur de la haine
de Malorie Blackman

Traduit de l'anglais
par Amélie Sarn

Imaginez un monde. Un monde où tout est noir ou blanc. Où ce qui est noir est riche, puissant et dominant. Où ce qui est blanc est pauvre, opprimé et méprisé.

Noirs et Blancs ne se mélangent pas. Jamais. Pourtant, Callie Rose est née. Enfant de l'amour pour Sephy et Callum, ses parents. Enfant de la honte pour le monde entier. Chacun doit alors choisir son camp et sa couleur. Mais pour certains, cette couleur prend une teinte dangereuse… celle de la haine.

Extrait :

J'ai compris que je ne savais rien de la manière dont je devais m'occuper de toi, Callie. Tu n'étais plus une chose sans nom, sans réalité. Tu n'étais plus un idéal romantique ou une simple manière de punir mon père. Tu étais une vraie personne. Et tu avais besoin de moi pour survivre.

Callie Rose. Ma chair et mon sang. À moitié Callum, à moitié moi, et cent pour cent toi. Pas une poupée, pas un symbole, ni une idée, mais une vraie personne avec une vie toute neuve qui s'ouvrait à elle.

Et sous mon entière responsabilité.

Le choix d'aimer
de Malorie Blackman

Traduit de l'anglais
par Amélie Sarn

Imaginez un monde. Un monde où tout est noir ou blanc. Où ce qui est noir est riche, puissant et dominant. Où ce qui est blanc est pauvre, opprimé et méprisé.

Dans ce monde, une enfant métisse est pourtant née, Callie Rose. Une vie entre le blanc et le noir. Entre l'amour et la haine. Entre des adultes prisonniers de leurs propres vies, de leurs propres destins.

Viendra alors son tour de faire un choix. Le choix d'aimer, malgré tous, malgré tout…

Extrait :

Voilà les choses de ma vie dont je suis sûre :

Je m'appelle Callie Rose. Je n'ai pas de nom de famille.

J'ai seize ans aujourd'hui. Bon anniversaire, Callie Rose.

Ma mère s'appelle Perséphone Hadley, fille de Kamal Hadley.

Kamal Hadley est le chef de l'opposition – et c'est un salaud intégral. Ma mère est une Prima – elle fait donc partie de la soi-disant élite dirigeante.

Mon père s'appelait Callum McGrégor. Mon père était un Nihil. Mon père était un meurtrier. Mon père était un violeur. Mon père était un terroriste. Mon père brûle en enfer.